D1502935

LA COLLINE
DU
DERNIER ADIEU

MARION ZIMMER BRADLEY

LA COLLINE DU DERNIER ADIEU

Pygmalion
Gérard Watelet

Paris

Titre original : THE FOREST HOUSE
traduit de l'américain par Lise André

Adaptation française réalisée avec le concours de Gérard Villers

---

Sur simple demande adressée aux
Éditions Pygmalion/Gérard Watelet, 70, avenue de Breteuil, 75007 Paris
vous recevrez gratuitement notre catalogue
qui vous tiendra au courant de nos dernières publications.

---

*A Diane Paxson, ma sœur et mon amie,
qui a enraciné ce roman dans son contexte
historique et géographique, et a ajouté Tacite
à la liste des personnages.*

Note de l'auteur

Les lecteurs de ce roman, familiers de *Norma*, l'opéra de Bellini, sauront reconnaître les origines de cette histoire. En hommage au compositeur, les hymnes des chapitres 5 et 22 m'ont été inspirés par le livret de l'Acte I, scène I, et ceux du chapitre 30 par l'Acte II, scène II. Les hymnes à la lune des chapitres 17 et 24 sont extraits de *Carmina Gadelica*, un recueil d'incantations traditionnelles des Highlands, réunies à la fin du XIXe siècle par le Révérend Alexander Carmichael.

Prologue

Un vent froid fouettait les torches, langues de feu rageuses faisant briller, par-delà les eaux sombres, les boucliers des légionnaires prêts à l'attaque sur la rive opposée. Entourée de fumée et par la brume qui montait de la mer, la prêtresse, maîtrisant un bref accès de toux, s'efforça de mieux discerner les préparatifs ennemis. Elle écouta la rumeur qui parvenait du camp romain, les ordres des officiers haranguant leurs troupes. Derrière elle, s'élevait en réponse le chant des druides appelant la colère des cieux sur l'oppresseur. Soudain, le tonnerre ébranla les airs et les lamentations stridentes des femmes la firent frissonner. Mêlant sa voix aux leurs, elle leva à l'unisson encore plus haut ses bras imprécateurs, faisant frémir sa cape telle une immense aile de corbeau.

Les Romains, eux aussi, faisaient écho à la clameur, et bientôt le premier rang des combattants pénétra dans les flots, bravant le chœur menaçant des femmes et la harpe de guerre qui palpitait d'une musique vengeresse.

Le premier soldat à cape rouge posa le pied sur le rivage de l'Ile Sacrée, mais hélas les dieux ne le frappèrent point. Les

11

chants faiblirent et la prêtresse, qu'un druide voulut vainement protéger de son corps, fut aussitôt frappée par un glaive qui empourpra sa robe d'une tache sanglante. Alors, toutes les incantations cessèrent et seuls se firent entendre encore des appels angoissés et des cris d'épouvante.

Vacillante, la prêtresse, cependant, avait cherché refuge sous les arbres ; derrière elle, les Romains fauchaient les druides comme du blé mûr, les achevant jusqu'aux derniers, balayant l'île d'une atroce marée rouge.

Se frayant un chemin à grand-peine dans le bosquet à la recherche du cercle sacré, elle se dirigea vers la lueur orange qui planait au-dessus du Sanctuaire des Femmes, entrevit les pierres devant elle, parvint à les atteindre. Mais au même moment, entendant les cris que poussaient derrière elle les soldats, elle se retourna et vit fondre sur elle la meute enragée. Certaine maintenant qu'ils allaient la tuer, elle invoqua la Déesse et se raidit terrorisée, dans l'attente du coup.

Ce ne furent pourtant ni les glaives ni les lances qui l'abattirent. Des corps et des mains l'assaillirent, déchirèrent sa robe, l'étendirent violemment sur la pierre, lui firent subir, à tour de rôle, tous les outrages. Sachant qu'elle ne pouvait leur échapper, la prêtresse cependant, grâce à son pouvoir magique de concentration, grâce à des disciplines toute-puissantes et sacrées, avait pu séparer son esprit de son corps. Aussi, lorsque enfin s'acheva son calvaire, lorsqu'elle reprit conscience, seule la douleur physique lui arracha ce hurlement :

– Ô Mère Suprême, Déesse des Corbeaux, je t'en supplie, venge-moi ! Venge-moi !...

« Venge-moi ! » Je m'éveillai au cri que je venais moi-même de pousser et m'assis sur mon lit, les yeux grands ouverts. Comme toujours, je mis un moment à comprendre que ce n'était qu'un rêve. J'étais en effet bien trop jeune l'année terrible où les Légions massacrèrent les druides et violèrent les femmes sur l'Ile Sacrée. Enfant non désirée, on m'appelait

LA COLLINE DU DERNIER ADIEU

Kellen, et je vivais alors en sécurité de l'autre côté de la mer, en Hibernie *. Mais le récit du massacre si souvent rapporté n'avait jamais cessé depuis de me hanter.

Le rideau séparant ma chambre de celle de mes suivantes s'agita et une tête apparut :

— Dame, avez-vous appelé ? Avez-vous besoin d'aide ? C'est presque l'heure de saluer l'aube.

J'inclinai la tête, le front moite, et me levai. On m'aida à passer ma tunique et à placer sur ma poitrine et sur mon front les insignes de ma charge de Haute Prêtresse. Puis je suivis l'une de mes femmes sur le sommet de l'île, une colline surmontée d'une tour qui s'élevait au milieu des marais et des prairies et que les hommes appelaient la Mer d'Été. En bas s'élevait le chant des vierges chargées de veiller sur le puits sacré et, plus loin, tintait dans un vallon la cloche appelant les ermites à la prière dans la petite église en forme de ruche tout à côté de l'arbre à l'épine blanche. Avant eux, d'autres peuples avaient fondé un sanctuaire sur cette île du bout du monde, par-delà les mers intérieures, et je suis bien certaine que d'autres encore viendront y chercher refuge dans l'avenir. Tant d'années ont passé depuis la fin de l'Ile Sacrée de Mona **, tant d'années... Et pourtant, dans mes rêves, des voix défuntes crient encore vengeance, alors qu'une sagesse difficilement acquise me dit aussi que les sangs qui se mêlent fortifient une race à condition que puisse se perpétuer l'antique et primordial savoir.

Mais, pourquoi ne pas l'avouer ? J'ai encore bien du mal à me faire aux coutumes romaines, bien que sur l'Ile des Pommes, les semelles ferrées des Légionnaires n'arpentent pas nos routes empierrées, ne troublent pas notre quiétude. Entre eux et nous s'étend un voile de brume et de mystère qui nous isole du monde trop matériel et précis des Romains.

---

* Irlande.
** Anglesey et en gallois Ynys Môn.

LA COLLINE DU DERNIER ADIEU

Aujourd'hui peut-être vais-je raconter aux jeunes filles l'histoire de notre arrivée sur cette terre car, entre la destruction du sanctuaire des Femmes sur l'Ile de Mona et le retour des Prêtresses sur l'Ile magique d'Avalon, le Sanctuaire de la Forêt, à Vernemeton, nous a servi de refuge.

Là, j'ai appris les Mystères de la Déesse et les ai enseignés à mon tour à Elane, fille de Rhys, la plus grande des Hautes Prêtresses qui fut, mais que certains appelleront toujours la plus grande traîtresse de tous les temps. C'est pourtant grâce à elle, Elane, que le sang du Dragon et de l'Aigle s'est mêlé à celui des Sages. Puisse-t-il, dans les heures cruciales, venir à jamais en aide aux Brittons !

Mes prêtresses m'ont rejointe et chantent maintenant unies autour de moi. J'élève mes bras vers le ciel et, au moment où le soleil déchire la brume, mes mains bénissent la terre.

On dit souvent qu'Elane fut la victime des Romains, mais je connais une autre vérité. Il fut un temps où les Mystères trouvèrent refuge dans le Sanctuaire de la Forêt. Les dieux n'exigent nullement que tous nous soyons des conquérants ou bien qu'inversement, nous possédions la sagesse. Ce qu'ils veulent, c'est que nous servions la vérité afin qu'à notre tour, nous puissions la transmettre à nos descendants. Au cours de ma longue vie, je n'ai appris qu'une chose : rien en ce monde n'a de début ni de fin. Chaque événement a une cause qu'une autre a précédée. Les druides nous l'enseignent : Celui qui est plus grand que tout créa toutes choses à partir du chaos. Mais qui peut donc sommer ce Dieu-là de s'expliquer pour les humains ?

I

LE soleil couchant disparaissait derrière les nuages, et pourtant une lumière dorée persistait sous les arbres, illuminant chaque feuille d'une lueur irréelle. Deux jeunes filles marchaient le long d'un chemin forestier et leurs cheveux, sous les branches, se teintaient d'une même couleur. La forêt dense et sombre qui s'étendait sur presque tout le sud de l'Ile de Bretagne les enveloppait dans un clair-obscur doux et calme, et la fraîche caresse de minuscules gouttelettes d'eau s'écoulant des rameaux mouillés parsemait leurs visages de multiples bénédictions.

Elane aspira profondément l'air humide, lourd de toutes les senteurs des bois, aussi enivrantes que l'odeur de l'encens au sortir de la salle enfumée de la maison familiale. Ayant su par ouï-dire qu'on utilisait des plantes sacrées dans le Sanctuaire de la Forêt pour purifier l'air, instinctivement, elle se redressa, cherchant à ressembler aux prêtresses qui y vivaient, à marcher comme elles, avec autant de grâce, à épouser le rythme de leurs corps à la fois étrange et naturel comme si, de tout temps, elle avait su le faire.

Venant d'atteindre l'âge de la puberté, on l'avait autorisée à

15

porter les offrandes du printemps. « Comme l'eau sacrée des premiers beaux jours rend sa fertilité à la terre, te voilà devenue femme », lui avait dit sa mère.

La nuit passée, Elane avait longuement contemplé l'astre nocturne, éprouvant un sentiment d'attente indéfinissable, sachant que dans le Sanctuaire de la Forêt, les rites de la saison nouvelle faisaient appel à la Déesse afin qu'elle apparaisse au soir de la pleine lune. Et si, s'était-elle demandé, la prêtresse de l'Oracle me désignait pour servir la Déesse aux fêtes de Beltane ? imaginant aussi la longue traîne d'une robe bleu-nuit glissant sur l'herbe derrière elle, un voile mystérieux dissimulant ses traits.

– Eh bien, Elane ! questionna soudain la jeune fille qui la précédait, que fais-tu ? Pourquoi marches-tu si lentement ? Il fera nuit avant notre retour si nous ne nous pressons pas !

La voix de Dieda, sa compagne, fit sursauter Elane. Elle trébucha sur une racine et manqua de laisser tomber son panier.

Rougissante, elle retrouva l'équilibre et activa le pas. Déjà lui parvenait le doux murmure de la source qui apparut peu après, jaillissant d'une crevasse. Un cercle de pierres disposé jadis par les hommes entourait la fontaine, et le noisetier encore jeune où l'on attachait les rubans votifs était le descendant de nombreux autres qui avaient poussé là depuis toujours.

Les jeunes filles s'installèrent près du bassin et étendirent sur le sol un linge où elles disposèrent leurs offrandes, de délicieux gâteaux, un flacon d'hydromel et quelques pièces d'argent. Ce n'était bien sûr qu'une petite fontaine, résidence d'une déesse modeste, et non l'un de ces grands lacs sacrés où des armées entières venaient offrir en sacrifice leur butin. Ici, depuis de nombreuses années, les femmes de la famille apportaient simplement des dons chaque mois, après leurs cycles périodiques, afin de renouveler le lien les unissant à la Déesse Mère.

LA COLLINE DU DERNIER ADIEU

Frissonnant un peu dans l'air frais du soir, elles ôtèrent leur robe et se penchèrent au-dessus du bassin.

– Source sacrée, corps de la Déesse, berceau de toute vie, donne-nous le pouvoir d'en faire éclore une nouvelle...

Elane prit un peu d'eau dans ses mains et la laissa couler sur son ventre et entre ses cuisses.

– Source sacrée, murmura-t-elle, lait de la Déesse, toi qui nourris le monde, donne-moi le pouvoir de nourrir ceux que j'aime. Source sacrée, poursuivit-elle, ses jeunes seins frémissant sous la caresse de l'eau, esprit de la Déesse jaillissant depuis toujours des profondeurs de la terre, donne-moi le pouvoir de faire renaître le monde...

Comme elle fixait intensément l'eau, Elane vit alors son reflet pâle se dessiner sur la surface apaisée de la fontaine, puis se transformer peu à peu en celui d'une vieille femme à la peau grise, aux cheveux rougeoyants parsemés d'étincelles, mais qui gardait curieusement ses yeux à elle.

– Elane...

Entendant la voix de Dieda, la jeune fille cligna des yeux et le visage qui la regardait redevint tout à coup le sien. Un souffle de vent la fit frissonner. Elle remit précipitamment sa robe, imitée par Dieda qui saisit le panier de gâteaux et s'adressa à son tour à la fontaine :

> Dame de la Source Sacrée,
> Prends ces offrandes que je t'ai apportées ;
> Je prie pour l'amour, la chance et la vie !
> Déesse, accepte, je t'en prie, mes présents aujourd'hui.

« Si nous nous trouvions dans le Sanctuaire de la Forêt, songea Elane, cette prière serait accompagnée par un chœur de prêtresses. » Alors, elle joignit sa voix faible et un peu hésitante à celle de Dieda, forte et tranquille :

> Déesse, bénissez maintenant champs et forêts.
> Qu'ils daignent nous accorder leurs bienfaits

LA COLLINE DU DERNIER ADIEU

Et prodiguent aux hommes et aux bêtes force et vigueur.
Protège, ô Déesse, nos cœurs et nos corps !

Elane versa un peu d'hydromel sur la surface de l'eau tandis que Dieda émiettait de son côté les gâteaux préparés à cette intention ; puis les deux jeunes filles laissèrent tomber une à une les pièces d'argent qui disparurent aussitôt.

Alors les rides de l'onde s'estompèrent et les deux visages, tout près l'un de l'autre et si semblables, apparurent distinctement. Craignant de voir se dessiner à nouveau les traits de la vieille femme, Elane se raidit, mais fut bientôt rassurée. Cette fois, c'était bien les siens qui se reflétaient dans l'eau calme, ses yeux à elle qui brillaient comme les étoiles dans un ciel d'été.

« Dame, êtes-vous l'esprit de la fontaine ? chuchota-t-elle en elle-même. Que voulez-vous de moi ? »

Une vive lumière qui inonda son âme sembla lui apporter une réponse et elle crut tout à fait entrevoir, dans un éblouissement, le visage rayonnant de la Mère Éternelle.

– Elane ! s'impatienta Dieda, comme si elle l'admonestait pour la seconde fois. Qu'as-tu ? Pourquoi es-tu si bizarre aujourd'hui ?

– Mais, Dieda ! tu ne l'as donc pas vue ? Elle était là dans la fontaine !

Dieda soupira avec agacement.

– Décidément tu me fais penser aux vieilles bigotes de Vernemeton qui, dit-on, racontent à tout le monde leurs visions !

– Comment oses-tu parler ainsi, toi, la fille du Haut Druide ! Ton imagination est celle d'un barde ! Tu devrais songer à le devenir.

– Une femme-barde ? Tu es folle ! Jamais Ardanos, mon père, ne le permettrait. Tu te trompes sur moi d'ailleurs. Je ne tiens nullement à passer ma vie en compagnie de femmes radoteuses et futiles. Je préférerais mille fois rejoindre les Corbeaux et Kerig, ton frère adoptif, pour combattre Rome.

– Ne parle pas si fort ! souffla Elane, regardant autour d'elle comme si les arbres avaient des oreilles. Kerig !... Es-tu sûre que ce n'est pas plutôt parce que tu rêves de te trouver auprès de lui que tu veux rejoindre les rangs des Corbeaux ? J'ai remarqué la façon dont tu le regardes, tu sais ! ajouta-t-elle en riant.

– Qu'est-ce que tu racontes ? explosa Dieda, rougissante. Un jour, tu verras, toi aussi tu seras amoureuse d'un homme, et ce sera à mon tour de rire.

– Jamais, tu m'entends, jamais ! Seule la Déesse m'appelle et je veux la servir !

– Nous verrons bien, répliqua Dieda, voulant avoir le dernier mot. Pour l'instant, en tout cas, aide-moi à plier la nappe et rentrons !

C'est alors qu'elles perçurent un faible cri, comme celui d'un animal blessé.

– Écoute ! murmura Elane qui s'était immobilisée. On dirait que ça vient de la vieille fosse aux sangliers. Si une bête a été prise, il faut prévenir le village.

Un jeune homme, et non un animal sauvage, gisait en effet, blessé, au fond du piège. Ses chances d'être sauvé, il le savait, s'amenuisaient avec le déclin du soleil.

Le trou était humide et les excréments des animaux tombés au fond avant lui rendaient l'odeur insupportable.

Gaius Macellius Severus Siluricus était âgé de dix-neuf ans et avait juré fidélité à l'empereur Titus en tant qu'officier de l'armée romaine. La mort ne l'effrayait pas, car il avait livré sa première bataille avant même d'avoir du duvet sur le visage. Mais savoir que la vie pourrait le quitter peu à peu, pris au piège comme un lièvre stupide, l'irritait profondément. « Tout est arrivé par ma faute, se répétait-il avec amertume. Si j'avais écouté Albus, je serais maintenant assis devant un bon feu, boirais de la cervoise et conterais fleurette à Gwenna, la fille de mon hôte... »

Furieux de se trouver en si fâcheuse posture, Gaius poussa

un juron rageur. Que dirait Macellius, son père, Préfet de Camp à la IIᵉ Légion cantonnée à Deva *, s'il le voyait ! Jeune conquérant de l'Ile de Bretagne, il avait épousé la fille aux cheveux bruns d'un chef de clan silure, quand Rome espérait encore vaincre les tribus brittoniques en s'alliant avec elles. C'est pourquoi Gaius avait dès son enfance parlé la langue de sa mère avant même de savoir prononcer un seul mot de latin.

Ayant été récemment nommé tribun militaire, il escortait parfois en raison de ses connaissances linguistiques des jeunes gens du pays contraints par Rome d'aller travailler dans des mines de plomb. Convié au retour de l'une de ces missions à une partie de chasse par Albus, Britton romanisé, ami de son père, il avait la veille, au cours d'une battue, tué un daim, prouvant ainsi qu'il était aussi adroit au javelot que les autochtones avec leurs propres armes.

Au milieu des immondices de la fosse, Gaius maudissait l'esclave qui lui avait recommandé un raccourci, par une voie peu empruntée, pour rejoindre la maison d'Albus. Il s'en prenait également à lui-même d'avoir été assez stupide pour laisser les rênes de son char au misérable qui n'avait rien trouvé de mieux que d'emballer les chevaux. Une aspérité du terrain, à l'origine d'un brusque écart de l'attelage, l'avait jeté au sol, les bêtes affolées poursuivant quant à elles leur course effrénée.

Étourdi, l'équipage déjà loin, il s'était alors relevé indemne, et avait imprudemment entrepris de rentrer par ses propres moyens en coupant à travers la forêt. Mal lui en avait pris, car le cocher, s'apercevant de son absence, avait sûrement réussi à maîtriser les chevaux et à faire demi-tour.

Marchant donc au hasard pendant plusieurs heures, il s'était irrémédiablement égaré et soudain s'était senti glisser à travers branches et feuilles au fond d'un piège aux parois

---

* Ville de Chester.

hérissées de pieux, freiné dans sa chute par l'un d'eux qui lui avait traversé le bras, puis par un autre qui lui avait entaillé la jambe du mollet à la cuisse. Trop faible pour tenter quoi que ce fût, ne pouvant se relever tant ses blessures le faisaient souffrir, il savait maintenant que s'il ne perdait pas tout son sang avant la tombée de la nuit, les bêtes sauvages, attirées par l'odeur, l'achèveraient.

Un long frisson parcourut tout son corps. À force de crier, il n'avait plus de voix. Comme, désespéré, il se résignait à mourir dignement, en Romain, il entendit au-dessus de lui un appel. Le cœur battant à tout rompre, il parvint à se redresser un peu et jetant ses dernières forces dans un cri, moitié plainte, moitié hurlement, tenta vainement d'articuler une phrase. S'agrippant alors à l'un des pieux qui le déchiraient, il réussit à s'agenouiller, le dos contre la terre, et dans un éblouissement, entrevit, penché vers lui, en haut du trou, le visage d'une jeune fille.

— Par la Déesse, s'écria celle-ci d'une voix claire, comment avez-vous pu tomber dans ce piège ? Il y avait pourtant des marques sur les arbres tout autour.

Trop affaibli, Gaius comprit mal ce que la jeune fille disait. De plus, le dialecte qu'elle parlait ne lui était guère familier.

Avant qu'il n'eût le temps de réagir, un second visage apparut, ressemblant trait pour trait au premier, à tel point que Gaius crut à une hallucination.

— Attrapez ma main ! cria la nouvelle venue. A nous deux, nous allons vous tirer de là. Vous mériteriez pourtant qu'on vous laisse en pâture aux loups ! Allons, Elane, aide-moi !

La main d'une femme, blanche et gracile, se tendit vers lui. Gaius la prit, mais ne put la serrer.

— Qu'y a-t-il ? Etes-vous blessé ? demanda-t-elle radoucie.

Sa compagne se pencha plus avant.

— Dieda, il saigne ! Va vite chercher Kerig ! Lui pourra le sortir de là.

Les mouvements qu'il avait faits ayant ravivé ses blessures, Gaius, gémissant, s'affala de nouveau.

– Tenez bon surtout ! reprit l'une des voix. On va venir vous chercher. M'entendez-vous ?

– Je vous entends, murmura-t-il. Continuez de me parler...

Puis il perdit un moment connaissance.

Ce fut ensuite l'arrivée des secours. Il perçut vaguement des bruits de branches cassées, un grand remue-ménage et sa souffrance devint plus vive. La voix claire de la première jeune fille tinta un court instant à son oreille, murmure cristallin d'un ruisseau traversant sa conscience, mais les mots et les sons n'avaient pour lui désormais plus de sens.

Le monde s'obscurcit et il comprit à la lueur fulgurante d'une torche qu'il faisait nuit.

Lorsqu'il rouvrit les yeux, un homme l'examinait avec attention. À peu près du même âge que lui, il avait la stature d'un géant. De longues boucles blondes tombaient sur ses épaules et son visage imberbe respirait le calme et la simplicité, comme si sauver un étranger à moitié mort était tout à fait naturel. Il portait une tunique en tartan et un pantalon de cuir teint. Sa cape en laine brodée était attachée par une fibule d'or rehaussée d'un corbeau stylisé en émail rouge, insigne d'une famille noble, ne devant guère apprécier la race des conquérants venus de Rome.

– Je suis un étranger, avança prudemment Gaius dans la langue du pays, et je reconnais mal vos clans. Ne m'en veuillez pas trop.

– Pas d'importance. Pour l'instant, nous allons te sortir d'ici. Ensuite, nous parlerons. Je m'appelle Kerig.

Le jeune homme prit Gaius par la taille et le souleva comme il aurait fait d'un enfant.

– Nous avons creusé ce piège pour les sangliers, les ours et les Romains, expliqua-t-il. Tu n'as pas eu de chance ! Puis, levant la tête : Dieda, donne-moi ta pèlerine. Ce sera plus facile pour le transporter. Sa cape est trop ensanglantée.

Il attacha alors une extrémité de la pèlerine à sa taille et l'autre à celle du blessé, puis il posa le pied sur le pieu le plus bas.

LA COLLINE DU DERNIER ADIEU

– Crie si je te fais mal ! J'ai remonté ainsi des ours, mais il est vrai qu'ils étaient morts et ne pouvaient plus gronder !

Gaius serra les dents, défaillant presque lorsque sa cheville enflée heurta une racine. En haut, des mains se tendirent vers eux, saisirent les siennes et il s'effondra à bout de souffle à même la terre. Etendu au bord de la fosse, respirant à grand-peine, il lui fallut un long moment avant de pouvoir soulever les paupières.

Un homme assez âgé était penché sur lui. Avec douceur, il écarta la cape maculée de sang et siffla.

– Étranger, tu es béni des dieux. Un peu plus bas, et le pieu perforait tes poumons. Kerig et vous, les filles, regardez : le sang qui coule encore est noir et épais. C'est donc qu'il retourne vers le cœur. S'il en venait, il serait d'un rouge éclatant et giclerait.

Le géant blond qui l'avait sauvé et les deux jeunes filles se penchèrent tour à tour sur Gaius qui garda le silence. Une terrible appréhension le gagnait. Ayant déjà abandonné tout espoir de se faire transporter, moyennant récompense, chez Albus, il savait maintenant qu'il devait la vie à la vieille cape brittonne qu'il avait mise pour voyager et que l'examen médical qu'il venait de subir ne pouvait être que celui d'un druide. C'est alors, comme on tentait de le soulever de terre précautionneusement, qu'il s'évanouit pour la deuxième fois.

Quand, longtemps après, il reprit ses esprits, Gaius, à la lueur d'un feu de bois, croisa le regard d'une jeune fille dont le visage semblait flotter dans un halo diaphane. Très jeune, très belle, elle l'observait avec gravité et douceur. Ses yeux gris en amande étaient immenses, sombres et profonds, ourlés de longs cils pâles. Sa bouche était une rose ornée de deux fossettes juvéniles, ses cheveux si blonds qu'ils semblaient presque translucides dans la lumière vacillante des torches.

D'une caresse légère, elle humectait d'eau fraîche le front brûlant du blessé qui sentait peu à peu la vie lui revenir.

– C'est assez, maintenant, Elane, dit alors une voix. Tu vois, il se réveille.

La jeune fille s'éloigna.

Elane ?... N'avait-il pas déjà entendu ce nom ? Etait-ce en rêve ? Si belle, elle semblait presque irréelle.

Gaius alors se força à regarder autour de lui. Il reposait le long d'un mur dans un bâtiment spacieux. La mémoire lui revenant peu à peu, il examina plus attentivement la pièce, cherchant à comprendre où il se trouvait. L'édifice était rond et sa charpente en bois. La construction, sûrement très ancienne, semblait typiquement celtique avec des poutres équarries rayonnant du toit vers le muret circulaire. Le sol était jonché d'une épaisse couche de jonc ; les murs d'osier tressé étaient enduits de chaux. Un grand rideau de cuir enfin servait de porte.

Son regard se posa de nouveau sur la jeune fille qui s'était un peu éloignée. Elle portait une tunique d'un brun rougeâtre et tenait dans les mains un bassin en cuivre. Svelte et élancée, elle lui parut plus grande et plus jeune qu'il ne l'avait d'abord cru, son corps gracile qui se devinait sous la toile étant encore celui d'une enfant.

Près de l'âtre se tenait l'homme qu'il savait être un druide et dont les siens, disait-on, étaient tous ennemis de Rome et de l'ordre qu'elle imposait. Tomber en son pouvoir équivalait à se réveiller dans la tanière d'un loup.

Gaius se félicita donc en lui-même, lorsqu'il l'avait entendu évoquer au-dessus de son corps les principes de la circulation sanguine, fruit de l'enseignement des grands prêtres guérisseurs, qui le tenaient eux-mêmes des Grecs, de n'avoir pas alors révélé qu'il était romain. Le géant blond qui l'avait sauvé n'avait d'ailleurs pas caché que les pièges étaient destinés aux fauves et aux envahisseurs de l'Ile de Bretagne...

Ainsi, à moins de cinq milles de Deva où campait la Légion, était-il tombé aux mains d'un ennemi qui ignorait encore sa véritable identité !

Toujours est-il que pour l'instant les chandelles à mèche de jonc trempée dans du suif se consumaient paisiblement dans des jattes suspendues. Sa couche recouverte de toile était douillette et le matelas de paille fleurait bon. Sa fièvre même semblait réconfortante après le froid mortel qui régnait dans la fosse.

Interrompant ses réflexions, le druide se leva et vint s'asseoir près de lui. Pour la première fois, Gaius put l'observer. Il était lui aussi d'une stature puissante, fortement musclé, et l'on sentait que ses épaules larges étaient capables de jeter un taureau à terre. Il avait des traits rudes, comme taillés dans la pierre, les yeux clairs d'un ciel délavé par la pluie, un regard fixe et impassible. Ses cheveux et sa barbe, sûrement naguère très noirs, maintenant grisonnaient. Gaius lui donna l'âge de son père, un peu plus peut-être.

— Tu l'as échappé belle, jeune homme, commença le druide. La prochaine fois, montre-toi plus vigilant. Voyons cette épaule. Elane !

Il fit signe à la jeune fille d'approcher et lui donna ses instructions à voix basse. Elle s'éloigna aussitôt.

— À qui ai-je l'honneur de parler et d'avoir la vie sauve ? demanda Gaius, s'étonnant malgré lui de faire preuve d'un tel respect envers un druide.

N'avait-il pas en effet été élevé comme tous les Romains dans la crainte de ces prêtres et de leurs sacrifices humains, convaincu dès l'enfance de l'absolue nécessité de réduire à néant le culte druidique aussi bien dans l'Ile de Bretagne qu'en Gaule ? Certes, les druides qui restaient s'étaient inclinés devant la paix et les lois romaines, mais demeuraient aussi dangereux que les chrétiens, sinon plus. Il est vrai, cependant, chercha à se rassurer le jeune homme, qu'un hôte quel qu'il soit demeurait toujours sacré pour un Celte, du moins hors des territoires contrôlés par les Romains.

— Je m'appelle Benedig, Elane est ma fille et Kerig, mon fils adoptif, déclara le druide, quittant lentement des yeux Gaius comme s'il venait de lire dans ses pensées. Nous allons essayer de te remettre rapidement sur pied.

Portant un petit coffre en chêne et une corne à boire, Elane s'approcha à nouveau du blessé.

– J'espère que je ne me suis pas trompée, dit-elle timidement.

Son père la remercia d'un hochement de la tête, prit le coffret et lui fit signe, toujours sans un mot, de tendre la corne à Gaius qui s'aperçut, quand il voulut la prendre, qu'il n'avait pas la force de refermer les doigts sur elle.

– Bois, dit alors le druide d'un ton sans réplique, tu vas en avoir besoin !

Sur un geste de son père, Elane se rapprocha du lit.

Elle sourit, fit un signe rituel dont le sens échappa au jeune homme qui n'en menait pas large. Il goûta la potion, voulut se redresser, mais les forces lui manquèrent. Elane alors, avec sollicitude, passa un bras autour de son cou, lui soutint la tête avec son coude, puis le fit boire doucement.

Gaius absorba à petites gorgées l'hydromel à base de plantes médicinales très amères.

– Il s'en est fallu de bien peu que tu n'atteignes le Pays de l'Éternelle Jeunesse, étranger, mais tu ne vas pas mourir, lui souffla Elane à l'oreille. Je t'ai vu dans un rêve ; tu étais plus âgé… et tu tenais par la main un petit garçon.

Gaius la regarda, voulut lui sourire, mais une somnolence irrésistible l'en empêcha. Il était bien et crut retrouver la chaleur des bras maternels. À peine se rendit-il compte que le druide découpait sa tunique et qu'on lui lavait ses plaies avec un liquide qui piquait. Benedig, avec l'aide de Kerig, enduisit ensuite sa jambe d'un onguent qui le brûla un peu et l'entoura d'une bande de toile étroitement serrée. Puis il immobilisa sa cheville enflée. Le diagnostic du druide lui parvint faiblement.

– Rien de grave, elle n'est pas même cassée.

Gaius sortait non sans effort de sa léthargie quand il entendit Kerig lui annoncer :

– Arme-toi de courage, jeune étranger ; le pieu était sale, mais nous pourrons sauver ton bras si nous cautérisons la plaie.

– Elane, ordonna Benedig, éloigne-toi ; ce n'est pas un spectacle pour une jeune fille.

– Je vais le tenir, Elane, ne t'inquiète pas, ajouta Kerig, tu peux partir.

– Non, père, je veux rester. Je veux vous être utile, affirmat-elle.

Et ses doigts se refermèrent sur la main de Gaius.

– C'est bon, mais pas de cris, pas d'évanouissement, sinon tu sors immédiatement !

Des mains puissantes, sans doute celles de Kerig, plaquèrent alors Gaius sur sa couche. Celles d'Elane, lui semblat-il, tremblaient légèrement. Il détourna la tête et serra les dents tant il craignait qu'un cri ne lui échappât. Le fer porté au rouge s'approcha de la blessure, provoquant en lui une terrible angoisse.

Il réussit cependant, de toute sa volonté et fierté de Romain, à contenir la douleur atroce qui lui tordait les lèvres, puis l'étau de sa souffrance se desserrant, il ne sentit plus que les douces mains de la jeune fille.

A demi inconscient, il rouvrit les yeux. Penché sur lui, le druide le regardait avec un étrange sourire. Kerig, en sueur, était très pâle, comme un jeune guerrier au sortir d'un premier combat. Quant à Elane, elle avait disparu.

À bout de forces et d'émotion, Gaius s'évanouit.

II

CE n'est que le matin suivant, à l'aube, que Gaius s'éveilla. A la faible lueur des braises, il distingua la silhouette d'Elane, qui s'était assoupie, assise à ses côtés. Lui-même se sentait épuisé et son bras lui faisait mal. La jeune fille, semblait-il, ne l'avait pas quitté. Elle avait la pâleur et la grâce d'un bouleau frêle et souple.

Soudain, il y eut un bruit dehors.

Réveillée en sursaut, la jeune fille se leva d'un bond, rajusta d'un geste sa tunique et sourit à Gaius.

— Vous voilà réveillé vous aussi, dit-elle simplement. Avez-vous faim ?

— Je me sens assez d'appétit pour avaler un char et son cheval tout entiers, essaya-t-il de plaisanter.

Entrant gaiement dans son jeu, Elane répliqua :

— C'est sûrement très facile. Je vais aller à la cuisine voir si je peux vous satisfaire.

Comme elle disait ces mots, le rideau de la porte se souleva et un rayon de soleil envahit la pièce. Sur le seuil, se tenait une femme.

— Elane n'a pas voulu qu'on vous dérange, même pour

29

vous nourrir, dit-elle, allant éteindre les chandelles finissantes qui fumaient. Elle nous a affirmé qu'un long repos vous serait pour l'instant beaucoup plus salutaire qu'un repas. Sans doute a-t-elle eu raison mais, maintenant, je pense que vous devez avoir très faim. Je n'ai pas pu vous souhaiter hier la bienvenue et le regrette, mais j'avais été appelée dans un village voisin pour soigner une malade. J'espère que ma fille a pris bien soin de vous.

– Elle ne m'a pas quitté, répondit Gaius, fermant un instant les yeux tant la maîtresse des lieux lui rappelait douloureusement sa mère.

L'observant à nouveau, il remarqua sa beauté et sa ressemblance avec la jeune fille. Toutes deux avaient les mêmes cheveux blonds, les mêmes yeux gris profonds. La mère d'Elane devait avoir aidé ses servantes, car une tache de farine maculait son épaisse tunique de laine, passée sur une chemise de toile fine rehaussée de broderies.

– J'espère que vous vous sentez mieux, s'enquit-elle avec bienveillance.

Gaius se souleva avec effort sur son bras valide.

– Beaucoup mieux, répondit-il crânement, en dépit des douleurs lancinantes ravivées par ses mouvements. Je vous serai éternellement reconnaissant, à vous et aux vôtres.

– Venez-vous de Deva ? poursuivit-elle, après avoir, d'un geste, exprimé qu'elle ne méritait pas semblable gratitude.

– Oui, je me rendais dans les environs, dit-il, espérant que son léger accent latin trouverait ainsi une explication naturelle.

– Bien. Je vais appeler Kerig, puisque vous êtes réveillé. Il va venir vous aider à vous baigner et vous habiller.

– Merci. Je ne sais comment vous prouver ma reconnaissance.

Repoussant alors sa couverture, Gaius se rendit compte qu'à part son bandage, il était complètement nu.

– Soyez tranquille. Il va aussi vous trouver des vêtements, ajouta la femme qui avait suivi son regard. Ils seront peut-être un peu grands, mais faute de mieux... Ensuite, vous pourrez vous reposer. Bien sûr, si vous vous en sentez le courage, vous serez le bienvenu à notre table.

Gaius hésita un instant. La douleur irradiait dans ses muscles comme si on le frappait à coups de bâton. D'un autre côté, une certaine curiosité l'aiguillonnait et il était de plus impossible de décliner l'invitation.

— Je me joindrai à vous avec plaisir, s'empressa-t-il de répondre. Mais, auparavant, j'aimerais me sentir un peu plus présentable, ajouta-t-il, passant une main sur son visage moite et mal rasé.

— Ne vous inquiétez pas. Kerig va vous aider à vous laver et vous rafraîchir. Elane, dis à ton frère que nous avons besoin de lui.

La jeune fille s'éclipsa. Sa mère allait en faire autant quand elle regarda plus attentivement Gaius qu'elle n'avait pas encore bien vu dans la pénombre. Ses yeux, qui n'avaient exprimé jusqu'alors qu'une courtoise bienveillance, s'adoucirent encore.

— Comme vous êtes jeune, dit-elle, vous n'êtes guère plus qu'un enfant !

Un court instant, Gaius resta interloqué. Il n'eut cependant pas le temps de réagir, car une voix moqueuse s'éleva derrière la maîtresse de maison :

— Mère, s'il est un enfant, moi je suis un bébé au berceau ! Alors, « Pied-Agile », comment te sens-tu ce matin ?

Kerig, le jeune géant aux cheveux blonds, venait de faire une entrée fracassante, les joues roses, l'œil moqueur.

— Bon ! s'esclaffa-t-il goguenard, ce n'est pas encore aujourd'hui que la Vieille Femme la Mort t'emportera dans sa charrette ! Montre-moi donc ta jambe. Rien de sérieux, déclara-t-il après avoir palpé délicatement le membre blessé. Tu as vraiment eu de la chance ! Tu aurais pu te fracturer la jambe en trois endroits et rester boiteux à vie. Quant à ton épaule, elle a seulement besoin d'immobilité pendant une bonne semaine.

Gaius tenta de se lever.

– C'est impossible ! grimaça-t-il. Je dois absolument être à Deva dans quatre jours.

– Si tu veux, mais dans ce cas, crois-moi, tes amis t'enterreront à Deva, si du moins tu parviens à atteindre la ville. Ah, j'oubliais ! Benedig adresse ses salutations à son hôte, récita-t-il, et lui souhaite un prompt rétablissement. Des affaires urgentes l'ont appelé ailleurs, mais il se réjouit de faire sa connaissance à son retour. Voilà son message. Comment lui dire maintenant que tu envisages d'écourter son hospitalité ?

– Je remercie ton père de sa bonté, répondit Gaius adoptant avec solennité le ton convenant à la situation.

Que pouvait-il d'ailleurs répondre d'autre ?

Il savait que le repos lui était nécessaire et, d'autre part, ne pouvait faire allusion à Albus. Son sort dépendait de l'esclave qui conduisait son char : ou bien le misérable avait fait son rapport en déclarant que le fils du Préfet, à la suite d'une chute, était peut-être mort, et l'on était en train de ratisser les bois pour retrouver son corps ; ou bien il s'était enfui et avait gagné un village dissident, ce qui n'était pas rare, même autour de Deva. Bref, s'il n'était pas porté manquant, son père, Macellius Severus, risquait de n'être pas averti de la disparition de son fils avant plusieurs jours.

Kerig, cependant, penché sur un coffre placé au pied du lit, sortait une chemise qu'il examinait avec amusement.

– Dans ces haillons, tu vas avoir l'air d'un épouvantail ! s'exclama-t-il. Je vais demander qu'on les lave et qu'on les raccommode, si c'est possible. Pour l'instant, je vais tâcher de trouver un vêtement à ta taille.

À peine fut-il sorti que Gaius s'assura fébrilement que la bourse qu'il avait suspendue à sa ceinture à côté de lui était toujours là. Rien heureusement n'avait été touché. Les petits carrés d'étain servant de monnaie en dehors des villes romaines, une agrafe, un canif, deux petits anneaux, quelques autres babioles étaient intacts ainsi que le parchemin qui portait le sceau du Préfet. Il y jeta un rapide coup d'œil. S'il ne le mettait pas vraiment en danger, ce sauf-conduit ne lui était d'aucune utilité chez les Brittons ; en revanche, il lui serait indispensable pour retourner à Deva.

Il le remit aussitôt dans la bourse et se demanda si ses hôtes avaient vu son anneau sigillaire, un cadeau de son père. Il allait le faire glisser de son doigt quand Kerig réapparut, les bras chargés de vêtements.

— Le sceau a dû prendre du jeu quand je suis tombé, dit-il le plus naturellement possible, faisant aller et venir la pierre verte. J'ai peur de le perdre maintenant si je le porte.

— Mais c'est romain ! remarqua Kerig. Que veut dire l'inscription ?

Le sceau était gravé de ses initiales et des armes de la Légion, ce qu'il se garda bien de révéler.

— Je ne sais pas, fit-il, jouant l'ignorance, c'est un cadeau.

Kerig n'insista pas, ce qui n'empêcha pas Gaius de se sentir encore plus menacé qu'au fond de la fosse dans la forêt. Benedig, le druide, ne violerait pas les règles de l'hospitalité, il en était certain, s'il en croyait ce qu'avaient toujours prétendu sa mère et sa nourrice, mais comment savoir ce qu'allait faire l'impulsif Kerig ?

Soudain, il eut une inspiration et ouvrit sa bourse.

— Je vous dois la vie à ton père et à toi. Accepterais-tu que je t'offre cet anneau ? Il n'a pas grande valeur, mais te rappellera ma reconnaissance éternelle.

Kerig le prit sans hésiter et le glissa à son auriculaire.

— Kerig, fils du druide Benedig, te remercie, étranger, dit-il mi-sérieux mi-narquois, mais il ne connaît toujours pas le nom de celui qui se trouve sous son toit.

L'insinuation était claire et Gaius ne l'ignora point. Il aurait pu donner le nom de famille de sa mère, mais le chef silure qui avait accordé sa main à un Romain risquait peut-être d'être connu dans les tribus avoisinantes. Un mensonge bénin valait donc mieux qu'indisposer ses hôtes.

— Je m'appelle Gavain, déclara-t-il sans attendre, et suis né à Venta Silurum d'une famille que tu ne connais sans doute pas.

Kerig fixa Gaius intensément.

– Les corbeaux volent-ils à minuit ? finit-il par dire.

Très étonné par la question, le jeune homme répondit prudemment :

– À coup sûr, tu connais beaucoup mieux la forêt que moi, mais, pour ma part, j'avoue n'en avoir jamais vu voler la nuit.

C'est alors qu'il remarqua que le géant avait croisé ses doigts d'une façon particulière, façon de signifier sans doute son appartenance à quelque société secrète, religieuse probablement, et en rapport avec le culte de Mithra ou celui du Nazaréen.

Mais, voyant que son interlocuteur ne réagissait pas, Kerig, visiblement, s'empressa de changer de sujet.

– Je t'ai apporté d'autres vêtements, dit-il en détournant la tête. Ceux-ci vont sûrement t'aller. Ils appartiennent à ma sœur Miara… ou plutôt à son mari Rhodri. Viens, je vais t'aider à marcher jusqu'au bain et te prêterai ce qu'il faut pour te raser bien qu'à mon avis, tu es en âge de laisser pousser ta barbe.

Lavé, rasé et vêtu, grâce à Kerig, d'une tunique propre et de braies comme en portaient les Brittons, Gaius, vigoureusement soutenu par le géant, gagna en boitillant, de l'autre côté de la cour, la grande salle.

Une monumentale table en bois, deux bancs et quelques sièges occupaient le centre de la pièce, chauffée à chaque extrémité par deux larges foyers où brûlaient nuit et jour des feux constamment entretenus. Une nombreuse assemblée était réunie et échangeait avec animation des propos dont Gaius ne comprit pas le sens. Selon la coutume, maîtres, enfants, affranchis et esclaves mêlaient leurs voix et partageaient une même pitance dans un brouhaha général et continu.

Assise dans un fauteuil à la place d'honneur, à l'un des bouts de la table, se tenait la maîtresse de maison. À côté d'elle, un autre siège, vide celui-là et recouvert d'une peau d'ours, était manifestement réservé au maître. Se serraient ensuite autour d'eux des jeunes gens et des jeunes filles dont les vêtements plus beaux et les manières plus raffinées indiquaient clairement qu'ils étaient les enfants de la maison ou du moins qu'ils appartenaient au cercle restreint des intendants ou serviteurs particuliers. Un vieillard enfin était assis près d'un foyer. Grand et maigre, il avait des yeux verts pétillant d'intelligence, des cheveux blancs et bouclés soigneusement peignés, une barbe très longue et bien taillée. Vêtu d'une ample tunique d'un blanc immaculé, il tenait d'une main une harpe richement décorée.

Kerig s'adressa à Gaius à mi-voix :

– Tu as vu tout à l'heure ma mère adoptive, Rhys. Voici maintenant Ardanos, son père, que j'appelle mon grand-père. Je suis moi-même orphelin.

Gaius acquiesça en silence. Ardanos n'était pas inconnu chez les siens. On le considérait même comme un druide très puissant... peut-être le chef de tous les druides vivants, ce qui semblait tout à fait plausible en dépit de son effacement apparent.

Se sentant tout à coup pris d'une faiblesse passagère, Gaius se laissa tomber sur un banc à une place vide non loin du feu, cherchant à se faire le plus discret possible. Il frissonnait et accueillit avec plaisir le réconfort des flammes.

Kerig, qui l'avait aidé à s'asseoir, continua ses présentations.

– Tu vois Elane, ma sœur, en face de toi. À côté d'elle, se trouve Dieda, la sœur de ma mère.

Elane en effet était assise près de Rhys et Kerig se réjouit cette fois sans retenue de voir l'ébahissement du jeune homme : Dieda, drapée dans une tunique verte, était trait pour trait l'étonnante réplique de celle qui l'avait si chaleureusement soigné. Seuls une infime différence d'âge – sans doute était-elle un peu plus âgée – et des yeux bleu pervenche la distinguaient d'Elane.

– C'est inouï, souffla-t-il, on dirait des jumelles !

L'impression cependant ne persista pas longtemps. A les mieux observer, il s'aperçut très vite qu'elles étaient tout à fait différentes. Dieda, plus grande, avait des cheveux lisses alors que ceux d'Elane encadraient son visage de boucles folles. Le teint de Dieda était très pâle et ses traits avaient la rigueur un peu froide de la perfection. Elane, au contraire, avait un teint de rose qui semblait retenir sur ses joues délicates l'éclat doré des rayons du soleil.

Leurs voix aussi différaient. Dieda parlait avec une indifférence polie d'une voix basse et musicale ; Elane, plus réservée, s'exprimait avec spontanéité et gaieté.

— Ainsi donc, vous êtes le maladroit qui est tombé dans l'un de nos pièges ? l'interpella Dieda avec impatience. Vous n'avez pourtant pas l'air plus benêt qu'un autre et me semblez même tout à fait civilisé !

Comme, sur ses gardes, Gaius se contentait, tout sourire, d'encaisser la pique, Kerig retint d'un bras une jeune femme qui passait derrière eux portant une cruche de lait.

Gaius se retourna.

— Miara, voici notre hôte ; il se nomme Gavain. Souhaite-lui la bienvenue.

Miara se borna à le saluer d'un signe de tête poli. Visiblement sur le point d'accoucher, elle semblait avoir pleuré.

— Voilà, tu connais maintenant toute la famille, sauf Senara, ma plus jeune sœur que voici.

L'enfant de six ou sept ans qui suivait Miara décocha à Gaius un sourire en biais.

— Elane n'est pas venue hier se coucher dans mon lit, bredouilla-t-elle. Mère m'a dit qu'elle était restée près de toi toute la nuit !

— C'est vrai, elle n'a cessé de veiller sur moi, reconnut-il en riant, et je suis bien triste en te voyant que tu n'aies pas passé aussi la nuit à mon chevet.

La fillette, ne sachant que répondre, minauda irrésistiblement.

Conquis, Gaius l'attira à lui de son bras valide et elle s'installa sur le banc, l'air ravi, au point de vouloir partager l'assiette qu'on venait d'apporter à son nouvel ami.

36

LA COLLINE DU DERNIER ADIEU

On demanda alors à Ardanos de prendre sa harpe et de chanter. Comme il s'apprêtait à le faire, il regarda Gaius qui eut soudain l'intime conviction que le vieux druide savait qui il était. Comment l'avait-il appris ? Ses cheveux bruns à la fois de Romain et de Silure, sa silhouette et sa physionomie latines l'avaient-ils trahi, ou bien savait-il autre chose ?

L'ayant quitté des yeux, Ardanos pinça une corde ou deux, laissa retomber son instrument.

— Non ! dit-il, je ne suis pas en humeur de chanter ce matin. Dieda, mon enfant, veux-tu le faire pour moi ?

Dieda ne se fit pas prier. Le silence se fit et elle se mit à chanter :

Un oiseau dans les airs m'a soufflé une énigme :
Tous les poissons sont des oiseaux qui nagent dans la mer,
Tous les oiseaux sont des poissons qui volent dans les airs.

Profitant de cet intermède, Rhys fit signe à Miara d'approcher.

— Les Romains n'ont-ils pris que le mari de la vachère ? demanda-t-elle.

— Je ne sais pas, mère, mais Rhodri s'est aussitôt lancé à leur poursuite. Il n'a eu que le temps de me dire que la plupart des hommes réquisitionnés étaient expédiés vers le nord.

— Ce chien de Caradog ! Ou plutôt d'Albus, comme l'appellent les Romains ! s'exclama Kerig. Ah ! si nous voulions tous nous unir, les Romains n'oseraient plus envoyer leurs Légions sur nos terres ! Mais tant que des tribus pactiseront avec elles et d'autres avec les Calédoniens *...

Rhys interrompit d'un geste son fils :

— Mes enfants, ces affaires n'intéressent pas notre hôte ! signifiant ainsi clairement aux siens qu'il était dangereux de parler devant un inconnu.

---

* Écossais.

Mais, comme s'il ne voulait pas l'entendre, Ardanos poursuivit le débat.

— Notre pays est calme comme jamais peut-être depuis longtemps, dit-il. Les Romains nous croient domptés, et résignés à payer l'impôt. Leurs troupes d'élite se sont lancées dans d'autres conquêtes vers le Nord, d'où un certain relâchement de leur vigilance par ici.

— Il faut donc en profiter ! renchérit Kerig avec fougue.

Mais un regard impératif d'Ardanos calma aussitôt son ardeur.

Ne voulant pas éveiller trop de soupçons à son égard en gardant un silence prolongé pouvant paraître suspect, Gaius intervint à son tour :

— J'étais à Deva récemment. Le bruit courait que l'Empereur allait rappeler Agricola malgré ses victoires, se refusant à immobiliser plus longtemps toute une armée pour finalement tenir une terre trop ingrate.

— Ce serait bien trop beau ! s'exclama Dieda, l'air méprisant. Ces Romains qui se font vomir pour manger davantage, ont-ils jamais abandonné un pouce d'un pays conquis ?

Gaius, sur le point de répondre, préféra se taire.

— Agricola est-il donc si redoutable ? reprit un membre du clan. Le croyez-vous capable de conquérir l'Ile de Bretagne jusqu'à la Mer du Nord ?

— Ce qu'on chuchote à Deva contient sans doute une part de vérité, répliqua Ardanos. Se battre avec les loups et les tribus sauvages est chose difficile. Je doute fort que les collecteurs d'impôts romains y trouvent leur compte dans beaucoup de régions.

— Vous qui avez vécu parmi les Romains, demanda soudain Dieda s'adressant à Gaius, dites-nous donc pourquoi ils réquisitionnent si brutalement nos hommes ?

— Les sénateurs des provinces ont besoin de main-d'œuvre pour les mines de plomb des collines de Mendip, expliqua Gaius à contrecœur, mais j'ignore tout des conditions de travail qu'on leur impose.

LA COLLINE DU DERNIER ADIEU

En vérité, il le savait. Fouettés, mal nourris, ils perdaient vite courage. Pire, le couteau du châtreur émasculait, disait-on, tous ceux qui se rebellaient. Quant aux survivants, ils étaient condamnés à travailler dans la mine jusqu'à la fin de leurs jours. Une lueur qui ne trompait pas dans les yeux de Dieda lui révéla cependant que la jeune fille l'avait percé à jour et était convaincue qu'il en savait beaucoup plus qu'il ne voulait le dire. Il tressaillit et regarda Miara, la femme de Rhodri, qui s'était mise à pleurer.

— Va-t-on rester sans rien faire ? dit-elle, des larmes dans la voix.

— Il est encore trop tôt, répondit gravement le vieillard.

— Que faire d'ailleurs dans l'intérêt de tous ? dit encore Gaius. Les mines enrichissent beaucoup de monde...

— Nous n'avons pas besoin de ces richesses, trancha Kerig violemment. Rome nous saigne à blanc et nous laisse des miettes.

— Les Romains sont-ils les seuls profiteurs ? tenta d'avancer prudemment Gaius.

— Tu veux parler des traîtres comme Albus ?

Rhys se pencha en avant, voulant désamorcer la colère de son fils. Peine perdue. Kerig refusa d'un geste la perche tendue.

— Sais-tu, poursuivit-il sans ménagement, sais-tu comment Albus a fait fortune ? En guidant les légions vers l'Ile de Mona... Ne me dis pas que tu ignores, ou que tu as oublié l'Ile des Femmes, cette terre sans doute la plus sacrée avant l'arrivée de Paulinus et ses légions ?

— J'ai entendu parler bien sûr de l'existence de ce sanctuaire, reconnut Gaius d'une voix neutre, ses sens cette fois en alerte comme à l'approche d'un danger, mais j'ignore les circonstances exactes de sa fin.

— Eh bien, tu as devant toi l'homme qui peut chanter, à t'en briser le cœur, l'histoire terrible des femmes de Mona !

— Pas aujourd'hui, mon fils, murmura gravement Ardanos, soutenu aussitôt par la maîtresse des lieux :

– Non, pas ce matin autour de cette table.

Gaius respira. La conversation prenait un tour dangereux et il ne tenait nullement, devant ses hôtes surtout, à entendre le récit d'atrocités perpétrées par les siens.

Kerig, résigné, se pencha vers lui.

– Je te raconterai ce drame plus tard ; ma mère adoptive a sans doute raison.

– Pensons plutôt aux préparatifs des fêtes de Beltane, lança Rhys en se levant de table, montrant par-là que le repas était terminé.

Tout le monde se leva et Miara, aidée par des jeunes filles, commença à débarrasser la table. Kerig offrit son bras à Gaius et le ramena à son lit. Le jeune Romain était épuisé et tous les muscles de son corps lui faisaient mal. Il voulut réfléchir à sa situation avant de s'endormir, mais n'en eut pas le temps.

Au cours des quelques jours qui suivirent, son épaule blessée se mit à enfler et il dut rester alité. Il souffrait beaucoup et Elane, sans relâche, continuait à lui prodiguer des soins avec dévouement, l'encourageant doucement, lui disant que toutes les douleurs valaient beaucoup mieux qu'une issue fatale. Deux ou trois fois par jour, elle lui apportait ses repas, l'aidait à manger, car il ne pouvait ni tenir une cuillère ni couper sa viande. Il attendait avec impatience ces instants privilégiés, goûtant chaque minute de cette présence féminine qui lui faisait tellement défaut depuis la mort de sa mère. Avec Elane, il se sentait en confiance comme il ne l'avait jamais été avec quiconque auparavant.

Un matin, Kerig et Rhys lui suggérèrent de profiter d'un rayon de soleil pour essayer de marcher. Il se rendit tant bien que mal dans la cour où la petite Senara lui apprit qu'Elane et elle partaient cueillir dans la prairie des fleurs destinées aux cérémonies de Beltane, le lendemain. Voulait-il les accompagner ?

En temps normal, l'idée d'aller se promener avec deux

filles ne l'aurait guère enchanté, mais après ces jours d'immobilisation dans son lit, cette perspective prenait pour lui des allures de fête. Aussi accepta-t-il joyeusement. La promenade, ralentie en raison de son état, se transforma ensuite en pique-nique, Kerig et Dieda étant venus les rejoindre avec un grand panier de provisions. Tous deux ne cachaient pas leurs sentiments réciproques et échangeaient sans cesse des confidences à voix basse tout en montrant ouvertement leur joie de se trouver ensemble.

On étala le contenu du panier sur l'herbe : du pain frais, des tranches fines de sanglier, des pommes un peu fripées qui avaient passé l'hiver.

– Tu vas te marier avec Dieda, Kerig ? s'exclama soudain Senara en regardant le couple.

Elane éclata de rire.

– Laisse-les tranquille, petite folle, et va plutôt cueillir des fleurs pour nous faire un bouquet.

Dépitée de ne pas recevoir de réponse, l'enfant se rabattit sur elle.

– Et toi, Elane, avec qui tu vas te marier ?

– Je n'y ai pas encore songé, répondit la jeune fille évasivement. Peut-être avec la Déesse... Ne rêvons-nous pas toutes de devenir un jour Vierge de l'Oracle dans le Sanctuaire de la Forêt ?

– Pas moi, en tout cas, s'écria Dieda, et je ne le souhaite pas davantage pour toi !

– Pourquoi veux-tu aller dans le Sanctuaire ? insista Senara, surprise. Tu voudrais vivre toute seule, Elane ?

– Ce serait bien dommage, en effet ! intervint Gaius. Vous ne souhaitez donc épouser aucun homme ?

Elane leva les yeux vers lui et demeura un moment silencieuse.

– Celui auquel je pourrais penser, finit-elle par répondre, mes parents me le refuseraient sûrement. Et puis, s'empressa-t-elle d'ajouter, vivre dans le Sanctuaire de la Forêt ne peut être qu'exaltant. On y apprend la sagesse et l'art de guérir...

41

« Ainsi, songea Gaius, elle aimerait être prêtresse et guérir les souffrances. » Comme elle était différente de ce qu'il avait entendu dire des femmes de sa race. Il les avait crues jusqu'ici toutes semblables à la fille d'Albus et n'avait jamais cherché à en savoir davantage. Il contempla la jeune fille longuement et elle détourna son regard.

– Commençons nos guirlandes ! dit-elle, en se levant d'un bond pour cueillir dans la prairie des fleurs qui la constellaient. Non, pas de pieds-d'alouette ! lança-t-elle à Senara qui l'avait suivie. Elles se fanent trop vite. Prends ces lis rouges, si tu veux. L'année dernière, les prêtresses en portaient. Leurs tiges sont difficiles à tresser, mais, pour te faire plaisir, j'essaierai. Regarde, il y a aussi toutes ces primevères. Elles poussent comme du chiendent.

Tout en parlant et faisant des bouquets, elles s'étaient rapprochées de Gaius.

– En quoi consistent les fêtes de Beltane ? demanda-t-il.

– On fait appel à la Déesse, on dirige le bétail entre les feux allumés pour la célébration et on lui demande de rendre les Oracles, répondit la jeune fille, les bras chargés de fleurs.

– Les amoureux aussi se donnent rendez-vous près des flammes, ajouta Kerig, les yeux malicieusement fixés sur Dieda, et les promis annoncent leurs fiançailles.

Le croassement d'un corbeau au-dessus d'eux interrompit son envolée lyrique. Le regard assombri, il changea de visage et se leva brusquement.

– Allons, dit-il, la cueillette est terminée. D'ailleurs, notre hôte est fatigué. Il est temps de rentrer !

III

Bâtie au centre du Sanctuaire, la demeure basse et carrée de la Prêtresse de l'Oracle, isolée des bâtiments avoisinants par un portique circulaire, paraissait une châsse dévotement posée à l'abri des murailles de Vernemeton, vaste dédale d'arbres et de verdure, d'allées couvertes, de jardins et de cours.

A peine en franchit-il le seuil ce matin-là qu'Ardanos, aussitôt, fut introduit auprès de Liana, la Haute Prêtresse.

– Laisse-nous, Kellen, dit cette dernière à une grande femme brune qui l'assistait. Je désire m'entretenir seule à seul avec le Haut Druide.

Drapée dans une tunique bleu nuit identique à celle de sa maîtresse, qui se distinguait d'elle uniquement par ses bracelets et son torque en or, la jeune femme s'inclina, puis se retira sans un mot.

Attendant que la lourde tenture qui masquait la porte retombât, Ardanos contempla la Prêtresse. Beaucoup d'hivers, beaucoup d'étés avaient passé depuis leur première rencontre, mais elle gardait encore une exceptionnelle beauté. Oui, il la connaissait depuis bien longtemps et demeurait lui-

43

même sans doute l'unique survivant de sa génération. Quand il était plus jeune, elle lui avait valu de nombreuses insomnies, mais maintenant qu'il avait vieilli, il se rappelait à peine qu'elle l'avait à ce point troublé. Il faut dire qu'à Vernemeton, toutes les femmes étaient très belles, ce qui l'avait en fait toujours un peu surpris. Qu'un dieu voulût être servi par les filles les plus resplendissantes pouvait en effet se comprendre, mais qu'une déesse exigeât aussi de ses servantes un physique parfait était sans doute un peu plus étonnant.

Toujours est-il que pour lui comme pour elle le temps faisait inéluctablement son œuvre. Liana, dont la vie austère avait affiné les traits, était encore très belle, douce et bienveillante. Elle n'en était pas moins une femme vieillissante, avec ses cheveux blonds grisonnant à peine, sa taille un peu plus lourde sous sa robe, ses épaules légèrement voûtées sous le poids des soucis et des responsabilités. Et ce déclin-là, physique et moral, il le ressentait également comme sien, voyant en elle le miroir sans fard de sa propre image.

– Eh bien, cher Ardanos, que veulent dire ce silence et ces yeux scrutateurs ? Qu'avez-vous à me dire, ou à me demander ? Parlez ! Le pire que je puisse faire est de vous opposer un refus. Mais ai-je jamais su vous dire non ?

Ainsi parla Liana, pas mécontente en somme de montrer, sous la raillerie, qu'elle était sans illusion à son égard.

– Pardonnez-moi, Mère bénie, répliqua-t-il onctueusement, nullement dupe de la saillie. Mes pensées étaient ailleurs.

Surprise, elle le vit alors, l'air soucieux, faire quelques pas impatients dans la pièce.

– Liana, finit-il par dire, j'ai des ennuis ; il court une rumeur à Deva qui m'a été répétée par le fils du Préfet lui-même : Rome songerait à retirer ses légions. Je sais bien qu'il existe une faction dont le cri de guerre est « À mort les Romains ! », mais…

– Ardanos, ces gens qui propagent et hurlent leur haine pensent – et espèrent – que nous nous soulèverons tous et hurlerons avec les loups. Pour ma part, je ne crois pas à cette rumeur. Mais quand bien même serait-elle fondée, je crois aussi que nous pourrions vivre sans la présence romaine. N'est-ce pas notre souhait à tous depuis qu'on a traîné dans les rues de Rome Caractacus enchaîné ?

– Liana, avez-vous songé au chaos qui nous menacerait si cette faction qui hurle « À mort les Romains ! »...

– ... N'imaginez pas un instant ce qui arriverait si cette perspective prenait forme.

« Comme elle me connaît bien, ne put s'empêcher de reconnaître intérieurement Ardanos non sans agacement. Elle est même capable de terminer mes phrases ! »

Puis il poursuivit :

– N'oublions pas que cette faction existe depuis que César a accru sa renommée en envahissant l'Ile de Bretagne ! Aujourd'hui, ils espèrent que nous, les prêtres du Bosquet Sacré, nous nous joindrons à leurs cris. Aussi ne comprendront-ils pas notre silence. Je crains fort que ces aspirations, ces espoirs ne se transforment en émeute aux fêtes de Beltane.

– Non, je ne le pense pas. Le peuple vient pour les jeux, les feux, la bonne chère. Mais à Samain peut-être...

– Les choses viennent brutalement d'empirer, coupa le druide. Ils ont pris trente hommes chez Benedig, tous affranchis au moment de sa proscription, et même son homme lige. Proscrit ! répéta-t-il avec un rire sans joie. Benedig ne connaît pas son bonheur ! Une interdiction de vivre à moins de trente milles de Deva. Il n'est pas encore au courant des derniers excès des Romains, mais quand il le sera... Evidemment, il me considère comme un traître... Quoi qu'il en soit, les rassemblements pour Beltane sont maintenus. Macellius Severus que je suis allé trouver, a donné son autorisation. Je lui ai garanti que les festivités se dérouleraient dans le plus grand calme, comme les années précédentes, sous l'égide de Cérès, la Déesse des peuples romanisés. C'est parce qu'il me connaît et me fait confiance qu'il ne nous impose pas de changer notre culte en adoration du dieu Mars et ne nous fait

45

pas surveiller par ses légionnaires. S'il y a le moindre trouble, cependant, la moindre manifestation belliqueuse, vous savez aussi bien que moi que notre terre sera mise à feu et à sang. Espérons que ce dernier rapt de nos hommes, traînés de force vers les mines de Mendip, ignominie que j'ignorais lors de ma démarche à Deva, n'en suscitera pas le déclenchement.

— Annuler la célébration des rites serait en effet déplorable, approuva Liana pensive. Je souhaite ardemment, comme vous, qu'aucun incident grave n'en compromette le cours. Mais parlez-moi franchement. Décelez-vous des signes avant-coureurs de sédition ?

— Je me suis laissé dire que le fils du Préfet avait... disparu.

— Comment ? Le fils du Préfet, dites-vous ? Liana leva un sourcil, étonnée. Est-ce un acte de protestation, une tentative pour fomenter une agitation ? Benedig ne choisirait-il pas plutôt d'organiser des attentats contre les troupes responsables des déportations ?

— Je m'interroge... Toujours est-il qu'il prétend avoir par hasard trouvé un jeune garçon pris au piège dans une fosse à sangliers et lui avoir sauvé la vie. Or, ce garçon, sans aucun doute, est le fils du Préfet, qu'il considère maintenant comme son hôte.

Incrédule, Liana regarda Ardanos un long moment avant de réagir.

— Et vous voulez me faire croire qu'il n'a pas deviné sa véritable identité ?

— Le jeune homme ressemble à sa mère, une Silure, et peut aisément passer pour l'un des nôtres. De plus, un grand sang-froid l'empêche de se trahir. Pour l'instant, heureusement, son état ne lui permet pas encore de se déplacer. Mais s'il lui arrive quelque chose, vous savez fort bien que nous en subirons tous les conséquences. Prenons garde, Liana, le climat est à la rébellion, ajouta-t-il, l'air sombre. Depuis longtemps, j'ai appris à connaître les Romains et pourtant je ne parviens toujours pas à prévoir leurs réactions. Mais les signes et les présages sont là. Quand les « Corbeaux » volent à minuit, quelque chose se prépare. Les membres de cette société secrète sollicitent, avec de plus en plus d'ardeur, la Déesse des Batailles.

Sarcastique, la Prêtresse eut un geste de dérision.

– Non, Liana, ne souriez pas. Il ne s'agit plus aujourd'hui de vieillards superstitieux quêtant de vagues présages dans les entrailles des oiseaux, mais de très jeunes hommes farouches et décidés, persuadés qu'ils incarnent l'Elite Sacrée... Kerig, que Benedig a recueilli, est l'un d'eux et partage les opinions extrémistes de son père adoptif.

Liana, soudain, avait pâli.

– Avant le mariage de ma fille Rhys avec Benedig, poursuivit le Haut Druide, jamais l'idée d'une rébellion ne m'aurait seulement effleuré. Mais depuis que je connais Kerig que Benedig considère comme son fils, je sais que tout peut arriver. Autour de lui se sont rassemblés tous les garçons nés du viol des prêtresses de l'Ile de Mona. Ils sont prêts à tout pour les venger. Ce sont eux les nouveaux « Corbeaux ». Rien ne semble pouvoir les détourner de leur but. Mon influence sur eux est en tout cas sans effet. Ah, Liana ! S'il nous arrive quelque chose à vous-même ou à moi, qui donc pourra les arrêter ? Leur renommée déjà s'étend jusqu'aux lacs ; partout ils deviennent de véritables héros.

– J'avais recommandé, vous en souvenez-vous ? de tous les noyer, murmura la Prêtresse, de nouveau calme et lointaine. C'était cruel, sans doute, mais la seule mesure sage et radicale. Mais des cœurs trop sensibles s'y sont opposés. Ainsi donc, ces enfants du carnage ont survécu. Inutile de revenir en arrière et nier qu'il est de leur devoir de venger leurs mères.

– Je sais que vous avez raison, et c'est bien là mon inquiétude.

– Ardanos, je suis prête à vous aider. N'oubliez pas que le seul nom de Vernemeton conserve le pouvoir qu'il a toujours détenu.

– Certes, répondit le druide, choisissant ses mots, tant que la Déesse se maintient du côté de la paix. Mais qui peut donc nous assurer qu'elle continuera de le faire ?

– Que suggérez-vous ? Ou plutôt, que laissez-vous entendre ? demanda la Prêtresse froidement.

– Je ne suggère rien. Je pense seulement que si la Déesse répond à vos prières en faveur de la paix, elle entend aussi, sans en tenir compte pour l'instant, celles de ceux qui souhaitent la rébellion et la guerre. Continuera-t-elle longtemps à accepter les vôtres et refuser les leurs ? Et puis pardonnez-moi d'insister, les années passent pour tout le monde. Un jour, peut-être, ni moi ni vous ne serons plus là…

Une émotion qu'il croyait avoir oubliée lui serra tout à coup la gorge.

– Liana, nous nous affaiblissons avec les ans, mais Rome est toujours forte. Qui enseignera aux jeunes la façon de préserver nos anciennes coutumes jusqu'à ce que Rome vieillisse à son tour et que nos terres nous appartiennent de nouveau ?

Liana s'effondra sur une chaise, les yeux cachés derrière ses mains.

– Croyez-vous donc que je n'y ai pas songé ?

– Si, je le crois, et je devine même vos pensées : Un jour prochain peut-être Vernemeton tombera sous la coupe de quelqu'un qui entendra les cris de ceux qui veulent combattre plutôt que d'écouter les appels à la sagesse de la Haute Prêtresse. Alors, la guerre éclatera et vous savez ce qu'il adviendra de nous…

– Tant que je vivrai, tant que je demeurerai au service de la Déesse, je m'emploierai à préserver la paix, affirma Liana. Ne me demandez rien de plus.

– Tant que vous vivrez, bien sûr. Mais ce n'est pas de cela dont je souhaite vous entretenir aujourd'hui.

Le ton du vieux druide était ferme, mais il s'adoucit en voyant la Prêtresse se passer la main sur les yeux avec lassitude.

– Liana, écoutez-moi. Pourquoi ne pas choisir maintenant celle qui vous succédera ?

– Pourquoi ? Vous le savez bien.

Elle prit une profonde inspiration.

– Je sais que le jour de ma mort me sera annoncé. Je transmettrai alors ma science et mes pouvoirs. A quoi bon cependant ? Parlons sans détour, Ardanos. C'est vous-même et vos druides qui choisissez en réalité la Prêtresse de l'Oracle. Mon avis n'aura guère de poids, si je ne choisis pas moi-même quelqu'un susceptible de vous plaire.

– Justement, nous pourrions faire ensemble ce bon choix.

– Non, Ardanos. Pas le mien, le vôtre !

– Je regrette, Liana, que vous preniez les choses ainsi. Mais…

– Je vous en prie ! l'interrompit la Prêtresse sans ménagement. Naguère, j'ai fait une tentative en faveur de Kellen. Vous connaissez la suite.

– Vraiment ? fit Ardanos apparemment sincère.

– Cher Ardanos, vous devriez vraiment vous soucier davantage de ce qui se passe ici dans le Sanctuaire de la Forêt, rétorqua Liana, lui lançant un regard étrange. Quoi qu'il en soit, rassurez-vous. Kellen, j'en suis maintenant persuadée, n'aurait pas été le bon choix.

– Elle est pourtant l'aînée de nos prêtresses et si, par malheur, vous deviez nous quitter, vous savez bien qu'elle serait choisie pour vous succéder, à moins, ajouta-t-il, imperturbable, qu'elle ne résiste pas aux rites d'accession à votre charge. Mais n'êtes-vous pas la mieux placée pour savoir si les dieux sont susceptibles de l'agréer ?

La Haute Prêtresse garda le silence.

Ne voulant pas perdre l'avantage, Ardanos tenta de se montrer encore plus persuasif.

– Bien sûr, si vous voyiez quelqu'un d'autre, une jeune fille moins connue, que vous souhaiteriez prendre sous votre coupe… si le Conseil était persuadé qu'il n'existe aucun arrangement préalable…

– Évidemment ! Je ne vois pas pourquoi il y aurait crime ou blasphème à initier au choix des dieux… ou simplement aux épreuves… une vierge dont les dons et l'intelligence conviendraient à tous, fit remarquer la Prêtresse d'un air pensif.

Sentant qu'il ne pouvait aller plus loin, le terrain étant maintenant préparé, Ardanos s'inclina pour prendre congé. Dehors, le vent frémissait dans les arbres, mais dans la cellule bien close, seul était perceptible le souffle régulier de leurs deux respirations.

– Ardanos, assez de ruses et de détours ! Qui avez-vous décidé de me faire choisir ? demanda alors la Haute Prêtresse, plongeant ses yeux d'azur dans ceux du druide interloqué.

Durant les trois jours qui précédèrent la cérémonie au cours de laquelle elle serait, une fois de plus, la Voix de la Déesse, Liana se tint recluse, entourée seulement par quelques prêtresses. Parmi elles, Kellen ne la quittait presque jamais, appréciant spécialement l'isolement qu'imposait cette retraite. Ne pouvant faire abstraction totale du monde extérieur et des rumeurs qui se propageaient, elle profita donc de ces instants d'intimité privilégiée pour s'enquérir auprès de la Haute Prêtresse des motifs de la récente visite d'Ardanos, affectant de poser sa question d'un air détaché.

– Que voulait-il ? demanda-t-elle. D'habitude, il ne se montre que le premier jour des festivités. Pourquoi venir ainsi troubler votre quiétude ?

– Mon enfant, répondit Liana avec pondération, le Haut Druide a un très lourd fardeau à porter.

– Mais vous aussi. Et je ne suis pas sûre qu'il contribue à rendre votre tâche plus légère.

Liana se détourna en soupirant, montrant par-là qu'elle ne la désapprouvait pas complètement, ses épaules lui paraissant, c'est vrai, parfois bien fragiles pour soutenir le poids de tant d'espoirs et de peurs mêlés.

– Il fait de son mieux, poursuivit-elle cependant, et s'inquiète, non sans raison, de ce qui se passera après moi.

Sachant qu'une Haute Prêtresse connaissait à l'avance l'heure de sa mort, Kellen eut un coup au cœur.

— Avez-vous eu un présage, Liana…, ou bien lui ?

Rejetant la question d'un mouvement de tête irrité, Liana éleva la voix contrairement à son habitude :

— Mais non, il parlait en général, voyons ! Mais il faut y penser. Tout le monde est mortel, Kellen, et celle qui me succédera doit commencer à s'y préparer.

Kellen avait foulé un terrain défendu, elle s'en rendait bien compte. Depuis plus de trente ans, elle était aussi proche de la Haute Prêtresse qu'une fille, mais ne partageait pas le moindre de ses secrets. Liana se laissait endormir par des illusions qui masquaient la réalité, tout en lui restant tout à fait étrangère. Une autre qu'elle en cette occasion lui aurait demandé ce qu'elle souhaitait, mais pas un mot, dans ce sens, n'avait effleuré ses lèvres. Sans doute le culte et la vénération de la Déesse l'empêchaient-ils de favoriser autour d'elle toute tentation de pouvoir et d'ambition. Et puis l'influence des druides restait prédominante. Parmi leurs enseignements secrets subsistait une croyance selon laquelle, venus jadis d'une terre depuis lors ensevelie sous les flots, ils avaient accosté le rivage de l'Ile de Bretagne. Passés maîtres dans l'art de la magie, ils avaient su préserver et transmettre leur science, science qui s'était partiellement perdue lorsque la plupart de leurs descendants étaient morts au cours des massacres de Mona. Or, les vestiges de leur grandeur, Kellen en était sûre, étaient toujours présents dans le Sanctuaire de la Forêt. Elle et ses compagnes se contentaient d'enchantements mineurs. Pour eux existait une magie supérieure. Aussi, ne voulant pas leur être assujettie, ne souhaitait-elle pas finalement devenir elle-même la prochaine Prêtresse de l'Oracle.

Liana interrompit le cours de ses pensées.

— Il est l'heure de nos dévotions matinales, dit-elle d'une voix redevenue sereine, se dirigeant, non sans difficulté, vers la porte.

La soutenant d'un bras, Kellen l'aida à sortir et à gagner, par les jardins, la pierre nue de l'autel.

Parvenues devant elle, les deux femmes s'immobilisèrent. Kellen alors alluma la lampe rituelle et, le cœur apaisé, commença à répandre les pétales des fleurs qu'on avait apportées.

– Voici que Tu arrives avec l'aube, parée de fleurs... murmura Liana d'une voix douce, élevant les mains dans un geste de salutation.

– Ton éclat resplendit à la lumière ascendante du soleil, se mêle à lui et à sa force, répondit Kellen.

– Tu te lèves à l'Orient et apportes au monde une vie nouvelle...

La voix de la Haute Prêtresse semblait tout à coup plus jeune, plus pure, plus rayonnante, les rides de l'âge s'effaçaient de son visage, le flamboiement de la Déesse Vierge brillait dans ses yeux...

– Les fleurs jaillissent sous Tes pas ; le sol verdit dès Ton passage... poursuivit-elle, envahie par cette toute-puissance, emportée comme chaque jour et depuis si longtemps là où seule régnait à jamais l'universelle harmonie de la Déesse.

*
* *

Le matin de Beltane arrivé, Elane s'éveilla avant l'aube dans la Maison des Femmes où elle dormait avec ses sœurs. Son lit, simple cadre de bois tendu de cuir et recouvert de peaux, était placé tout près du toit de chaume en pente, si près qu'elle pouvait le toucher et voir au travers d'une fente poindre l'aurore naissante.

Avec un soupir, elle s'étendit à nouveau, cherchant à se remémorer ses rêves : les cérémonies d'abord, le vol d'un aigle, puis l'arrivée d'un cygne, et enfin, du moins si ses souvenirs ne la trahissaient pas, la métamorphose de l'aigle en un second cygne, suivie de l'envol des deux oiseaux côte à côte.

Près d'elle, la petite Senara sommeillait encore, blottie comme un bébé, ses genoux pointus repliés contre les jambes de sa sœur. À l'autre extrémité de la pièce, Miara, qui avait regagné la maison familiale en attendant d'avoir des nouvelles de Rhodri, était étendue auprès de son enfant. Non loin de la porte se trouvait Dieda, ses cheveux blonds défaits répandus sur son visage, sa chemise entrouverte laissant apercevoir une chaîne portant l'anneau de Kerig.

Soudain, le bébé se mit à geindre et réveilla sa mère qui chercha aussitôt à l'apaiser. Mais ne parvenant pas à le calmer, elle se leva pour le changer et le posa en travers du lit. Ses soins et ses caresses ne tardèrent pas à produire leur effet et bientôt le bambin roucoula de plaisir, achevant de réveiller tout le monde.

La toilette terminée, Miara s'esquiva, le bébé dans les bras, recommandant aux filles de ne pas s'attarder.

Dieda s'étira en bâillant et demanda d'un air somnolent :

– Les festivités ont donc lieu ce soir ? Je croyais que c'était demain.

– Kerig te fait perdre la tête, chère Dieda, plaisanta gaiement Elane. Pour vous deux, ce soir est un grand soir ! Mais, au fond, es-tu bien certaine de vouloir épouser mon frère ?

– Évidemment, j'en suis sûre, minauda Dieda avec un petit sourire, refusant cependant de se confier davantage.

– C'est bon ! Je demanderai à Kerig ce qu'il en pense, la taquina Elane pour la faire enrager. Il m'en dira peut-être plus que toi !

– Ça m'étonnerait, il n'est guère bavard sur le sujet, tu le sais. D'ailleurs, pourquoi ne l'épouserais-tu pas ?

– Moi ? Tu es folle, c'est mon frère ! Il ne pense qu'à mettre des grenouilles dans mon lit et à me tirer les cheveux !

– Il n'est pas tout à fait ton frère, observa Dieda.

– Enfin, c'est mon frère adoptif ! C'est la même chose. Si mon père avait voulu nous marier, il ne l'aurait pas adopté.

Elane prit un peigne en corne et se mit à défaire sa tresse.

– Dis-moi, à ton avis, Liana va-t-elle assister aux cérémonies de ce soir ? demanda encore Dieda l'œil en coin.

– Bien sûr ! Le Sanctuaire de la Forêt est tout proche de

53

la source au pied de la colline. Pourquoi poses-tu cette question ?

— Oh, je ne sais pas ! Comme je suis sur le point de me marier, je frémis à l'idée qu'on puisse passer sa vie comme elle le fait. Elle a été jeune, elle aussi, très belle il y a longtemps, et j'ai du mal à le croire. Quelle horreur de vivre comme les vierges consacrées qui vouent leur existence à la Déesse.

— Personne ne te l'a demandé.

— Non. Mais Père a tout de même voulu savoir s'il m'arrivait parfois de songer à offrir ma vie aux dieux.

— Il t'a posé la question ? demanda Elane, toute surprise.

— Oui. Mais je lui ai dit que non. Il est vrai que pendant des semaines j'ai fait ensuite des cauchemars : nous nous querellions et il m'enfermait dans un arbre creux. J'ai pensé alors beaucoup plus à épouser Kerig, l'idée de passer ma vie entière dans le Sanctuaire de la Forêt m'étant insupportable. Et toi, qu'en penses-tu ?

— Je ne sais pas…, répondit Elane, je ne sais pas… Mais peut-être accepterais-je finalement, si on me le demandait.

— Ah bon ! J'avais cru comprendre que tu n'étais pas complètement insensible à notre nouvel hôte. Elane, j'ai l'impression que tu ferais une prêtresse encore plus détestable que moi !

— Tu as peut-être raison. Pourtant, je l'avoue, Liana aussi revient très souvent dans mes rêves.

IV

Au milieu de la matinée, ils se mirent en route. La journée s'annonçait belle. La pluie de la nuit avait rafraîchi l'atmosphère et le soleil, dans un ciel dégagé, brillait d'un vif éclat. Dans les buissons, des gouttelettes accrochées aux fleurs étoilées de l'aubépine mêlaient leurs joyeux scintillements aux taches jaunes des primevères, comme si les rayons du soleil se trouvaient malicieusement pris au piège dans l'herbe et sous les arbres.

Gaius boitait encore, mais Kerig avait ôté le bandage de sa cheville. Il marchait précautionneusement, aspirant profondément l'air matinal qui le grisait après les longues journées d'immobilisation forcée chez ses hôtes. S'étant cru sérieusement atteint deux semaines plus tôt, il goûtait pleinement le bonheur d'être à nouveau sur pied, se contentant, pour l'instant, d'admirer simplement le spectacle qui l'entourait, la nature resplendissante, les feuilles vertes et les fleurs printanières, les couleurs chatoyantes des habits de fête de ceux qu'il accompagnait.

Elane portait une longue robe très ample à carreaux or et brun pâle passée sur une tunique vert tendre. Sa chevelure répandue en cascade sur ses épaules, comme une vague étincelante, brillait plus que ses broches et ses bracelets.

Ne quittant guère des yeux sa silhouette gracieuse, Gaius avait beaucoup de mal à s'intéresser au babillage ininterrompu du cortège. Il avait, enfant, assisté à plusieurs cérémonies rituelles dans la famille de sa mère, et il imaginait que celle à laquelle il allait prendre part n'en différerait guère. Tout proches maintenant retentissaient sous les bois cris et appels de très nombreux participants affairés à dresser tentes ou cabanes de branchages.

Parvenue au pied d'une colline fortifiée, la petite troupe marqua un temps d'arrêt pour observer tout à loisir boutiques et étals ayant poussé un peu partout comme des champignons, tout prêts déjà à attirer clients et visiteurs rassemblés pour la fête du printemps, où la Prêtresse de l'Oracle se montrerait enfin.

Quand Gaius et la famille de Benedig atteignirent le sommet aplani de la colline, semblable à une île dans l'océan de la forêt, tous restèrent cloués sur place, toujours aussi impressionnés par les lieux. La foire se déroulait chaque année parallèlement aux cérémonies et occupait une immense terrasse, divisée par une allée centrale à l'extrémité de laquelle s'élevait un haut tumulus dont l'entrée était fermée par une dalle. Kerig, entraînant les siens, se dirigea vers lui. Arrivé devant l'édifice, il s'inclina avec respect.

– Votre temple, sans doute ? demanda Gaius.

Kerig le toisa d'un regard étonné.

– Mais non ! Tout le monde dit que c'est la sépulture d'un homme qui fut illustre chez nos aïeux. Peut-être que quelques très vieux bardes connaissent encore son nom, mais nous, nous l'ignorons. Aucun poème, aucun chant, ne relate ses hauts faits.

Sur leur droite, une avenue plus longue menait à un autre bâtiment en forme de petite tour carrée, entouré d'une galerie couverte de chaume. Comme Gaius le regardait avec curiosité, Elane lui expliqua que c'était un sanctuaire renfermant des reliques.

– On dirait également un temple, remarqua Gaius à voix basse, s'attirant à nouveau un regard surpris de la part de la jeune fille.

– Gaius, vous savez sûrement qu'on ne peut adorer les dieux dans une maison faite par l'homme, mais seulement sous la voûte céleste ? A l'ouest, là où se trouvent des îles où ne pousse aucun arbre, on accomplit les rites dans des forêts de pierre. Mon père dit que pour nous les secrets des grands cercles de pierres levées ont été perdus en même temps que moururent jadis les druides, massacrés par les Romains.

Une baraque où l'on vendait des bracelets en verroterie venus de Grèce attira subitement son attention et l'empêcha de poursuivre. Gaius n'en fut pas fâché, se disant qu'à l'avenir, il lui fallait absolument s'abstenir de formuler de telles questions, au risque de se trahir davantage. Un Silure ne pouvait être ignorant à ce point.

À la mi-journée, Kerig et Gaius s'étant éloignés pour aller voir les chevaux qu'on vendait à la foire, Rhys rassembla les filles sous un chêne branchu, au bas de la colline, et proposa du pain et de la viande froide. De nombreux sentiers menaient à la colline fortifiée et, parmi eux, une voie plus large, bordée d'arbres majestueux, se dirigeait vers le Sanctuaire de la Forêt dont quelques toitures basses émergeaient çà et là, disséminées sous les frondaisons du Bosquet Sacré.

Le repas s'achevait lorsque Elane se leva soudain.

– Liana arrive, murmura-t-elle.

En effet, la Haute Prêtresse et quelques-unes de ses suivantes s'avançaient lentement le long de la Voie Sacrée entre l'alignement des arbres. Sa silhouette, élancée et frêle, miroitait dans l'éclat tamisé du soleil et, comme toute prêtresse accomplie, elle semblait plutôt glisser que marcher sur le sol, dans un mouvement quasi surnaturel.

Toutes les jeunes filles s'étant approchées pour la saluer à son passage, Liana, parvenue à la hauteur de Dieda, s'arrêta et lui dit :

— Quel âge as-tu, mon enfant ? N'es-tu pas parente de Benedig ?

Tout intimidée et émue, Dieda approuva de la tête, puis parvint à murmurer :

— Je viens d'avoir quinze ans.

— Es-tu mariée ?

Elane, de son côté, sentit s'accélérer les battements de son cœur. Fascinée, elle contemplait enfin de près le visage de la Prêtresse qu'elle avait déjà vu en rêve.

— Non, répondit Dieda d'une voix un peu plus assurée, hypnotisée par le regard clair de la Haute Prêtresse.

— Mais, peut-être es-tu fiancée ?

— Non, pas encore, bien que…

Mais elle s'interrompit, hésitante.

« Dis-le-lui ! Dis-lui que tu es fiancée à Kerig ! Il faut le lui dire maintenant ! » répondit en elle-même Elane, voyant les lèvres de Dieda remuer sans articuler un son, paralysées comme le lièvre sous l'ombre du faucon.

Alors, la Haute Prêtresse, ne la quittant pas du regard, dégrafa placidement la lourde cape bleue qu'elle portait sur les épaules et déclara :

— Je te désigne mon enfant, au nom de la Déesse Mère, comme Sa servante. Nulle autre que toi ne me remplacera quand mon heure sera venue.

Comme Liana se détournait et faisait voleter sa cape agitée par une brise soudaine, Elane, clignant des paupières, crut voir dans un éclair se déployer une forme radieuse qui n'était pas le miroitement éphémère d'un rayon de soleil. Non, ses yeux avaient beau s'être refermés, elle gardait présent au plus profond de sa conscience un Visage au tendre sourire d'une mère, dont le regard farouche était celui d'un oiseau de proie. Et ce Regard la fixait, elle, et non Dieda !

Pourtant, Liana poursuivait :

— À partir de maintenant, le Sanctuaire de la Forêt est

devenu ta maison, mon enfant. Viens nous y rejoindre dès demain.

Ainsi parla-t-elle, d'une voix qui parut cette fois à Elane très lointaine.

— Elle est chérie de la Déesse, la Déesse l'a choisie ! Qu'il en soit ainsi ! entonnèrent en chœur les suivantes, entourant Liana qui s'était remise en marche, après avoir retiré sa cape des épaules de Dieda.

— Le choix de la Déesse... Tu vas être l'une d'elles, murmura Elane reprenant soudain ses esprits. Regardant sa compagne, elle vit qu'elle tremblait, que son visage était cadavérique.

— Pourquoi n'ai-je pu parler ? balbutia la jeune fille. Pourquoi n'ai-je rien pu lui dire ? Le Sanctuaire de la Forêt m'est interdit puisque je suis fiancée à Kerig !

— Tu ne l'es pas encore aux yeux de tous, fit remarquer Elane éblouie par ce qu'elle avait vu. Aucun lien définitif ne t'attache à Kerig et il ne s'est rien passé entre vous d'irrémédiable. Mieux vaut pour toi devenir prêtresse qu'épouser mon frère !

— De quel droit me parles-tu ainsi ? s'exclama Dieda hors d'elle, avant de bredouiller d'une voix brisée : D'ailleurs, tu n'es encore qu'une enfant !

— Tu ne veux donc pas être prêtresse ?

— Non ! C'est toi qu'elle aurait dû choisir ! Peut-être d'ailleurs s'est-elle trompée ! On nous confond sans cesse, même dans la famille.

— Nous ne pouvons pourtant pas échanger nos places, protesta faiblement Elane. Ce serait acte impie !

— Mais que vais-je dire à Kerig ? Comment lui apprendre la nouvelle...

Soudain, perdant tout contrôle, elle s'effondra dans les bras d'Elane.

— Allons, tenta de la consoler cette dernière, pourquoi ne pas en parler à ton père ? Avoue-lui que tu n'as pas la vocation. D'autres seraient si heureuses à ta place...

— C'est impossible ! Père ne comprendra jamais et ne vou-

dra surtout pas contrarier la Prêtresse de l'Oracle. Père apprécie tant Liana, poursuivit-elle d'une voix à peine audible. On
dirait même parfois qu'ils se sont réellement aimés.

— Comment oses-tu dire cela d'une prêtresse ? l'interrompit Elane, scandalisée.

— Ils n'ont rien fait de mal, j'en suis certaine. Ce qui est
sûr, c'est qu'ils se connaissent depuis très longtemps. Parfois
j'ai l'impression qu'il tient plus à elle qu'à nous !

— Je t'en prie, Dieda, quelqu'un pourrait t'entendre.

— Qu'importe ! Tout m'est égal, à présent. Ah, je voudrais
mourir !

Elane, cherchant en vain à oublier sa déception de n'avoir
pas été choisie, lui prit la main pour la réconforter et
demeura silencieuse. Comment pouvait-on refuser l'honneur
d'être accueillie dans le Sanctuaire de la Forêt ? Rhys serait si
heureuse d'apprendre que sa jeune sœur était désignée et
Benedig aussi, lui qui considérait Dieda comme l'une de ses
propres filles.

Pendant ce temps, Gaius et Kerig déambulaient tranquillement dans la foire aux chevaux, échangeant leurs points de
vue sur les bêtes qui leur semblaient les plus intéressantes.

— Est-ce vrai, demanda tout à coup Kerig à brûle-pourpoint, que tu ignores vraiment ce qui s'est passé sur l'Ile de
Mona ? Pourtant, habitant près de Deva...

— Non, jamais on ne m'en a parlé. Je suis né dans le sud,
au pays des Silures, souviens-toi, répliqua-t-il sans attendre,
espérant couper court à ces gênantes investigations. S'agit-il
d'une légende chantée parfois par Ardanos ?

— Hélas, ce n'est pas une légende, Gavain ! Apprends
donc ce qui est arrivé et tu comprendras ma rancœur envers
les Romains : avant leur arrivée, existait jadis sur l'île une
enceinte sacrée où vivaient des prêtresses. Un jour, les
légions arrivèrent et semèrent ce qu'elles sèment toujours, la
mort et la désolation. Le Bosquet Sacré fut détruit, ses trésors pillés, les druides qui leur résistaient égorgés, les femmes sans exception violées, des plus vieilles aux plus jeunes

novices, certaines fillettes n'avaient pas même dix ans...
Seule, une fontaine polluée atteste encore l'ignominie du
massacre.

Consterné, Gaius comprit alors qu'on lui avait toujours
masqué la vérité. A croire les Romains, les druides les avaient
assaillis les premiers avec des torches enflammées, des
femmes vêtues de noir avaient hurlé des imprécations, et les
Légionnaires effrayés refusant d'abord de traverser les eaux
bouillonnantes du détroit n'avaient finalement obéi aux
ordres d'attaquer que pour ne pas passer pour des pleutres
sans honneur. Bien sûr, il savait que Mona avait été un haut
lieu de résistance, mais, avant de rencontrer Benedig et
Ardanos, il était persuadé que tous les druides avaient été éli-
minés. La logique militaire commandait, de toute évidence,
que Mona fût détruite, mais pas dans les lâches et impi-
toyables conditions qu'il venait d'apprendre.

– La plupart des femmes se sont trouvées enceintes des
Romains, poursuivit Kerig d'une voix sourde. Du moins,
toutes celles en âge d'enfanter. Quand les bébés naquirent,
on noya les filles dans la Fontaine que les Romains avaient
désacralisée. Quant aux garçons, ils trouvèrent refuge dans la
famille des druides qui leur apprirent seulement leur origine
quand ils furent en âge de manier les armes. Crois-moi, un
jour ces hommes vengeront leurs mères et leurs dieux ! Oui,
ils le feront, je t'en fais le serment, par la Dame des Corbeaux
qui m'entend ! Puis, il ajouta avec une soudaine et terrible
véhémence : ils vengeront les prêtresses de Mona qui sont ici,
dans le Sanctuaire de la Forêt où elles sont protégées.

Vint le crépuscule. Des jeunes gens en robe blanche, portant des torques d'or, se mirent à entasser des bûches en
deux hautes piles devant le tumulus, s'étant auparavant assu-
rés que sur chacune d'elles se trouvait bien une branche des
neuf arbres sacrés. Entre les deux bûchers avait été placée
une planche en chêne au centre de laquelle se dressait un
pivot. Neuf druides, parmi les plus anciens et les plus véné-

rables, vêtus de robes blanches immaculées, entreprirent alors de le faire tourner lentement, au rythme lancinant d'un tambour, la foule s'assemblant tout autour dans un silence impressionnant.

Au moment précis où le soleil disparaissait derrière les arbres, Gaius aperçut le rougeoiement d'une étincelle. Un frémissement parcourut l'assemblée. Un druide venait de lancer une matière poudreuse à la base du pivot qui s'embrasa d'un coup en une longue flamme.

— Les feux vont brûler jusqu'à l'aube, souffla Kerig à son oreille, aussi longtemps que les gens danseront autour. Là-bas, dit-il en désignant un mât dressé sur la colline, se trouve l'arbre de Beltane. Ceux qui le voudront peuvent l'approcher toute la nuit en amoureux.

Les bûchers, qu'on venait d'enflammer, crépitaient maintenant joyeusement, dégageant une chaleur qui faisait reculer les premiers rangs des spectateurs. Alors qu'ils s'éloignaient dans la foule turbulente s'attaquant sans vergogne aux tonneaux de cervoise et d'hydromel, Gaius et Kerig se trouvèrent face à face avec Elane et Dieda venues à leur recherche.

— Enfin, vous voilà ! Dieda, viens danser avec moi, s'écria Kerig.

La jeune fille pâlit et s'accrocha au bras de sa compagne.

— Tu n'es pas au courant ? demanda Elane gaiement.

— Au courant de quoi, ma sœur ?

— Dieda a été choisie cet après-midi par Liana elle-même pour le Sanctuaire de la Forêt ! Elle doit le rejoindre demain.

Kerig laissa retomber ses mains tendues contre son corps.

— La Déesse a parlé ? C'est bon ! Peut-être est-ce mieux ainsi.

— Que dis-tu ? Tu sais bien que nous ne pourrons jamais nous marier si je prononce mes vœux ?

— Dieda, j'ai moi-même mes propres engagements, répondit Kerig, l'air lointain. Une femme, des enfants ne sont pas faits pour moi, et cela pour des années peut-être si...

L'empêchant d'achever, Dieda se jeta dans les bras du jeune homme qui ne la repoussa pas.

— Écoute, ma bien-aimée, dit-il doucement. Accorde trois années à la Déesse, mais ne t'engage pas pour la vie. Je dois me rendre dans les Iles du Nord pour m'entraîner à combattre, et ne pourrais t'y emmener, même si nous étions officiellement fiancés. Le Sanctuaire de la Forêt sera pour toi, en cas de guerre, le plus sûr des refuges.

Dieda, la joue contre l'épaule du jeune homme, pleurait à petits sanglots.

— Trois ans, murmura Kerig en la serrant davantage, trois ans, pas davantage, et nous nous retrouverons. Sèche tes larmes maintenant car cette nuit nous appartient. Elane, je t'en prie, emmène Gavain, ajouta-t-il, emprisonnant la chevelure de sa compagne entre ses doigts.

Elane, malgré tout, eut un mouvement d'hésitation.

— Mère a demandé que nous restions ensemble, Dieda et moi ! dit-elle. C'est la nuit de Beltane…

Mais devant le regard éploré de la jeune fille, elle ne résista pas. En souriant d'un air grave, elle entraîna Gaius.

— J'étais bien fou et sage, il y a un instant, confia Kerig d'une voix rauque à Dieda, dès qu'ils se retrouvèrent seuls dans la foule. Mais, maintenant, c'est impossible. Je ne peux pas te laisser faire !

— Que veux-tu dire ?

— Je refuse de te laisser enfermer avec toutes ces femmes.

— Mais nous n'y pouvons rien. Tu connais comme moi les druides et leurs lois. La Déesse m'a désignée et Liana m'a choisie…

— Cette nuit est la nuit de Beltane. Il faut tout oublier. Il l'attira brutalement contre lui, et ajouta d'une voix douce : Je te demande d'être à moi. Nos familles ensuite seront heureuses de nous unir.

Elle eut une crispation douloureuse.

— Que diras-tu à mon père et au tien ?

— Benedig n'est pas mon père.

LA COLLINE DU DERNIER ADIEU

– Il te considère comme un véritable fils. De plus, Ardanos est le mien ; il m'étranglera et te fera fouetter à mort. Nous ne pouvons braver les décisions divines. J'appartiens désormais aux vierges du Bosquet Sacré et toi, que tu le veuilles ou non, tu es le fils d'un druide... Kerig, tu me l'as dit toi-même, dans trois ans, je peux être relevée de mes vœux.

– Je t'emmènerai au bout du monde si j'y suis obligé !

– Tu ne peux t'encombrer d'une femme et d'enfants, protesta-t-elle pour le plaisir d'entendre sa réponse.

– Peu importe ce que j'ai pu te dire. C'est toi seule que je veux maintenant !

Le Haut Druide de l'Ile de Bretagne se tenait sur le seuil du Sanctuaire de la Forêt, demeure de la Prêtresse, les yeux tournés vers le ciel où, peu à peu, s'estompait la lumière du jour. Pareille à un chant d'oiseaux assourdi, la clameur des voix lui parvenait très affaiblie, ponctuée par le roulement des tambours. Bientôt, dès la tombée du crépuscule, monteraient dans la nuit les flammes des grands feux de Beltane.

Ardanos, ce soir, aurait dû s'en approcher, mais, bizarrement, il n'en éprouvait nulle envie. Le matin même, à Deva, il avait rencontré le Préfet dont les pressantes recommandations allaient à l'encontre des impatiences et des aspirations d'un nombre grandissant des siens. Comment pourrait-il donc maintenir désormais un équilibre déjà précaire ? « Allons, tu seras mort avant que ne guérissent les vieilles blessures, était-il en train de se dire, et Liana aussi ! » quand une voix cristalline murmura derrière lui :

– La Dame est prête, elle nous attend.

Ardanos se retourna et vit l'une des jeunes vierges du sanctuaire qui lui ouvrait la porte. Pénétrant à sa suite dans la pièce, il salua dans la pénombre Liana éclairée seulement par la lumière faible des lampes en bronze, assise, ou plutôt affaissée, sur un siège. Kellen debout, impassible, était à ses côtés.

– Elle vient de prendre les herbes sacrées, lui dit-elle d'un ton neutre, mais l'œil plein de défi.

Ardanos inclina la tête, conscient de l'hostilité de celle qu'il considérait encore comme une simple prêtresse. Peu lui importait d'ailleurs son comportement à partir du moment où elle respectait et servait Liana depuis tant d'années et avec dévouement.

Pour l'instant, cette dernière, ayant bu sa potion, se trouvait déjà dans l'ombre de la Déesse. Lui seul avait le droit de rester avec elle. Kellen, congédiée d'un geste, se retira l'air renfrogné.

– Liana... dit alors Ardanos d'une voix basse qui fit frémir le corps frêle, Liana, m'entendez-vous ?

– Je vous entends, répondit faiblement la Haute Prêtresse.

– Liana, les circonstances m'obligent à intervenir, car je n'ai pas d'autre moyen. Vous savez que les brutales réquisitions des Romains suscitent des réactions de plus en plus inquiétantes. Rhodri, le gendre de Benedig, s'est lancé à la poursuite des ravisseurs des hommes de la famille du druide et s'est attaqué aux soldats qui les gardaient. Au cours du combat, il a été capturé. Le Préfet Macellius a réussi à cacher son identité, mais il ne voit aucun moyen de le sauver. Le malheureux a été pris les armes à la main. Si la nouvelle est divulguée, les tribus vont se soulever. Prêchez la paix, Liana, l'apaisement, que la paix soit préservée sur cette terre... la Déesse le veut. La fin de l'empire romain viendra, mais ce temps-là n'est pas encore arrivé. Il viendra, mais le sang ne doit pas couler. Il faut que les Brittons temporisent, s'entraident, prennent patience... Dites-leur, Dame, dites-leur de prier les dieux en faveur de la paix !

Voyant la Haute Prêtresse soupirer et frémir, se redresser sur son fauteuil, animée d'une force intérieure, Ardanos sut qu'elle percevait son message, que ses mots atteignaient sa mémoire consciente d'où sortiraient tout à l'heure les paroles de l'Oracle. Quoi qu'en pensât Kellen, il savait qu'il devait manifester ainsi sa présence au cours de ses transes, qu'il devait insuffler une volonté bienfaisante, ajouter aux pouvoirs de l'Oracle sa propre connaissance dans l'intérêt de tous ceux qui lui faisaient confiance. D'ailleurs, en parlant par la bouche de la Haute Prêtresse, seule la Déesse décidait en dernier ressort de ce qui devait être fait, sans possibilité de recours.

– La paix et la patience…, répéta-t-il lentement. Rome s'écroulera quand les dieux le voudront. A nous, à vous, Liana, la charge immense de guider et de retenir jusque-là votre peuple !

V

RÉSISTANT au désir de les rappeler, Gaius vit Kerig et Dieda disparaître dans la foule. Elane, soudain intimidée, avait baissé les yeux, et lui ne savait que lui dire. La découverte de ce qui était réellement advenu aux prêtresses de Mona l'emplissait d'un malaise indéfinissable. Grâce aux dieux, Kerig ignorait toujours sa véritable identité, mais Ardanos, en revanche, semblait l'avoir percé à jour. Pourtant il s'était tu. C'était étrange et encore plus troublant.

Il chercha à engager la conversation en abordant un sujet anodin.

– Elane, parlez-moi de vos coutumes et des fêtes de Beltane. Chez nous, elles sont différentes et je ne voudrais pas faire preuve de trop d'ignorance.

– Vraiment ? répondit-elle embarrassée par la question. C'est une fête très ancienne. Au début, les tribus pratiquaient toutes les mêmes rites. Ardanos pense que notre peuple les célébrait déjà avant son arrivée dans l'Ile. Il a sûrement raison.

– Sûrement, approuva Gaius, cherchant à la faire rire. Votre grand-père est très vieux. Pensez-vous qu'il est arrivé ici avec les premiers bateaux venus de Gaule ?

La jeune fille sourit, tout heureuse elle aussi de voir entre eux l'atmosphère se détendre.

– Avez-vous observé, reprit-elle, la façon dont les druides ont allumé la flamme sacrée ? Tout à l'heure, quand la Haute Prêtresse bénira les feux, nous l'acclamerons comme la Déesse. J'ignore ce qui se fait dans les tribus du sud, mais dans le nord les femmes étaient naguère plus libres que maintenant. Avant l'invasion romaine, il arrivait parfois que la Reine gouverne la tribu. Souvenez-vous de Cartimandua * et de Boadicée **.

Gaius se raidit en entendant évoquer le nom de la Reine sanglante. À Londinium ***, on montrait l'endroit où la basilique avait brûlé et les ouvriers, en creusant les fondations d'une cité en pleine expansion, trouvaient encore les ossements de ceux qui avaient tenté de fuir la fureur sanguinaire des hordes icéniennes.

Elane qui n'avait pas pris garde à sa réaction, poursuivit :

– Boadicée choisissait parfois un chef de guerre pour conduire ses armées, tantôt son frère, tantôt son époux, mais elle gardait toujours le pouvoir absolu au sein de la tribu. C'était d'ailleurs mieux ainsi. Les femmes ne sont-elles pas souvent mieux qualifiées qu'un homme pour gouverner ?

– Peut-être avez-vous raison, puisqu'il s'agissait dans son cas d'une tribu, mais ce serait absurde de voir aujourd'hui une femme à la tête d'une légion ou d'un empire aussi vaste que celui des Césars.

– Pourquoi ? protesta Elane. N'y a-t-il pas eu de puissantes reines chez les Romains ?

– Pas précisément, non. Il y a bien eu, c'est vrai, l'impératrice Livie, mère du divin Tibère, qui empoisonna tous les

---

* Cartimandua, reine des Brigandes qui vendit Caractacus, chef de la rébellion, aux Romains.
** Boadicée, « La Reine sanglante », reine des Icéniens qui mena la révolte en 61 ap. J.-C.
*** Londres.

siens. Mais, sans doute pour cette raison, les Romains n'ont plus confié depuis le pouvoir à une femme !

Tout en marchant, ils avaient atteint le dernier des feux allumés, là où le tumulus descendait en pente douce vers le lieu des festivités.

– Pensez-vous que les femmes sont mauvaises ? demanda encore Elane.

Comme il allait répondre, retentirent derrière eux des cris et des chants. Ils se retournèrent et virent approcher une procession d'hommes portant des mannequins en paille et en osier, aux masques de cauchemar, l'un d'eux représentant l'armure et le casque d'un légionnaire.

Voyant Gaius se rembrunir, Elane partit d'un rire léger.

– Ce ne sont que des effigies. Les Romains interdisent les sacrifices humains. Même jadis, on n'offrait aux dieux qu'une fois tous les sept ans le Roi de l'Été pour rendre la terre fertile. Je ne possède pas tout le savoir qu'on enseigne dans le Sanctuaire de la Forêt, mais on m'a raconté à peu près son histoire. On le traitait comme un roi durant toute l'année qui précédait son exécution, ce qui comblait de fierté sa famille. Tous ses désirs étaient satisfaits ; il avait droit chaque jour aux repas les plus raffinés, aux vins les meilleurs. Les plus belles femmes partageaient sa couche et se trouvaient honorées de porter un enfant de lui et les prêtresses elles-mêmes ne pouvaient refuser de lui accorder leurs faveurs, sacrilège entraînant la mort pour tout autre que lui.

Gaius s'était assis dans l'herbe. La jeune fille fit de même et l'enivrant parfum des fleurs sauvages piquées dans ses cheveux l'envahit insidieusement.

– A Rome, paraît-il, expliqua-t-il à son tour, voulant lutter contre son trouble, une nouvelle religion est pratiquée par les disciples du Nazaréen, un prophète qu'ils ont reconnu être le fils de Dieu et qui est mort crucifié pour leurs péchés.

– Il n'y a pas qu'à Rome, reprit Elane. Mon père dit que certains d'entre eux se sont réfugiés en Gaule et sur nos terres au moment des persécutions. Les druides les ont autorisés à élever un sanctuaire sur l'Ile des Pommes, au sud du Pays de l'Eté et...

Les cris de joie d'un groupe de jeunes gens qui venaient de lancer les effigies dans les flammes l'empêchèrent de continuer. Un embrasement soudain éclaira les sous-bois et Elane, reculant instinctivement, se retrouva contre Gaius qui l'entoura de son bras pour la protéger.

— Ils brûlent tous les mauvais esprits et bientôt, ils feront passer leurs troupeaux entre les feux afin qu'ils connaissent un été paisible dans les pâturages des collines. Le pouvoir des feux est si grand, murmura-t-elle, se rendant compte que la rougeur de ses joues n'était pas due seulement à la chaleur des flammes, que...

— Que vont-ils faire encore ? l'interrompit Gaius, tremblant du désir de la serrer contre lui, devinant sous sa robe la douceur infinie de son corps gracile.

— Eh bien... balbutia-t-elle d'une voix hésitante, les yeux fixés sur les flammes, cette nuit, les couples de fiancés, main dans la main, doivent sauter par-dessus les feux allumés en l'honneur de la Déesse, afin de Lui rendre hommage et Lui demander de leur accorder des enfants. Ensuite, ils vont dans la forêt. Ardanos assure qu'en honorant la Dame de cette façon, des enfants naissaient jadis quelques mois plus tard. Quoi qu'il en soit, on vénère encore la Déesse aujourd'hui en se pliant à cette ancienne coutume...

— Je comprends, dit Gaius, sentant son cœur battre plus vite.

— Les filles de druides, bien sûr, ne peuvent imiter le peuple.

— Bien sûr, approuva-t-il, tout en pensant que le corps d'un fils de Préfet ne connaissait pas ce genre d'interdit. Elane, cependant, la fille de son hôte, devait lui être sacrée encore plus qu'une sœur. Et pourtant...

Ayant conscience de l'émoi de sa jeune compagne qui restait blottie malgré tout dans ses bras, Gaius, enfiévré lui aussi, ne put résister davantage. Approchant doucement ses

lèvres de sa joue, le front caressé par une boucle de ses cheveux, il se pencha plus près encore, glissa au creux de son
oreille un premier aveu, comme s'il craignait d'effrayer un
oiseau posé sur sa main.

— Elane, je voudrais... je voudrais tant te dire les sentiments que j'éprouve pour toi...

— Jamais je n'aurais pensé... chuchota-t-elle, n'esquissant
pas le moindre geste pour briser le charme qui la retenait
délicieusement prisonnière.

Elle était si bien près de lui, si confiante, sentant contre sa
peau s'infiltrer peu à peu la chaleur de son corps.

Autour d'eux s'atténuaient les clameurs, montaient les
mille bruissements de la nuit : grattement des petits animaux sur la terre, frémissement des feuilles, crépitement
léger des feux, pépiement amoureux des merles. Rires et
souffles mêlés, des couples, à l'abri des buissons qui parse-
maient la colline, s'allongeaient sur le sol et commençaient
à s'unir.

Gaius serra plus fort la main de sa compagne. Il effleura sa
joue, plus lisse et douce que la soie d'un pétale, ferma d'un
baiser ses paupières. La jeune fille respirait de plus en plus
vite, et ses lèvres entrouvertes ne parvenaient plus à masquer
son attente. Alors, très tendrement, tenant son visage entre
ses mains, il la coucha sur l'herbe, prit ses lèvres, ouvrit avec
transport sa bouche consentante, comme une fleur s'offrant
aux rayons du soleil.

Eblouis, le cœur battant à tout rompre, ils restèrent un
moment enlacés, ne cherchant nullement à comprendre ce
qui leur arrivait.

— Non, souffla-t-elle enfin, en s'écartant de lui, non, il ne
faut pas ! Mon père, s'il savait, nous tuerait.

Gaius, desserrant son étreinte, la libéra tout à fait. Porter la
main sur la fille de son hôte était un manquement de la plus
haute gravité. Les lois romaines comme celles des Silures
étaient aussi intransigeantes. Pourtant les sentiments qu'il
éprouvait à l'égard d'Elane avaient, il en était certain, un

71

caractère sacré. Il la laissa donc aller et ses doigts s'agrippèrent désespérément à la terre.

— Tu as raison, haleta-t-il, s'étonnant de pouvoir parler calmement tout en refoulant en lui-même l'intense désordre de ses sens. Mais peut-être le réconfort d'une grande certitude l'y aidait-il ? Et puis, dès le premier instant où il l'avait entr'aperçue penchée sur lui, au-dessus de la fosse, le destin ne lui avait-il pas semblé fixé d'avance ? Elane, poursuivit-il, toi et moi devions nous rencontrer depuis toujours. Je ne peux donc rougir des sentiments que j'éprouve pour toi. Je t'aime, Elane, je t'aime comme un homme aime celle qu'il a décidé, passionnément, de prendre pour épouse.

— Comment peux-tu, si vite, dire cela ? répliqua-t-elle, comme effrayée par une pareille révélation. Tu es un étranger et nous nous connaissons depuis quinze jours à peine. M'avais-tu, toi aussi, vue en rêve ?

— Je suis un étranger, c'est vrai, et plus encore que tu ne le crois. Mais je vais te prouver toute la confiance de mon amour en remettant ma vie entre tes mains. Elane, je suis Romain, et pourtant, je n'ai fait qu'un demi-mensonge, ajouta-t-il vivement. Je me nomme en réalité Gaius Macellius Severus Siluricus, mais ma mère m'avait, à l'origine, appelé Gavain. Elle est morte et appartenait à la famille royale des Silures. Mon père, lui, réside à Deva et commande la Deuxième Légion. Si tu dois me haïr pour tout ce que je viens de te révéler, appelle les gardes sans attendre et ôte-moi la vie.

— Je ne te trahirai jamais...

Il ne la quittait pas des yeux ; ses joues qui s'étaient empourprées avaient retrouvé leur pâleur. « Elle ne me trahira jamais » et pourtant, ma mère, elle, m'a trahi. Cette pensée l'effleura et le quitta tout aussitôt. Non, ma mère a choisi de mourir, elle ne m'a pas abandonné.

— Demain, je dois rejoindre les miens, répondit-il, et je te jure que si on me laisse partir, j'obtiendrai de mon père qu'il demande officiellement ta main.

72

LA COLLINE DU DERNIER ADIEU

Suspendu aux lèvres de la jeune fille, il attendit sa réponse.

– Gavain... Gaius, j'en serais heureuse, dit-elle enfin, d'une voix douce, mais le regard grave. Je doute cependant que mon père accepte jamais de donner sa fille à un Romain. Et même s'il acceptait, mon grand-père, lui, s'y opposera de toutes ses forces. Quant à Kerig... Elle termina sa phrase d'une traite : Kerig te tuera s'il apprend ton secret.

– Je sais que ce ne sera pas facile, concéda Gaius, non sans tristesse et abattement, mais rien n'est impossible. Depuis notre arrivée sur l'Ile de Bretagne, nombre de nos officiers ont épousé vos femmes. Et puis, ne suis-je pas moi-même à moitié de ton sang ?

– Peut-être, mais pas de notre famille.

– Nos sangs sont si proches. Ah, comme je voudrais...

Mais voyant sa détresse, Gaius n'insista pas.

– Je n'ai jamais aimé personne autant que toi, avoua-t-elle, hésitante. Tout cela a été si subit et pourtant, j'ai l'impression de te connaître depuis le commencement des temps.

– Je ressens la même chose. Rien, je te le jure, n'a existé pour moi avant notre rencontre. Certains philosophes grecs prétendent que l'âme ne cesse de revenir sur terre tant qu'elle n'a pas accompli sa mission, et qu'elle reconnaît ceux qu'elle a aimés ou haïs durant ses autres vies. Qui sait si nos destins passés ne nous ont pas à nouveau réunis ?

– Nos druides, eux aussi, nous enseignent que nous parcourons tous un cycle de plusieurs vies, dit Elane d'une voix tranquille, et qu'eux-mêmes ont vécu de très nombreuses existences. Un jour, j'ai regardé l'eau d'un étang et me suis vue différente, tout en restant moi-même. Il m'a semblé très fort même que j'étais une prêtresse. Maintenant, je te regarde et je ne vois en toi ni un Silure ni un Romain. As-tu été un homme grand parmi les tiens... un roi, peut-être ?

– Je ne suis pas un roi, Elane, et tu n'es pas prêtresse. C'est dans cette vie-ci, où nous vivons ensemble, que je te

73

veux ! Et il lui prit la main. Je veux te voir le matin quand je m'éveille et le soir dans mes bras quand tu t'endors. Jusqu'à présent l'essentiel me manquait et tu m'apportes tout ce que j'attendais depuis toujours. Me comprends-tu, Elane ?

Un long moment, elle contempla les feux, puis se tourna vers lui.

— Il y a longtemps, moi aussi, que je t'ai rencontré dans mes rêves, mais je ne l'ai jamais dit à personne. Secrètement, tu es déjà au plus profond de mon cœur. Je ne sais quelle puissance nous attire l'un vers l'autre, mais je suis bien certaine que nous nous sommes déjà aimés.

Il prit sa main et appliqua avec ferveur ses lèvres dans le creux de sa paume.

— Je t'aime, Gaius, poursuivit-elle avec une émotion extrême. Entre nous, existe un lien indestructible, et pourtant je ne vois pas comment la vie pourrait nous réunir.

« C'est maintenant que je devrais la prendre, se dit Gaius, bouleversé ; ils seraient bien ensuite obligés de nous marier ! » Mais il n'eut pas le temps de l'attirer dans ses bras, car une grande ombre s'interposa soudain entre eux et la lumière des feux de joie. Regardant les étoiles, il vit que la lune était haut dans le ciel.

Elane poussa un petit cri et se leva.

Tous les deux seuls au monde, prisonniers de leur propre univers, ils n'avaient pas perçu l'agitation fiévreuse qui les entourait maintenant.

— Regarde, murmura-t-elle, la Déesse s'avance.

Dans la nuit en effet montait le chant des flûtes, couvrant de plus en plus le chuchotement des voix et le crépitement des feux qui projetaient, sous le clair de lune, des lueurs diffuses d'or pâle.

En tête du cortège marchaient en ligne les druides aux longues robes blanches, la tête couronnée de feuilles de chêne, le cou paré d'un torque. Parvenus à la hauteur du couple, ils marquèrent un temps d'arrêt, puis lentement obliquèrent vers les feux les plus proches avant de les encercler dans un ordre parfait, tels des soldats montant la garde autour d'un camp.

Des cloches d'argent se mirent alors à tinter et la tension s'accrut. Des ombres féminines se glissaient maintenant vers les druides. Vêtues de draperies sombres aux couleurs de la nuit, gracieuses et légères, le visage voilé, elles se mêlèrent harmonieusement aux cercles, dans le bruissement feutré de leurs bijoux d'argent.

Sans avoir à le demander, Gaius, en les voyant, comprit dans l'instant même que ces femmes étaient des prêtresses, celles qui avaient échappé au viol perpétré à Mona. Un étrange frisson le parcourut et il étreignit plus fort la main de sa compagne.

Déjà les trois dernières d'entre elles s'avançaient vers le siège qu'on avait installé sur un monticule entre plusieurs feux. Celle qui marchait en tête, très mince, était voilée, un peu courbée sous le poids d'une robe majestueuse. Elle était suivie par deux femmes de haute stature, aux cheveux bruns retenus par des bijoux d'argent, portant au front un croissant bleu de guède tatoué entre les sourcils.

Toutes trois s'arrêtèrent pour accomplir, en se servant d'une coupe en or, un rite que Gaius ne comprit pas d'abord. Puis les deux suivantes aidèrent leur maîtresse à s'asseoir sur le trépied préparé à son intention, tandis que les cloches tintaient tout alentour de plus belle.

— Enfants de Dôn, pourquoi êtes-vous assemblés ici ? demanda l'une d'elles, alors que les cloches s'arrêtaient brusquement.

— Nous sommes venus recueillir la bénédiction de la Déesse, clama d'une voix forte l'un des druides.

— Ce temps-là est venu. Implorez-La maintenant.

Au même moment, l'odeur douceâtre des herbes jetées à poignées sur les braises envahit les sous-bois gagnés soudain par une brume rougeoyante. Les chuchotements devinrent murmures, relayés par le bourdonnement grandissant des invocations psalmodiées par les druides. La Prêtresse voilée

75

poussa un long gémissement et commença à se balancer sur son siège, comme si son corps était soudain brassé par le flux et le reflux d'un flot irrésistible.

Fasciné par ce spectacle presque irréel auquel il n'avait encore jamais assisté, Gaius jeta un regard vers Elane qui, plongée dans un état proche de l'extase, semblait totalement subjuguée. La Prêtresse cependant venait de se raidir et tournait la tête maintenant, comme si elle cherchait à voir plus loin encore autour d'elle.

Alors, souriant doucement, elle découvrit complètement son visage et Gaius sut qu'il avait devant lui la Haute Prêtresse de Vernemeton. Il la connaissait par ouï-dire, mais elle surpassait en beauté, malgré son âge, tout ce qu'il avait imaginé, tant rayonnaient de toute sa personne une énergie vitale et une jeunesse resplendissante, qu'elle semblait pouvoir transmettre, ce soir, à tous ceux qui étaient venus recevoir son message.

— Je suis la terre fertile, votre berceau, le ventre qui vous a portés... Je suis l'eau et la lune, la mer et les étoiles, le serpent noir qui engloutit toutes choses. Je suis la nuit où pointa la première lueur, je suis la mère des dieux, et demeure pourtant éternellement vierge. Vous tous qui m'écoutez, me voyez-vous ? Me désirez-vous ? M'acceptez-vous maintenant ?

— Nous te voyons, Mère Éternelle, murmura la foule. Nous te voyons et nous t'adorons !

— Réjouissez-vous alors, car la vie continue. Dans tous les pâturages les troupeaux se reproduiront, dans tous les champs repousseront les épis d'or du blé. Quant à vous, chantez, dansez, festoyez, faites l'amour ! Ainsi aurez-vous droit à ma bénédiction.

— Dame ! cria soudain une voix féminine. Ils ont emmené mon mari dans les mines et mes enfants ont faim. Que vais-je devenir ?

— Ils m'ont pris mon fils, lança à son tour un homme relayé aussitôt par d'autres lamentations. Quand nous déli-

76

vrerez-vous des Romains ? Quand pourrons-nous prendre les armes ?

D'autres cris et protestations fusèrent.

Sentant toute la colère accumulée autour de lui, Gaius ne put s'empêcher de frémir. Qu'Elane le trahît et il serait aussitôt mis en pièces. Il la regarda et vit ses yeux brillants de larmes.

– Mes enfants, entendez votre sœur et venez à son aide ! reprit la Haute Prêtresse d'une voix rauque. Aidez-vous les uns les autres ! Dans le grand livre des étoiles, j'ai lu le nom de Rome mêlé aux mots qui signifient la *Mort* ! Oui, Rome s'écroulera, mais nous ne serons pas les auteurs de sa chute ! Rappelez-vous le cercle de la vie. Tout ce que vous perdez aujourd'hui, demain vous le retrouverez, tout ce qui vous a été pris vous sera rendu. J'apporte et je promets à cette terre la puissance du ciel afin que le monde se renouvelle éternellement !

Elle éleva les mains vers la lune et Gaius crut voir l'astre briller d'un éclat bien plus vif.

Le chœur des prêtresses entonna :

Ô lune, dispense sur ces arbres centenaires
L'argent de ta douce lumière.
Illumine cette nuit sans nuages,
Dévoile pour nous l'éclat de ton visage...

Gaius frissonna. Jamais il n'aurait cru que de simples voix humaines pussent être aussi bouleversantes. Un long moment, le monde lui parut frappé de stupeur ; puis la Haute Prêtresse écarta les bras et les feux de joie s'embrasèrent d'une vie nouvelle, animés d'une vigueur surnaturelle.

– Dansez, répéta une fois encore la voix de la Déesse. Réjouissez-vous ! Recevez mon extase, je vous la donne !

Puis, après avoir d'un geste béni la foule, elle se tendit de toute sa taille vers le ciel, les bras ouverts comme pour embrasser le monde.

LA COLLINE DU DERNIER ADIEU

Gaius ne put voir ce qui se passa ensuite, car quelqu'un le heurta. Il serra plus fort la main d'Elane tandis qu'un étranger les entraînait avant qu'il n'ait pu réagir. Les tambours roulaient et la foule se mit en mouvement, chacun se trouvant emporté dans de joyeuses farandoles.

À l'aube, Kerig et Dieda les rejoignirent, les traits marqués par le déchirement de leur séparation prochaine. Aussi ne prêtèrent-ils pas la moindre attention à leur trouble réciproque. Tous quatre, le cœur lourd, regagnèrent en silence le toit de Benedig et Gaius, comme le soleil était déjà haut dans le ciel, dut prendre congé de ses hôtes sans avoir pu, une dernière fois, s'entretenir seul à seule avec Elane.

VI

Macellius Severus Senior, Préfet de Camp de la Deuxième Légion stationnée à Deva, était un homme d'une cinquantaine d'années, de haute taille, l'air imposant, sachant dissimuler un tempérament prompt à s'emporter sous une parfaite maîtrise de soi. Mieux valait cependant ne pas se fier à cette placidité trompeuse qu'il eût été bien imprudent de mettre sur le compte d'une faiblesse larvée. Ces dispositions naturelles, à la place qu'il occupait, présentaient pour lui un atout majeur. Chargé en permanence de la maintenance des troupes, il était en effet surtout l'indispensable intermédiaire entre les forces d'occupation et la population locale, d'autant plus que ne relevant pas du Commandant de la Légion, mais du Gouverneur de la Province et du *Legatus Juridicus* siégeant à Londinium, ses décisions, dans sa province, avaient force de loi.

Dans le bureau très dépouillé mais confortable qu'il occupait, se pressaient chaque jour civils et militaires qui l'accablaient sous une avalanche de doléances ou de requêtes, auxquelles il lui fallait, selon les cas mais toujours avec diplomatie, répondre favorablement ou non.

LA COLLINE DU DERNIER ADIEU

Ce matin-là, il en avait presque terminé. Assis sur un siège pliant, parcourant des yeux un parchemin posé sur ses genoux, il feignait d'écouter avec intérêt et patience un citoyen gras et efféminé qui le noyait sous un déluge de paroles depuis un bon quart d'heure. Macellius aurait pu le faire taire depuis longtemps, mais il pensait qu'au travers de déclarations parfaitement anodines, se glissaient toujours de très utiles informations.

– Vous ne tenez sûrement pas à ce que j'aille trouver le Légat, Macellius, minauda enfin l'homme à court d'arguments.

Estimant qu'il avait été suffisamment patient, Macellius enroula d'un geste sec son manuscrit.

– Je n'y vois pas d'inconvénient, si cela peut vous faire plaisir, susurra-t-il avec douceur. Je doute cependant qu'il vous accorde autant de temps que je viens de vous en consacrer, si tant est qu'il veuille seulement vous recevoir. Croyez-moi, il serait bien plus sage, à mon avis, que vous envisagiez de faire des sacrifices...

– Bien sûr, bien sûr, l'interrompit d'une voix de fausset son interlocuteur. Personne, mon cher ami, n'est plus enclin que moi à l'admettre. Cependant, dites-moi, comment pourrais-je continuer à exploiter mes fermes et mes terres si tous les hommes de la région sont réquisitionnés ? La paix et l'aisance matérielle des citoyens romains ne demeurent-elles pas prioritaires ?

– Lucius, répliqua Macellius, maudissant mentalement l'Empereur d'avoir accordé la citoyenneté romaine à de tels parasites, je ne suis pas chargé de l'enrôlement des autochtones. Nous avons tous nos problèmes. Débrouillez-vous ! Je ne peux rien faire pour vous.

– Mais, cher ami, vous n'avez qu'à...

– Inutile d'insister, vous faites fausse route. Allez trouver le Légat, si bon vous semble. Mais prenez garde ! Je doute fort qu'il ait à votre égard ma patience. S'il vous manque des hommes, faites venir des esclaves de Gaule et payez-les

80

convenablement. Lucius, je suis désolé, mais j'ai beaucoup de travail ce matin.

L'homme voulut encore protester, mais en vain. Macellius déjà s'était tourné vers son secrétaire, lui demandant qu'on fasse venir le plaignant suivant, quand il entendit résonner à la porte une voix familière.

Se levant précipitamment, il renversa sa chaise et courut serrer dans ses bras son fils qui venait d'entrer.

— Gaius ! Mon cher enfant ! Je commençais à me faire du souci ! Pourquoi cette si longue absence ?

— Je suis revenu dès que possible, s'excusa Gaius.

Comme il l'étreignait plus fort, le Préfet sentit le jeune homme tressaillir de douleur.

— Tu es blessé ?

— Ce n'est rien. C'est presque guéri. Je suis stupidement tombé dans un piège à sangliers, une fosse hérissée de pieux dont l'un m'a traversé le bras. Voyant l'air inquiet de son père, Gaius ajouta pour le rassurer : Je ne sens presque plus ma blessure. Dans peu de temps, je pourrai de nouveau porter une épée.

— Mais comment ? Explique-toi ! Que veut dire cette tenue, ces vêtements poussiéreux ?

— Des Brittons m'ont trouvé dans la fosse, ils m'ont soigné et remis sur pied.

Le visage de Macellius trahit ce qu'il ne pouvait exprimer.

— J'espère que tu as récompensé leurs services ?

— Père, leur hospitalité m'a été offerte de grand cœur. Je l'ai acceptée avec reconnaissance, comme il se doit.

— C'est bon, conclut son père sans vouloir insister, sachant que son fils se montrait facilement susceptible lorsque son sang britton était en jeu. Pour l'instant, tu devrais en tout cas montrer ton bras à un médecin militaire, ajouta-t-il, pressant.

— Mais non, tout va bien, nous verrons tout à l'heure.

— Comme tu voudras ! Dis-moi donc, mon fils, quelle raison allons-nous invoquer pour expliquer ton dépassement de permission ?

81

Gaius montra son bras.

– Oui, évidemment. Je vais essayer d'arranger les choses auprès de Sextilius. N'oublie jamais cependant que tu n'appartiens pas à une famille patricienne, que tu n'es pas l'un de ces freluquets privilégiés à qui l'on pardonne tout. Ton grand-père cultivait un champ aux environs de Tarente, et il m'a fallu travailler dur pour arriver à la situation que j'occupe aujourd'hui.

– Est-ce donc si sérieux, Père ? Ne pas pouvoir rejoindre son corps à cause d'un accident ?

Soudain, il semblait si inquiet que Macellius s'empressa de le rassurer.

– Mais non, mais non... Moins ce genre d'incident se produit, mieux c'est. C'est tout ! Parlons d'autre chose. Aimerais-tu travailler avec moi ? J'ai besoin de quelqu'un pour me seconder ici et, quand j'ai avancé ton nom, le gouverneur a accepté de faire une exception afin que tu puisses servir sous mes ordres. Qu'en dis-tu ? Le moment est venu de te présenter autour de moi. La Province prend de l'extension, Gaius. Avec de l'intelligence et de l'énergie, on peut aller loin.

– Père, répondit Gaius avec embarras, je vous remercie de votre confiance. Mais je n'ai jamais compris pourquoi vous restiez ici, dans l'Ile de Bretagne. Votre avancement n'en a-t-il pas souffert ? L'Empire est si vaste...

– L'Ile de Bretagne n'est pas le monde entier, tu as raison, reconnut Macellius. Mais je l'aime. Il n'y a pas si longtemps, on m'a offert l'Hispanie *. J'aurais volontiers accepté si tu n'avais pas été là. Mais, finalement, je me sens mieux ici. Londinium ressemble davantage à la Rome de mon enfance qu'à celle d'aujourd'hui. L'Empire se désagrège. Je m'attache donc à suivre les coutumes anciennes, à faire progresser ma famille grâce aux services rendus, génération après génération. Tu me demandes pourquoi je reste dans cette île, et je

---

* L'Espagne.

vais te répondre : Rome n'a qu'une crainte, que les nations assujetties se révoltent à nouveau et que reviennent le chaos, l'époque des quatre empereurs et de Boadicée... Tu ne t'en souviens pas, car tu étais trop jeune. Mais nous avons tous bien cru que le monde allait basculer l'année de ta naissance. De nos jours pourtant, Londinium ressemble à ce qu'était Rome jadis. Les vieilles vertus romaines pourraient survivre dans les Provinces, loin de la corruption qui règne dans l'entourage de l'Empereur. Les tribus brittonnes sont finalement très proches des gens de la campagne qui vivaient là où je suis né. Qu'on lui offre le meilleur de la culture romaine et l'Ile de Bretagne deviendra peut-être ce que Rome fut alors.

— Est-ce pour cela qu'un jour vous avez épousé ma mère ?

Dans le silence qui suivit la question de son fils, Macellius le regarda en clignant des yeux. Comme s'il tentait d'effacer le souvenir d'une femme qui ne l'avait jamais quitté : Morade... Son doux regard, ses cheveux sombres, sa voix qui fredonnait une chanson quand elle lissait sa chevelure d'ébène à la lueur de l'âtre rougeoyant...

— Oui, ce fut sans doute l'une des raisons, répondit-il enfin. Nous espérions alors unir nos deux peuples. Et puis il y eut Classicus et Boadicée... Je ne désespère pourtant pas. Ce rêve n'est pas impossible, mais sa réalisation sera bien sûr plus longue. Il te faudra pour survivre, mon fils, être encore plus romain que les Romains eux-mêmes.

— Croyez-vous à de nouveaux troubles ? interrogea Gaius, non sans inquiétude.

— Plus que jamais, nous devons rester vigilants. Et puis l'Empereur Titus vient de tomber malade. Je n'aime pas cela. S'il venait à mourir, qui le remplacerait ? Je ne fais pas confiance à Domitien. Ah, Gaius, un bon conseil ! Toute ta vie, essaye de te tenir à l'abri des regards d'un prince. Mais peut-être aspires-tu au pouvoir, aux honneurs ?

— Que les dieux m'en préservent, mon père !

— Une ambition mesurée, raisonnable, peut être salutaire. Ne gâche surtout pas tes chances ! Le moment, en tout cas, est venu de faire avancer nos affaires, sans pour autant indisposer l'Empereur. Dis-moi, tu as maintenant dépassé dix-neuf ans. Il serait temps pour toi de songer à prendre épouse.

— Je vais avoir vingt ans, Père, c'est vrai, mais rien ne presse.

— Tu connais Clotinus Albus, je suppose, insista le Préfet, il a une fille…

— Pitié, Père, l'interrompit son fils en riant. J'ai dû l'expulser de ma couche quand j'habitais chez eux. Elle manque vraiment d'attrait, c'est le moins qu'on puisse dire.

— Est-ce si important ? railla à son tour Macellius. Clotinus Albus va devenir l'un des hommes importants de la Province, bien qu'il soit britton. Le savais-tu ?

Devant l'air consterné de son fils, goguenard, il éclata de rire.

— Ne t'inquiète pas trop ! En vérité, j'aurais été bien ennuyé, si la donzelle t'avait séduit. L'honneur de la famille exige que tes fils soient de ton propre sang. C'est pourquoi j'ai une autre idée qui te plaira sans doute davantage. Te souviens-tu, quand tu étais enfant, d'avoir été fiancé pour rire à la fille d'un vieil ami qui se trouve être, maintenant, le Procurateur Licinius ?

— Père, demanda Gaius mal à l'aise, l'avez-vous revu ? Vous dites vous-même que c'était pour rire. J'espère donc que vous ne parlez pas sérieusement.

Intrigué soudain par le ton du jeune homme, Macellius l'examina attentivement.

— Pourquoi me dis-tu cela ? Tu viens de m'avouer à l'instant que la fille de Clotinus Albus t'était indifférente. Aurais-tu quelque inclination pour une autre ? Tu sais pourtant que seul un mariage alliant intérêt et naissance peut être envisageable pour toi. Laisse-moi faire, mon fils, et sache que les entichements romanesques ne font jamais d'unions durables.

Gaius avait pâli. Saisissant une coupe de vin sur le plateau qu'un esclave venait d'apporter, il avala d'un trait et la reposa sur la table. Se tournant vers son père, il déclara alors :

– Père, j'ai un aveu à vous faire. J'aime d'amour une autre fille et ne la désire pas seulement. Je viens de lui offrir le mariage.

– Sans m'en parler ? As-tu perdu la tête ? Qui est-ce ?

– La fille de Benedig.

Interdit, Macellius resta un instant sans voix. Puis il explosa :

– C'est impossible ! L'homme est proscrit et, si je ne m'abuse, druide de surcroît. Sa famille est honorable, certes, et je n'ai rien à dire sur la jeune fille. Mais les choses n'en sont que plus graves. Ce genre de mariage…

– Père, vous avez épousé Morade, ma mère, l'interrompit Gaius.

– Et elle a failli ruiner ma carrière ! Voilà pourquoi je m'oppose formellement à ce que tu gaspilles ta vie de la même manière. Ta mère était une beauté exceptionnelle.

– Merci de bien vouloir lui rendre hommage.

Excédé qu'il lui tienne tête, le Préfet ne laissa pas son fils l'entraîner sur un terrain où il se sentait particulièrement vulnérable.

– La jeune fille dont tu me parles est sans doute aussi très belle, le coupa-t-il, mais pareille mésalliance ne doit pas se répéter deux fois dans une même famille. Et puis les circonstances sont différentes. Depuis la rébellion de Boadicée, une alliance avec une famille brittonne, même loyale, serait désastreuse. Pour toi d'ailleurs plus que pour tout autre. Mon fils, continua-t-il plus calmement, il te faut être prudent, justement parce que tu es le fils de ta mère. Crois-moi, je n'ai pas passé trente années de ma vie dans les légions pour voir ainsi compromettre ton avenir. Tes espérances seront illimitées si tu fais le bon choix. Si tu le veux, la fille du Procurateur peut devenir ta femme, je t'en donne l'assurance. D'ici là, bien sûr, si tu as quelque goût pour d'autres liaisons, n'oublie pas que tu peux t'offrir toutes les esclaves et affranchies qui te plairont. Mais, je t'en prie, évite les Brittonnes, à tout jamais.

— Elane est différente de toutes les femmes que j'ai rencontrées !

— Ton Elane est la fille d'un druide ! Il a poussé jadis les auxiliaires à la révolte. On n'a pu le prouver, aussi l'a-t-on banni au lieu de le condamner à être pendu ou crucifié. Pour ces raisons précises, abstiens-toi d'entretenir des relations avec sa famille. J'espère au moins que tu n'as pas séduit cette fille, ou pire ?

— Elane est aussi pure et innocente qu'une Vestale, répondit Gaius sèchement.

— C'est bon ! Je ne mets pas ta parole en doute. Si cette jeune fille est vertueuse, l'amour que tu lui portes risque justement de lui être fatal. Allons, Gaius, sois raisonnable ! Cette fille n'est pas pour toi.

— C'est à son père seul d'en décider, pas à toi, Père !

— Écoute-moi, mon fils. Son père partagera mon opinion sur cette mésalliance, car ce serait une catastrophe aussi bien pour sa fille que pour toi. Oublie-la, songe plutôt à prendre pour épouse une Romaine qui nous honore. J'occupe une position maintenant qui te permet de choisir qui tu veux.

— A condition qu'elle s'appelle Julia, la fille du Procurateur, Julius Licinius ! répondit Gaius avec un sourire d'amertume. Et si sa fille ne voulait pas d'un mari dont la mère était une Silure ?

Macellius haussa les épaules.

— J'écrirai demain à Licinius. En bonne Romaine, Julia veillera à accomplir par ce mariage son devoir envers sa famille et l'État. C'est ainsi que cela doit être. Tu l'épouseras, Gaius, je peux te l'assurer, avant que tu ne nous déshonores tous.

— D'avance, je m'y oppose. Si Benedig veut me donner sa fille, je l'épouserai. Je m'y suis engagé sur l'honneur.

— Il n'en sera rien, trancha, intraitable, le Préfet. Benedig, d'ailleurs, sera de mon avis.

Serrant les dents, Gaius ne s'avoua pas vaincu.

— Père, j'épouserai Elane. Et si vous refusez de la demander en mariage, je le ferai à votre place ! Je regrette beaucoup de ne pas recueillir votre consentement, et d'être ainsi contraint de m'en passer. Et si Benedig refuse... (il regarda son père avec défi), sachez qu'il n'y a pas que Rome au monde !

Impassible seulement en apparence, Macellius, en lui-même, accusa le coup. Comme Gaius lui ressemblait ! Morade avait enflammé son cœur et son corps. Mais, emprisonnée entre quatre murs de pierre, elle n'avait jamais été heureuse. Les Romaines l'avaient prise en grippe et son peuple l'avait maudite. Non, il ne pouvait permettre à son fils de commettre la même erreur, de vivre miné par la souffrance d'une femme qu'il adorait, écartelée entre deux peuples.

Voyant son père garder le silence, Gaius reprit d'une voix plus conciliante :

— Père, quel mal y a-t-il à faire ma demande ? Je m'y suis engagé par serment. Je l'aime, Père, et je n'épouserai jamais qu'elle. Si Benedig me la refuse...

— Il te la refusera, rétorqua Macellius avec impatience, mais puisque tu le veux, pose la question toi-même. Ainsi auras-tu directement sa réponse.

— Je veux tenter ma chance.

Macellius lui lança un regard furieux.

— Tu n'avais pas le droit de t'engager ainsi. Le mariage est l'affaire des familles, et tu me contrains à faire une démarche contre mon gré.

— La feras-tu, Père ? s'obstina Gaius.

Malgré lui, Macellius se radoucit un peu.

— Je ne veux pas que se renouvellent pour toi les conséquences de ma propre folie. Et puis c'est perdre son temps que de vouloir raisonner un fou. Je vais donc envoyer un messager auprès de Benedig et je sais d'avance qu'il partagera mon sentiment.

VII

Sans nouvelles de Gaius depuis son départ, Elane errait comme une âme en peine, ne pouvant s'empêcher de se dire, comme le lui avait soufflé Dieda avant de rejoindre le Sanctuaire de la Forêt, qu'il ne l'aurait sans doute pas oubliée si elle s'était donnée à lui au cours des fêtes de Beltane.

Rendue maintenant à la monotonie de sa vie quotidienne, elle se sentait abandonnée de tous dans un monde d'indifférence, allant jusqu'à douter d'elle-même, de Gaius, de son amour pour elle.

Vint un matin enfin où son père la fit appeler. Il était assis près de l'âtre dans la grande salle où les cendres attestaient de la douceur du temps, malgré un ciel très gris et nuageux.

– Elane, dit-il en la voyant entrer, la voix à la fois grave et amusée, j'ai une grande nouvelle à t'apprendre : on vient de me demander ta main.

« Gaius, cria son cœur, comme j'ai été injuste envers toi ! »

– Bien entendu, tu l'imagines, j'ai éconduit le messager. Que sais-tu du jeune homme qui se faisait appeler Gavain ?

– Je ne comprends pas... balbutia-t-elle, certaine que son père entendait les battements de son cœur.

89

– T'a-t-il dit son vrai nom ? T'a-t-il dit que son père, Macellius Severus, est le Préfet du camp de Deva ? demanda Benedig, dont la colère contenue affleurait sous le calme apparent.

Se mettant à trembler malgré elle, Elane, d'un signe de tête, répondit affirmativement.

– Au moins, il ne t'a pas trompée, constata son père avec un visible soulagement. Eh bien, tu dois, en raison même de sa naissance, le chasser de tes pensées. Tu n'es d'ailleurs pas en âge de te marier.

Elle releva la tête pour protester. Elle avait douté de Gaius, mais pas un instant elle n'avait imaginé que son propre père pourrait lui refuser son consentement.

– Je peux attendre, finit-elle par murmurer, les yeux baissés. Si tu m'estimes trop jeune...

– Elane, sois raisonnable. J'aime mes enfants et ne souhaite que leur bonheur. Mais ce mariage avec un Romain est impossible, tu le sais.

N'en pouvant plus de retenir ses larmes, Elane voulut se retirer. Son père l'en empêcha.

– Écoute-moi, ordonna-t-il, je n'en ai pas encore terminé.

– Que pouvez-vous me dire d'autre, père ? s'exclama-t-elle dans un sanglot, tressaillant sous la poigne de fer qui la retenait. Ne m'avez-vous pas déjà refusé Gaius ?

– Je veux que tu comprennes pourquoi. Je n'ai rien contre lui. S'il était l'un des nôtres, je te l'accorderais avec joie. Mais l'huile ne se mélange pas à l'eau, mon enfant, pas plus que le plomb à l'argent. Un Romain ne peut s'allier à une fille de ta race.

– Mais il n'est pas vraiment romain, tenta-t-elle de plaider. Sa mère était une Silure. Ne semblait-il pas un des nôtres quand nous l'avons recueilli ?

– C'est encore plus grave ! Gaius est le bâtard d'un mariage... illégal, sa mère appartenait à une race de traîtres... Les Silures sont des fourbes. Ils l'étaient bien avant l'arrivée des Romains, voleurs de bétail chez nos voisins, braconniers

90

sur nos territoires de chasse. Ce serait déshonneur et folie de te marier au fils de nos ennemis irréductibles. Je sais bien qu'Ardanos estime que ce mariage pourrait servir une future paix, comme si tu étais fille d'une de nos reines et lui le fils de César !

Elane écarquilla les yeux en apprenant qu'Ardanos, le Haut Druide, se déclarait ainsi son allié. Mais elle dut continuer à écouter son père.

— D'après le ton de sa lettre, je devine que Macellius Severus n'est pas plus enthousiaste que moi. Il a compris comme moi que ce mariage serait à l'origine de graves dissensions. Ardanos se trompe. Si Gaius délaissait Rome pour toi, nous ne l'accepterions pas parmi nous pour autant. S'il voulait en revanche t'attirer vers les siens, tu deviendrais une bannie, destinée douloureuse dont je te protégerai, malgré toi.

— Je l'accepterais sans hésitation, dit Elane d'une voix à peine audible, sans oser lever les yeux. Pour lui...

— Sans doute en serais-tu capable, tonna Benedig en se levant. La jeunesse n'est-elle pas toujours prête à défier le monde ? Mais ce n'est pas un sang de traîtres qui coule dans nos veines, Elane, et chaque fois que tu voudras trahir les tiens, ne serait-ce qu'en pensée, les corbeaux sacrés déchireront ton cœur en secret. Sache bien ceci, Elane : je n'en veux pas à Gaius, puisqu'il s'appelle ainsi, et j'ergoterais en prétendant qu'il m'a menti. Si je devais lui tenir rancune, ce serait parce qu'il t'a inconsciemment montée contre nous en voulant te ravir à jamais.

— Non, mon père ! Il s'est toujours conduit en homme d'honneur, aussi bien avec vous qu'avec moi, parvint encore à dire Elane d'une voix sans timbre. Tout autre prétendant que lui, n'ayant pas sa délicatesse, aurait été accueilli à bras ouverts par vous, trop heureux de vous débarrasser de moi !

Le visage empourpré par cette impertinence, Benedig souffleta la jeune fille.

– Plus un mot maintenant, Elane, plus un mot ! s'écria-t-il indigné. Que ne t'ai-je corrigée plus souvent quand tu étais petite. Cela m'aurait évité aujourd'hui d'entendre un tel discours !

Stupéfaite par la réaction de son père qui ne l'avait jamais frappée, Elane s'effondra sur le banc, tenant sa joue, incapable, sous le choc, de verser la moindre larme.

Non moins surpris par la violence de sa réaction, Benedig voulut tout aussitôt se faire pardonner.

– Elane, mon enfant, murmura-t-il, l'air navré, pardonne-moi, je t'ai parlé sous le coup de la colère. Je sais que tu es bonne, honnête, que tu n'as jamais pensé renier notre race. Ne parlons plus de tout cela, je t'en prie. Demain, tu partiras dans le nord ; ta sœur Miara, dont le bébé va bientôt naître, aura besoin de ta présence, car ta mère ne peut me quitter en cette saison. Rhodri a sûrement été capturé par les Romains au moment où il s'enfuyait pour ne pas être enrôlé de force. Tu vois comme la situation est grave pour nous tous. En l'absence de Rhodri, tu seras pour ta sœur d'un grand secours.

Toute tremblante encore, Elane inclina la tête en silence. Tendrement, Benedig l'attira dans ses bras et l'embrassa.

– Fais-moi confiance, mon enfant. J'ai perçu ces jours passés ta tristesse et suis bien malheureux de ne pouvoir l'apaiser. Tout s'arrangera bientôt, tu verras. Cet hiver, nous te chercherons un mari et cette fois-ci il sera l'un des nôtres.

Elane s'arracha brusquement aux bras de son père et lui fit front, le regard étincelant.

– Père, je n'ai d'autre choix que de vous obéir ! Mais si vous ne me donnez pas celui que j'aime, jamais, vous m'entendez, jamais je ne me marierai !

La pluie cette année-là, comme si les beaux jours avaient décidé de ne plus revenir, continua à tomber, gonflant fleuves et rivières prématurément, inondant les champs, les routes et les chemins. Miara allait accoucher et elle ignorait toujours le sort de son époux.

LA COLLINE DU DERNIER ADIEU

Quant à Elane qui l'avait rejointe, si elle pleurait encore parfois la nuit en rêvant de Gaius, elle voulait surtout ne plus penser qu'à se rendre utile dans l'attente de l'heureux événement. Miara avait besoin de quelqu'un à qui parler, son jeune fils, très perturbé par l'absence de son père, réclamant tout autant son affectueuse disponibilité. La seule préoccupation de la jeune fille était pour l'instant la crainte de se retrouver seule au moment de l'accouchement. Aussi s'en ouvrit-elle un soir à Miara, qui la rassura aussitôt : une prêtresse du Sanctuaire de la Forêt viendrait l'assister.

— Tu verras, lui dit-elle. Elles savent toutes pratiquer l'art de mettre au monde un enfant. Tu n'as rien à craindre.

— Crois-tu qu'on nous enverra Dieda ? Je serais si contente de la revoir !

— Non, je ne pense pas. Elle est novice et ne doit pas sortir avant un an. On m'a promis une compagne de la Haute Prêtresse Liana, une femme remarquable, dit-on, venue d'Erin ★. Elle s'appelle Kellen.

Le ton sec de Miara laissa supposer à Elane qu'elle n'avait pas une considération excessive pour celle qui allait venir, réserve qui eut pour effet d'éveiller chez elle un sentiment de curiosité, mêlé d'un peu d'appréhension.

Trois jours plus tard, la prêtresse arrivait, la tête et les cheveux dissimulés sous un châle qui ne laissait voir que le regard bleuté de ses grands yeux. Accueillie avec respect par Elane, elle s'assit près de l'âtre et retira son voile, découvrant la masse sombre de ses cheveux qui retombèrent en cascade le long de ses joues pâles. Soudain, un tourbillon de fumée la fit tousser et Elane s'empressa, rougissante, de lui offrir un gobelet de cervoise.

— Non, merci, mon enfant, ce breuvage m'est interdit. Puis-je avoir simplement un peu d'eau ?

— Bien sûr, murmura la jeune fille en allant emplir le gobelet au tonneau près de la porte. Mais peut-être préfé-

---

★ Erin ou Hibernia : l'Irlande.

93

reriez-vous l'eau fraîche du puits ? demanda-t-elle en le lui tendant.

— Merci, celle-ci me convient très bien. Dis-moi, ce n'est pas toi qui vas accoucher ? Tu es si jeune encore...

— Non, ce n'est pas moi, mais Miara, ma sœur aînée. Je m'appelle Elane et j'ai une autre sœur plus petite, Senara.

— Moi, je me nomme Kellen.

— Je sais. Je vous ai vue aux fêtes de Beltane. Je vous croyais beaucoup plus...

Confuse, elle laissa sa phrase en suspens.

— Plus vieille ? Plus digne ? compléta Kellen. Je n'ai pas quitté Liana, la Haute Prêtresse, depuis qu'elle m'a fait revenir des rives occidentales d'Erin. J'avais alors une vingtaine d'années. C'était il y a bien longtemps...

— Connaissez-vous Dieda ? C'est une de mes parentes.

— Oui, je la connais ; elle se trouve dans la Maison des Vierges. Nous sommes nombreuses, tu sais, et nous n'appartenons pas toutes au même Ordre. Comme c'est étrange. C'est vrai que vous vous ressemblez beaucoup toutes les deux. Mais, laissons cela et occupons-nous plutôt de ta sœur.

Elane la mena auprès de Miara. Alourdie par sa grossesse, elle pouvait à peine marcher, et se rassit aussitôt sur sa couche après avoir salué la prêtresse. La conversation s'engagea tout naturellement. Kellen questionna doucement la future maman sur son état, prodiguant habilement des encouragements. Sa voix mélodieuse ayant un pouvoir apaisant, peu à peu le visage de Miara se détendit et, pour la première fois, Elane comprit que sa sœur était en fait très inquiète. Rassurée, elle subit donc sans broncher l'examen de la prêtresse qui palpa délicatement son corps de ses longues mains.

— Je ne pense pas que le bébé naisse aujourd'hui, déclara finalement Kellen. Demain peut-être, et encore je n'en suis pas certaine. Reposez-vous maintenant, car vous aurez bientôt besoin de toutes vos forces.

Une fois Miara recouchée, elle rejoignit Elane près du feu.

94

— Est-il vrai que son mari a disparu ? demanda-t-elle à mi-voix.

— Oui, et nous craignons qu'il soit prisonnier des Romains. Mon père me l'a appris avant mon départ et m'a recommandé de n'en rien lui dire.

— Il a bien fait, approuva Kellen après un moment d'intense concentration, car je crains fort qu'elle ne le revoie plus.

Atterrée, Elane tressaillit.

— Comment le savez-vous ?

— Les présages n'annoncent rien de bon.

— Oh ! Miara, ma pauvre sœur, c'est affreux ! Comment allons-nous lui apprendre ?

— Epargnons-la surtout pour l'instant, souffla Kellen. Je me chargerai de tout, mais après la naissance, quand le nouveau-né sera pour elle une raison de vivre. La vérité risquerait maintenant de la tuer. Nous aviserons après l'accouchement. Elle a, j'espère, dans sa famille, des hommes qui pourront défendre l'héritage de ses enfants ?

— Mon père n'a pas de fils, mais Kerig lui servira de frère s'il en est besoin.

— N'est-il pas le fils de Benedig ?

— Si, mais seulement son fils adoptif. Pour l'instant, il est parti dans le nord. Nous avons été élevés ensemble et il a toujours éprouvé beaucoup d'affection pour Miara.

— Tant mieux, car ta sœur, désormais, aura plus que jamais besoin de lui.

Cette nuit-là, une tempête venue de l'ouest tourbillonna autour de la maison qu'elle assaillit comme une bête sauvage. Au matin, les rafales qui soufflaient encore secouaient les arbres, mais le toit n'avait perdu qu'un peu de chaume. La maison ronde, gémissante et tremblante toute la nuit sous les coups de boutoir, avait tenu bon. Dehors, cependant, à la satisfaction visible de Kellen, c'était toujours le déluge.

— On parle des pillards déferlant de la côte, répondit-elle à Elane qui l'interrogeait. Au moins, si les chemins sont inon-

95

dés, ils ne pourront pénétrer facilement à l'intérieur des terres.

Enfin, au début de la matinée, le vent s'apaisa, mais une pluie drue et persistante prit sa place, dans un bruissement lancinant et ininterrompu d'eau se déversant en cataractes le long des murs et sur le sol. Par chance, une réserve de bois coupé avait été mise à l'abri sous un appentis contigu, permettant d'entretenir le flamboiement joyeux des flammes dans l'âtre. Kellen en profita pour retirer la housse de la harpe qu'elle avait apportée et expliqua à Elane qu'elle jouait uniquement par plaisir, comme Dieda d'ailleurs qui faisait preuve, pour la musique et pour le chant, de grandes dispositions.

– Je n'en suis pas surprise. Sa voix, depuis toujours, est remarquable, reconnut Elane avec une pointe d'envie.

– Il ne faut pas la jalouser, mon enfant. L'on peut aussi posséder d'autres dons. Puis, considérant la jeune fille d'un air songeur, elle se décida brusquement : Sais-tu que Dieda a été choisie à ta place ?

Prise au dépourvu, Elane cilla imperceptiblement, se souvenant de son enfance et des moments qu'elle passait à jouer à la prêtresse. Mais c'était, depuis lors, surtout la vision de Liana posant sa cape sur les épaules de Dieda qui revenait souvent à son esprit.

– Réponds-moi, mon enfant.

Mais Elane resta muette. Oui, elle avait rêvé de devenir prêtresse, mais elle avait depuis rencontré Gaius, et cet appel ne semblait plus conciliable avec l'amour qu'elle éprouvait toujours pour lui.

– C'est bon ! Rien ne t'oblige à me parler maintenant, murmura Kellen avec un sourire. Nous y reviendrons plus tard, si tu veux.

Miara perdit les eaux le jour suivant. Les yeux fixés sur la tache sombre qui s'élargissait sur sa chemise, elle poussa un grand cri.

LA COLLINE DU DERNIER ADIEU

Venue aussitôt à son chevet, Kellen tenta de la réconforter.

– Eh bien, ma mie, vous voyez, les enfants viennent au monde quand ils le veulent et non quand nous le décidons. Respirez et détendez-vous. Elane, va demander à notre voisin, le berger, d'apporter du bois pour entretenir le feu. Ensuite, tu l'activeras et empliras un chaudron d'eau que tu feras bouillir. Miara aura besoin d'une infusion avant sa délivrance, et nous aussi. Voudras-tu ensuite rester avec nous ? Si tu te sens assez forte, ce serait mieux, car si tu dois, un jour, te joindre à nous dans le Sanctuaire de la Forêt, tôt ou tard, il te faudra apprendre.

Elane avala sa salive et acquiesça d'un signe de tête, bien décidée à se montrer à la hauteur de la confiance de ses aînées.

Les deux heures suivantes, Miara somnola entre ses contractions. Quand l'une d'elles intervenait, elle se redressait parfois pour crier, sans paraître pour autant sortir de son sommeil. Puis elle sombra dans une sorte de somnolence entrecoupée de plaintes et de soupirs. La nuit enfin tomba et Elane s'assoupit à son tour sur un banc.

Elle fut réveillée en sursaut par Kellen.

– Viens petite, je vais avoir besoin de toi. Ranime le feu et prépare une tisane pour Miara. Elle ne va pas tarder à accoucher et tu vas m'aider.

Quand la tisane fut prête, la prêtresse se pencha sur la jeune femme très agitée, et porta le gobelet à ses lèvres.

– Là, buvez maintenant. Ce breuvage va vous donner des forces.

Miara fit l'effort qu'on lui demandait, mais bientôt, n'en pouvant plus, elle secoua la tête, le visage déformé par la douleur.

– Courage ! Ce ne sera plus long maintenant. N'essayez plus de vous asseoir.

La contraction passée, Miara se laissa aller, cherchant à retrouver son souffle.

– Elane, éponge-lui le visage, nous allons commencer. Miara, regardez. J'ai tout ce qu'il faut pour emmailloter le bébé, ajouta-t-elle. Dans peu de temps, vous le tiendrez dans vos bras. Voilà, très bien, encore un peu... C'est douloureux, je sais, mais le bébé ne va pas tarder à arriver. Garçon ou fille ? Peut-être un beau petit garçon comme son frère aîné.

– Ah, ça m'est égal ! gémit Miara, haletante, renversant la tête en tous sens sur sa couche. Tout ce que je veux, c'est que ce soit fini... fini ! Ce sera long encore ?

– Non... soyez raisonnable. Tout ne sera bientôt qu'un mauvais souvenir. Dans un instant vous aurez votre enfant dans les bras. Bien, très bien, poussez encore un peu... Vos douleurs vont s'apaiser, le bébé est maintenant tout proche...

Miara n'était plus elle-même.

– Je n'en peux plus... non, je n'en peux plus ! hurlait-elle, le visage rouge et gonflé, criant sans même en être consciente, soufflant, cambrant les reins, les pieds arc-boutés sur l'encadrement du lit.

– Miara, c'est le moment, murmura soudain Kellen, continuant à l'encourager. Elane, prends ses mains. Non, pas comme ça, aux poignets. Allez-y, Miara, poussez encore une fois... la dernière ! Je sais que vous êtes épuisée, mon enfant, mais, je vous le promets, ce sera bientôt fini. Respirez... oui respirez calmement, bien... très bien. Respirez à fond. Oui ! Voilà, regardez !

Le corps tout entier de Miara se souleva comme une vague et la prêtresse se redressa, tenant dans ses mains une chose chiffonnée, incroyablement petite et rouge, qui s'agita en poussant un vagissement.

– Regardez, Miara, c'est une fille, une belle petite fille.

Un sourire de bonheur illumina alors les traits déformés de la jeune mère. D'un seul coup elle parut oublier ses tourments. Émerveillée, elle tendit les bras vers le nouveau-né, le pressa tendrement sur son cœur, puis le déposa délicatement sur son ventre enfin libéré.

– J'ai accouché plus de femmes que je ne peux m'en souvenir, constata rayonnante Kellen, et pourtant c'est chaque fois pour moi un miracle !

Coupant alors avec dextérité le cordon ombilical, la prêtresse entreprit de nettoyer doucement le bébé puis le tendit à Elane afin d'aider Miara à expulser le placenta.

Tenant pour la première fois un être si menu dans ses bras, Elane en fut toute remuée. Rose d'émotion, elle effleura du bout des lèvres le duvet brun de son petit crâne, plus doux et fin que celui d'un poussin, et se mit à le bercer avec d'infinies précautions, tandis que, les paupières alourdies de fatigue, Miara, qui les regardait attendrie, plongeait dans un sommeil réparateur.

La maman endormie, Kellen prit le nourrisson, lui passa une amulette autour du cou et commença à le langer.

— Tu vois, Elane, la voilà ainsi protégée des elfes et, comme nous ne l'avons pas quittée depuis sa naissance, au moins savons-nous que ce n'est pas un enfant échangé. Le Petit Peuple, d'ailleurs, aurait été bien incapable de sortir sous la pluie qui s'est maintenant arrêtée.

Redressant son dos fatigué, elle approcha de la porte et l'ouvrit. Dehors, pour la première fois depuis bien longtemps, un soleil rouge émergeait des nuages gorgés d'eau.

Revenant à pas lents vers la petite fille si frêle, Kellen, songeuse, caressa ses cheveux qui prenaient en séchant une teinte plus rousse.

— Comme elle semble délicate et fragile ! Va-t-elle mourir ? demanda Elane avec angoisse.

— Mais non, pourquoi ? Grâce aux dieux, nous avons pu aider à sa venue. Si l'enfant était née sans aucune assistance sous un arbre ou dans la prairie, sans doute la petite serait morte et sa mère aussi. Mais tout est bien qui finit bien.

Kellen s'assit lourdement sur un banc près du feu.

— Ouf, voilà qu'il fait jour ! Rien d'étonnant à ce que je sois un peu fatiguée. Toi aussi, je pense ? Le petit frère du bébé se réveillera bientôt et nous pourrons alors lui montrer sa sœur.

Comme elle disait ces mots, Elane avait repris le nouveau-né dans ses bras. Mue par une irrépressible attirance, la prêtresse se retourna vers elle. Un voile alors sembla les séparer, tel le souffle froid d'une brume venue de l'Autre Monde. Kellen sentit son cœur se serrer. Elane, devant elle, avait vieilli de plusieurs années. Elle portait la robe sombre du Sanctuaire de la Forêt, et le croissant bleu des prêtresses était tatoué sur son front entre ses deux sourcils. Elle tenait dans ses bras un jeune enfant et ses yeux exprimaient un désespoir si profond qu'une douleur affreuse la glaça.

Bouleversée par tant de peine, Kellen s'élança pour la réconforter, mais, croisant alors son regard, elle lut dans les yeux de la jeune fille un tel étonnement qu'elle sut, dans l'instant même, que sa vision s'était déjà évanouie.

– Que s'est-il passé ? interrogea Elane, visiblement surprise. Pourquoi m'avez-vous regardée ainsi ?

– Ce n'est rien. J'ai cru... un courant d'air, la fatigue sans doute... Allons, ajouta-t-elle d'une voix ferme, comme si elle voulait conjurer l'avenir en se raccrochant au présent, prenons soin maintenant de l'enfant. Il doit avoir grand-hâte de poser son visage et ses petites mains sur le sein de sa mère !

VIII

ET la pluie de nouveau tombait, noyant presque le camp romain de Deva. Cantonnés dans leurs baraquements, les soldats jouaient aux dés, réparaient leurs vêtements, ou buvaient. Immobilisé lui aussi par l'intempérie, Macellius Severus fit appeler son fils.

– Tu connais bien l'ouest du pays pour l'avoir parcouru, lui déclara-t-il sans autre préambule. Crois-tu pouvoir mener un détachement jusqu'à Benedig Vran ?

Gaius, oubliant du coup de secouer sa cape ruisselante sur le pavé, se raidit.

– Oui, Père, je connais la région, mais...

Macellius eut tôt fait de deviner ce qu'il n'osait pas dire.

– Je ne te demande pas d'aller espionner un ami, mon fils. En l'occurrence, il s'agit des brigands qui ont été repérés aux abords de Segontium *. Les habitants du pays risquent fort de subir leurs attaques. Je veux agir pour leur bien, même s'ils se méprennent sur mes intentions. Pour cela, il faut envoyer

---

* Caernarfon.

des hommes en reconnaissance. Ne crois-tu pas qu'il est dans ce cas préférable qu'ils soient placés sous les ordres d'un officier modéré favorable aux Celtes plutôt que sous ceux de quelque zélé ignorant, frais émoulu d'un contingent récemment arrivé de Rome ?

Gaius sentit l'agacement le gagner. Il détestait cette façon qu'avait parfois son père de lui forcer la main.

— Je suis à vos ordres, Père, se surprit-il cependant à répondre, non sans raillerie. À vos ordres et à ceux de Rome.

Macellius ébaucha un sourire à son tour.

— Mon fils, je ne voudrais surtout pas que le refus de Benedig de t'accorder en mariage sa fille puisse peser sur ta décision.

Gaius serra les poings et se mordit les lèvres. Jamais il n'avait le dernier mot avec son père qui avait l'art de rouvrir ses blessures.

— Vous m'aviez prévenu et vous aviez raison, persifla-t-il amèrement. Trouvez-moi donc une femme. N'importe laquelle fera l'affaire. Une fille aux hanches larges et de bonne lignée... Cette Julia, par exemple, qui a l'heur de vous plaire.

Voulant couper court aux reproches voilés mais non moins véhéments de son fils, le Préfet adopta un ton plus conciliant.

— Gaius, dit-il doucement, nous reparlerons tranquillement de ce projet plus tard. Revenons pour l'instant à la mission que je te remercie d'accepter. Tu es romain et j'attends de toi que tu te comportes en Romain. Tu t'es toujours conduit honorablement et je suis sûr que tu continueras à le faire. Par Junon, la fille que tu as aimée est peut-être en danger. Même si tu ne peux l'épouser, je sais que tu auras à cœur d'assurer sa sauvegarde.

En tête du détachement dont il avait le commandement, Gaius, de bonne heure le lendemain, franchit la porte de la forteresse. Prenant le trot avec ses cavaliers, il descendit la colline, ressassant en lui-même les sentiments contradictoires qui ne cessaient de l'agiter depuis la veille. « Ai-je trahi la confiance de ceux qui ont été si bons pour moi, en acceptant cette mission ? se répéta-t-il une nouvelle fois. Fallait-il, après le refus de Benedig, prendre le risque qu'on me soupçonne d'avoir seulement cédé à un désir de vengeance ? La réponse du père d'Elane avait été pourtant très modérée et les mots qu'il avait employés, d'une grande simplicité, restaient gravés dans sa mémoire : Sa fille était trop jeune, lui avait-il écrit, et l'origine trop éloignée de sa naissance avec la sienne, susceptible de ne lui apporter qu'amertume et souffrance. Sans doute avait-il finalement raison. Il fallait forcer son corps et son esprit à museler leurs dangereuses inclinations, les obliger, selon la stricte discipline romaine, à n'obéir qu'aux ordres dictés par sa famille et son pays. Hélas, être le maître de ses pensées le jour n'était déjà pas si facile, mais que dire, la nuit, lorsque ses rêves lui faisaient irrésistiblement retrouver celle qu'il s'efforçait tant de fuir éveillé !

Quand Elane s'éveilla soudain, elle chercha, regardant autour d'elle, à se souvenir de l'endroit où elle se trouvait. Non, ce n'était pas le bébé qui criait et pourtant ce n'était pas un rêve. Miara et sa petite fille dormaient calmement dans le lit clos, de l'autre côté du feu. Kellen, couchée le long du mur, semblait, elle aussi, assoupie. Quant à son neveu, le petit Vran, il était niché calmement tout contre elle.

Un nouveau bruit à l'extérieur la fit sursauter, réveillant cette fois la prêtresse.

– Il y a quelqu'un dehors, chuchota-t-elle, ses yeux grands ouverts reflétant la lueur orangée des braises dans l'âtre.

Elane tendit l'oreille, mais ne perçut que le chant de la pluie qui tombait du toit et le crépitement d'une bûche qui se consumait dans la cendre.

Faisant signe d'observer le silence, Kellen se leva doucement et s'assura que la barre de la porte était bien en place. A peine s'était-elle reculée, qu'une violente poussée extérieure l'ébranla.

Le cœur battant à tout rompre, Elane, une main sur la bouche, se retint de crier.

— Lève-toi, vite, souffla Kellen et habille-toi sans faire de bruit.

La porte trembla de nouveau et, malgré sa terreur, Elane obéit sans broncher.

— Mon père nous a toujours recommandé de nous cacher dans les bois en cas d'attaque par des brigands, se risqua-t-elle seulement à bredouiller.

— Impossible avec la pluie et Miara qui vient d'accoucher. Non, il faut attendre.

Un coup de boutoir plus fort que les autres réveilla la jeune femme à son tour. Kellen, qui avait eu le temps de se vêtir, se précipita à son chevet, un doigt posé sur les lèvres.

— Silence, murmura-t-elle, votre vie et celle de vos enfants en dépendent.

Miara, effrayée, acquiesça, serrant contre elle le bébé qui, par bonheur, continuait à dormir.

— Et si nous nous cachions dans la cave ? proposa Elane, de plus en plus alarmée par les secousses qui allaient s'amplifiant, les agresseurs, de toute évidence, étant bien décidés à forcer leur retraite.

— Non, ne bouge pas et, quoi qu'il arrive, ne crie surtout pas !

Cela dit, Kellen s'avança résolument vers la porte, et entreprit de soulever la barre qui la maintenait encore close.

L'ayant enlevée d'un seul coup, la porte s'ouvrit brusquement et une douzaine d'hommes se précipitèrent en avant, aussitôt cloués sur place par un mot proféré d'une voix gutturale par Kellen, injonction qui fut suivie d'un bref discours qui claqua comme un fouet dans la nuit. Face à la brutalité sauvage des agresseurs hirsutes et grimaçants, Kellen se tenait immobile, droite et mince comme une baguette de coudrier. Sa chevelure brune tombait en cascade jusqu'à sa taille, sa silhouette drapée dans sa robe sombre. Ondoyant doucement tel un étendard dans le vent, rayon lumineux et magique, elle barrait la route, de sa force invincible, aux hordes de l'Enfer.

Comme l'un des hommes, plus menaçant que ses congénères, faisait mine malgré tout d'avancer, Kellen poussa un cri strident et fit un pas en arrière vers l'âtre, tenant toujours les assaillants sous le pouvoir hypnotique de son regard. Parvenue près du feu, elle s'agenouilla un court instant, saisit à pleines mains des braises dans le foyer, se releva prestement, puis, d'un pas que rien ne semblait pouvoir entraver, elle s'approcha à nouveau des intrus. Alors, criant des mots que nul ne put comprendre, elle lança de toutes ses forces les poignées de charbons ardents à la face des agresseurs qui détalèrent en désordre, sous l'emprise d'une panique irraisonnée.

Quand le dernier eut disparu dans les ténèbres, la prêtresse, ouvrant les bras comme pour étreindre la nuit, partit d'un rire clair qui se changea bientôt en un cri rauque et grave semblable à celui du faucon. Puis elle ferma tranquillement la porte, et le calme régna de nouveau dans la maisonnée.

Réfugiées au fond de la salle avec les deux enfants, les femmes toutes tremblantes sortirent de leur stupeur comme après un cauchemar et regardèrent Kellen s'effondrer sur le banc près de l'âtre.

Exténuée par cette nouvelle épreuve, Miara, son bébé dans les bras, regagna aussitôt son lit. Quant à Elane, elle recoucha son petit neveu et vint rejoindre la prêtresse.

— Quels étaient ces hommes ? parvint-elle à lui demander encore sous le choc.

— Des brigands, des pillards, des gens venus du nord et de mon pays... J'ai honte pour eux !

— Que leur avez-vous dit ? lui demanda encore la jeune fille.

— Que j'étais une druidesse, que s'ils portaient la main sur moi ou sur mes sœurs, ils seraient damnés par le feu et par l'eau. Je leur ai donc montré que j'en avais le pouvoir.

Kellen tendit les mains ; ses longs doigts effilés ne portaient aucune trace de brûlure. Et pourtant elle les avait plongés dans le feu ! N'était-ce qu'un rêve, une illusion ?

— Comment avez-vous fait ? répéta Elane sidérée, n'arrivant pas à quitter des yeux les doigts intacts de la prêtresse. Est-ce là un enseignement magique des druides ou bien avez-vous seulement feint de prendre les braises dans vos mains ?

— Tu as bien vu, répondit la prêtresse, lisant dans les pensées de la jeune fille. Ce n'était pas une illusion. D'ailleurs, n'importe qui peut le faire.

— Moi aussi ? demanda-t-elle, écarquillant les yeux.

— Oui, si on te l'enseigne. À condition bien sûr d'avoir foi et volonté. Mais ce n'est ni le lieu ni le moment pour s'y exercer. Peut-être dans le Sanctuaire de la Forêt, si tu y viens un jour...

Touchée, plus qu'elle ne l'aurait cru, par cette allusion voilée sur son avenir qui ranimait ses incertitudes, Elane préféra revenir au présent.

— Les hommes de votre pays sont-ils tous comme ces brigands ? demanda-t-elle encore.

— Heureusement, non ! Quand je l'ai quitté, j'étais encore très jeune. Je suis née loin d'ici, sur une île située entre l'étoile du Nord et l'Occident, poursuivit Kellen après un instant de silence. Je ne me rappelle ni du visage de mon père ni de celui de ma mère, mais je sais que dans la hutte où nous vivions, il y avait au moins sept enfants plus petits que moi. Un jour, nous sommes allés à une grande foire dans un village et j'y ai rencontré Liana. Elle était très belle à l'époque. Spontanément je me suis glissée à ses côtés, irrésistiblement attirée par son rayonnement. Alors s'est produit en moi quelque chose d'extraordinaire. Aujourd'hui encore, je ne peux le définir... Ce fut comme un éblouissement, un coup de cœur. Elle jeta sur moi son manteau, disant que je serais l'élue des dieux. Bien des années plus tard, je lui ai demandé la raison de son geste, pourquoi, parmi tant d'enfants, m'avait-elle choisie ? « Parce que, parmi tous ceux qui se trouvaient là, répondit-elle, tu semblais la plus seule, la plus abandonnée, parce que personne ne te donnait la main. » Il est vrai que chez moi, je n'étais guère plus qu'une bouche à nourrir. D'ailleurs, je ne portais pas le nom de Kellen ; ma mère m'appelait Lon dubh, l'Oiseau noir.

— Kellen est donc votre nom de prêtresse ?

— Pas tout à fait. Dans notre langue, Kellen veut dire « mon enfant, ma fille ». C'est ainsi que m'appela Liana dès le premier instant. Allons, l'aube ne poindra pas avant longtemps. Regarde, Miara s'est rendormie. Pauvre petite, l'accouchement l'a épuisée. Essaie toi aussi de te reposer un peu.

Elane soupira, cherchant à reprendre ses esprits.

— Après toutes ces émotions, je crois que ça va être bien difficile.

Kellen eut un sourire complice.

— Je suis un peu comme toi. Je crains que ces épreuves nous tiennent toutes deux éveillées jusqu'à l'aube.

Elane fixa le feu des braises, ravivées par Kellen. Pensant à Liana qui avait reconnu entre toutes Kellen, elle eut soudain l'intime conviction qu'elle aussi aurait reconnu Gaius entre tous, même sous les traits d'un fou ou d'un lépreux, parce qu'elle avait, en le voyant, su aussitôt qu'elle l'aimerait d'amour pour toujours.

Pour rompre le silence, elle demanda alors :

— Kellen, racontez-moi comment la petite paysanne que vous étiez est devenue une prêtresse capable de tenir dans ses mains le feu ? Dites-moi la vérité.

Kellen considéra un moment la jeune fille sans répondre. Ses longs cils blonds cachant ses yeux gris clair étaient baissés comme effrayés par la hardiesse de ses propos. N'obtenant pas de réponse, Elane insista pourtant :

— Dites-moi au moins si Liana vous a emmenée aussitôt dans le Sanctuaire de la Forêt ?

Comme si elle remontait lentement le temps pour pouvoir répondre, la prêtresse, cette fois, n'éluda pas la question.

— Non. Je crois qu'à cette époque Vernemeton n'existait pas encore. Liana était venue voir en Erin les druidesses du pays. Quand nous eûmes regagné l'Ile de Bretagne, elle nous fit d'abord habiter une tour ronde située sur la côte, très loin dans le nord. Je me souviens d'un anneau de pierres blanches qui encerclait comme un rempart l'édifice. Quiconque essayait de le franchir était puni de mort, à l'exception du Haut Druide – celui qui a précédé Ardanos. Dès le début, Liana m'a considérée comme sa fille adoptive. Un jour qu'on la questionnait à mon sujet, elle a déclaré m'avoir trouvée sur le rivage, version des faits qui aurait pu être plausible. D'ailleurs, je n'ai jamais revu ma famille.

– Votre mère ne vous a-t-elle pas manqué ?

Emportée par le flot de ses souvenirs, Kellen hésita.

– Tu as eu, je pense, une mère bonne et aimante, dit-elle enfin. La mienne ne l'était pas. Non qu'elle fût méchante, mais je lui étais indifférente autant qu'elle me l'était.

Elle s'arrêta, se demandant soudain quel pouvoir détenait la jeune fille pour lui arracher ainsi des images qu'elle avait volontairement chassées de sa mémoire ? Puis elle continua, s'efforçant de trouver les mots justes.

– Un jour, beaucoup plus tard, j'ai croisé dans une ruelle de Deva une vieille femme qui ressemblait à ma mère. Ce n'était pas elle bien sûr, mais je n'ai alors éprouvé aucun regret. Depuis, j'ai compris que je n'avais plus de famille et que, seule au monde, Liana comptait pour moi. Ensuite, j'ai eu aussi pour sœurs les prêtresses du Sanctuaire de la Forêt.

Un long silence suivit cette confession, puis la prêtresse reprit son monologue à mi-voix :

– L'obscurité et la lueur du feu me rappellent mes premières années. Je me souviens d'une hutte sombre et enfumée. La gorge me piquait souvent et je courais vers le rivage pour respirer le vent et la mer. Je me souviens surtout du cri des mouettes. Elles ont toujours été présentes dans ma vie. Il y en eut aussi plus tard à la Tour, si bien qu'en arrivant dans le Sanctuaire de la Forêt, je suis restée bien des nuits éveillée tant me manquaient leurs cris stridents et le fracas des vagues. Les plus lointains souvenirs que je garde de ma...

maison... sont tous liés aux enfants, dit encore Kellen d'une voix hésitante. Les bébés suspendus au sein de ma mère, les rires et les pleurs, les petites mains tirant ses jupes ou la mienne quand je ne parvenais pas à m'enfuir... Mais rien, pas même les coups, ne m'aurait forcée à piler l'orge ou à supporter les criailleries des marmots à peine vêtus ! Il est étrange dans ces conditions que je les aime tant aujourd'hui. Il est vrai que je suis touchée surtout par ceux qui sont, comme l'est le bébé de Miara, désirés et choyés par leur famille. Pour moi, je ne me souviens même pas de mon père ! J'ai dû en avoir un seulement préoccupé de faire chaque année un enfant à ma mère. En fait, je crois que Liana a eu pitié de moi parce que, n'intéressant personne, je mourais de faim. Voilà ! soupira-t-elle, à la fois soulagée et meurtrie de s'être ainsi libérée, tu connais l'essentiel de mes jeunes années. Tu vois, je suis maintenant devenue une prêtresse assez puissante pour mettre en fuite une horde de brutes sanguinaires.

Profondément émue et enhardie par sa confiance, Elane regarda Kellen dans les yeux, persuadée malgré tout qu'elle lui dissimulait encore quelque chose. « La vérité... je veux la vérité », dit-elle en elle-même. Et la prêtresse entendit sa pensée.

Ne sachant pas exactement laquelle des deux avait le plus besoin de s'exprimer, Kellen se résolut enfin à lui révéler ce qu'elle avait toujours caché.

— Liana elle-même ignore ce que je vais te dire, commença-t-elle, comme si on lui arrachait les mots de la bouche. Mais, après tant d'années, je sens le besoin impérieux d'en parler.

Elane lui tendit une main que Kellen serra avec effusion.

— La vue des brigands tout à l'heure, et leur assaut sauvage m'ont remis ces événements en mémoire. Non loin de la hutte où habitaient mes parents, vivait sur la côte un homme que je rencontrais parfois. C'était, je crois, pour quelque raison inconnue, un être banni par son clan. Innocente, je n'avais aucune raison de l'éviter, et recevais de temps à autre des petits présents de sa part : des coquillages, des plumes colorées qu'il avait trouvés sur le sable, cadeaux inoffensifs ne pouvant susciter méfiance de ma part. Comment aurais-je pu seulement deviner les intentions qu'il nourrissait à mon égard ? Toujours est-il que je ne soupçonnais rien et ne compris pas ce qu'il me voulait quand un jour il m'entraîna à l'intérieur de sa cabane...

Torturée par un souvenir qui l'obsédait toujours, Kellen frissonna malgré l'affectueuse pression de la main d'Elane.

– Qu'avez-vous fait alors ? demanda cette dernière d'une voix qui lui parut infiniment lointaine.

– Que pouvais-je faire ? s'insurgea la prêtresse, comme si elle voulait s'affranchir à jamais du cauchemar. Je... je me suis enfuie éperdue, j'ai couru, j'ai couru... et me suis finalement abattue sur le sol, secouée par les sanglots, en proie à une horreur sans bornes, m'abandonnant à un désespoir d'autant plus affreux que je n'avais personne à qui faire partager ma détresse ! Ah, si tu savais, mon enfant ! J'ai encore en mémoire l'odeur horrible de sa hutte, les immondices, la fougère, les algues, lorsqu'il m'a jetée à terre, pour accomplir son abomination !

– Et personne n'a rien fait ? Personne n'a rien dit ? Je crois que mon père l'aurait tué.

– Je le crois aussi, acquiesça Kellen, se levant brusquement pour mettre un terme à ses aveux. Je le connais bien peu mais l'imagine plein d'amour et de bienveillance. Je pense d'ailleurs que si je m'étais confiée aux miens, les hommes de ma tribu m'auraient vengée. Ils n'étaient certes pas civilisés, mais ne toléraient pas qu'on violente les femmes, encore moins une enfant de mon âge. Je suis persuadée maintenant que si j'avais dénoncé mon agresseur, on l'aurait aussitôt enfermé et fait mourir à petit feu.

Elle s'exprimait maintenant d'un air curieusement détaché, comme si ce viol avait meurtri une autre.

– J'ai fait la connaissance de Liana un an après. Comment aurait-elle pu imaginer qu'une fille aussi jeune que moi était impure ? Comment aurais-je pu ensuite, malgré sa confiance et sa bonté pour moi, lui apprendre la vérité ? C'était trop tard et j'avais bien trop peur d'être aussitôt renvoyée. Ainsi, vois-tu, mon enfant, ce que tu as cru voir de divin en moi, recouvre en fait à l'origine un mensonge bien misérable.

Détournant son visage, Kellen parut alors s'abandonner à une indicible douleur.

Elane ne put le supporter. Dans un élan irraisonné, les yeux embués de larmes, elle obligea Kellen à la regarder. Des mots de tendre admiration et de respect jaillirent de ses lèvres :

— Kellen, je crois en vous...

Touchée au cœur, la prêtresse eut un pâle sourire, puis murmura d'une voix profonde :

— Elane, ma seule raison de vivre, c'est de croire que la Déesse m'a pardonné. Tu dois savoir que je n'ai compris l'étendue de ma faute qu'après ma première initiation. Je dois te dire aussi qu'aucun mauvais présage, ni signe de courroux de la part de la Déesse n'ont jamais assombri ma route. Pourtant, lorsque enfin je suis devenue prêtresse, je me suis attendue à être frappée par la foudre, mais rien ne s'est produit, à tel point que je me suis même demandée alors si les dieux existaient vraiment et, dans l'affirmative, s'ils se préoccupaient un tant soit peu du sort des humains.

— Peut-être sont-ils au contraire plus miséricordieux que les hommes ? souffla Elane, stupéfaite elle-même de sa témérité.

— Tu as raison et je le pense aussi. C'est grâce à cette espérance que je ne me suis pas jetée dans la mer !

— Pourquoi avez-vous quitté votre tour sur le rivage ? demanda Elane, se sentant maintenant toute proche de son aînée.

— Tu connais la tragédie de l'île de Mona ?

— Bien sûr. Ardanos, mon grand-père, nous l'a souvent contée. Mais vous n'étiez pas née à l'époque...

— Si ! mais j'étais tout enfant. Quant à Liana, si elle ne s'était pas trouvée en Irlande, elle ne serait plus là aujourd'hui. Plus tard, le Haut Druide a conclu avec les Romains un traité assurant aux nôtres un sanctuaire dans les terres occupées, destiné aux prêtresses survivantes. Les femmes qui ont été violées ont vécu assez longtemps pour mettre au monde les bâtards que leur avaient faits les Romains, puis elles se sont suicidées et les enfants ont été confiés à des familles semblables à la tienne considérées comme loyales vis-à-vis de Rome.

– Kerig ! s'exclama Elane avec une lueur de compréhension soudaine. Voilà pourquoi il hait tant les Romains, et demande sans cesse à réentendre l'histoire de Mona, pourtant ancienne maintenant.

– Dans les veines de Kerig, et celles du jeune homme qui a demandé ta main, coule un même sang, comprends-tu ? Les Romains se sentent sans doute coupables, mais ton grand-père est un politique rusé qui a négocié notre sécurité contre le retour à la paix. Le Sanctuaire de la Forêt a donc été édifié à Vernemeton pour abriter les prêtresses de toute l'Ile de Bretagne. Liana en est devenue la Haute Prêtresse et m'a appelée auprès d'elle. Je ne l'ai jamais quittée depuis et pourtant je ne lui succéderai pas. Cela, je le sais.

– Pourquoi ?

– Par respect pour la Déesse et en raison aussi de la défiance que ressentent les druides à mon égard. Je suis pour toujours attachée à Liana, mais je sais qu'elle suit invariablement la direction du vent. Elle n'a défié le Grand Conseil qu'une seule fois, le jour où elle a exigé de me garder près d'elle. Quant à moi, je dis trop ma façon de penser pour plaire et reste muette sur ce qui me semble l'essentiel. Je n'ai jamais parlé à personne comme je t'ai parlé cette nuit. Toi seule connais désormais mon secret.

Elle lui sourit alors, et Elane lui rendit son sourire.

– Jamais on ne me laissera parler au nom de la Déesse, poursuivit-elle, sans illusions. On aurait bien trop peur de ce que je pourrais dire ! Tu vois, j'ai cru, un moment, que Dieda assurerait la relève. Mais j'ai surpris une conversation qui m'a laissée songeuse : Ardanos a déclaré qu'elle avait été choisie par erreur. J'ai cru comprendre qu'en fait, c'est toi qui aurais dû assumer cet honneur.

– Mon père ne l'aurait sûrement pas permis. Et puis, je crois qu'il veut me trouver un mari. Mais qu'importe maintenant ! Si je ne peux vivre avec Gaius, rien n'a plus d'importance pour moi.

– Personne ne peut sur cette terre décider de son avenir, dit Kellen avec compassion. Regarde, j'ai moi-même été vouée à la Déesse et en raison sans doute de ce qui m'est arrivé, je n'ai jamais souhaité appartenir à un homme. Mais si j'en avais éprouvé le désir, nul doute que Liana m'aurait aussitôt trouvé un époux. Elle n'a jamais voulu que mon bonheur. C'est pour cela et bien d'autres choses que je l'aime tant, encore davantage, je crois, que ma propre mère – si elle m'avait aimée. J'accepte aussi très mal de me plier aux volontés d'Ardanos, ton grand-père, poursuivit-elle après un moment d'hésitation, mais la Déesse peut-être m'y incite... Aimerais-tu m'accompagner à Vernemeton quand j'y retournerai ?

– Oui, je crois, acquiesça Elane dans un souffle, l'expression douloureuse de ses yeux se teintant d'espérance. Je crois même que rien ne pourrait me faire plus de plaisir. Au fond, je n'ai jamais réellement cru à une union possible avec Gaius. Il y a bien longtemps, avant de le rencontrer, j'avais d'ailleurs rêvé d'être prêtresse.

– Je crois ce rêve réalisable, approuva Kellen souriante. Benedig ne s'y opposera sûrement pas, et Ardanos non plus. Je peux me charger de convaincre Liana. Veux-tu que je lui parle ?

Elane fit oui de la tête et, cette fois, ce fut son aînée qui lui prit la main. Kellen jusqu'ici s'était crue insensible, étrangère à toute émotion, blessée à jamais par ses souvenirs. Mais le contact de la peau douce et tendre de sa jeune compagne, sa fraîcheur d'âme surtout, provoquèrent en elle l'éblouissement familier, celui qu'elle ressentait toujours à l'approche d'une vision : l'espace d'un instant, elle vit devant elle Elane plus âgée et encore plus belle, drapée dans les voiles de l'Oracle. Sœurs, et plus que sœurs... comme un écho, elle entendit ces mots.

— Ne crains rien, mon enfant, murmura-t-elle, les yeux mi-clos. Je sens, je sais que tu es destinée à venir parmi nous, je vois même que tu seras la bienvenue.

Son cœur bondit soudain, et la vision la quitta, au moment même où dehors, sur la branche d'un arbre, le chant d'une alouette annonçait le matin.

— Voici l'aube, dit-elle, s'avançant lentement vers la porte. Nous avons parlé toute la nuit. J'avais ton âge la dernière fois que cela m'est arrivé.

Elle enleva la barre, tira le lourd battant de bois et le soleil l'inonda de lumière.

★
★ ★

Quatre jours durant, Gaius avança péniblement à la tête de sa troupe, maudissant la boue et l'humidité qui s'infiltraient partout, collant à la peau et aux uniformes, rouillant les armures et les équipements. Autour d'eux, bois et champs regorgeaient d'eau, des mares stagnantes pourrissaient les racines du blé nouveau.

Malgré la lenteur de leur progression, les cavaliers, au milieu du cinquième jour, atteignirent la région où avait eu lieu la mésaventure de Gaius, passèrent non loin de la fosse aux ours, puis s'engagèrent sur la voie qui menait à la maison de Benedig.

Reconnaissant au passage le pré et le bois où, en compagnie d'Elane, il avait cherché des primevères, Gaius sentit son pouls s'accélérer. Bientôt il allait la voir, non plus vêtu des hardes prêtées par son beau-frère, mais dans l'avantageuse tenue des légions romaines même si, en l'occurrence, elle était éclaboussée de boue.

114

LA COLLINE DU DERNIER ADIEU

Ne parvenant plus à maîtriser son impatience, Gaius éperonna sa monture, entraînant derrière lui tout son détachement. Le ciel semblait se dégager au sud, mais, devant eux au contraire, s'amoncelaient à nouveau d'énormes nuages noirs. Son cheval secoua nerveusement la tête et lui-même se prit à s'inquiéter soudain.

– Mais ce n'est pas la pluie qu'on voit, cria l'un de ses hommes. On dirait plutôt de la fumée...

Il n'avait pas achevé sa phrase qu'un brusque coup de vent les enveloppa tous d'une odeur de bois brûlé. Les chevaux, cette fois, avaient senti l'incendie. Plusieurs hennirent et s'ébrouèrent, obligeant les cavaliers à ralentir l'allure pour les calmer.

– Priscus, ordonna Gaius à son lieutenant, mets pied à terre. Prends deux hommes avec toi et va voir ce qui se passe.

Surpris lui-même par la froide précision de son commandement, d'un geste il arrêta sa troupe. Était-ce la maîtrise acquise à l'entraînement qui l'empêchait de s'élancer sur son cheval, ou bien la peur de découvrir ce qu'il pressentait déjà ? Il n'eut pas longtemps à attendre. À bride abattue, les trois hommes revenaient.

– Des pillards, rapporta le vétéran haletant, son visage couturé ne trahissant pas la moindre émotion. Sans doute les gens d'Erin dont on nous a parlé. Ils ont vidé les lieux en tout cas.

– Des survivants ?

Voyant Priscus hocher négativement la tête, Gaius sentit sa gorge se nouer.

– Ce n'est pas l'endroit idéal pour dormir ! renchérit le vieux soldat. On ferait mieux de continuer.

La boutade provoqua quelques ricanements que Gaius n'entendit même pas. Il enfonça les talons dans le flanc de sa monture et la petite troupe le suivit au galop.

Priscus n'avait pas menti. Le spectacle qui les attendait ne pouvait laisser subsister aucun doute. Gaius, désemparé, s'arrêta devant le monticule où se dressait la maison de Benedig. Il ne restait plus rien... à part quelques poutres noircies délimitant ce qui avait été la grande salle. De la maison où il avait été soigné, aucune trace ne demeurait. Nul signe de vie non plus.

– L'incendie a dû faire rage pour que la paille s'enflamme malgré la pluie, constata dans son dos Priscus.

Gaius avala avec peine sa salive. Il imaginait la petite Senara, Elane et toute sa famille prisonnières maintenant de la horde sauvage venue des côtes d'Erin. Pis encore ! Gisaient-elles carbonisées sous l'amas des poutres noircies ?

Surtout, ne pas laisser les hommes voir son désarroi ! Il détourna la tête, toussa, comme si la fumée qui se dégageait encore des dépendances l'incommodait. Priscus avait raison, rien n'avait pu résister à la fournaise.

– En route ! ordonna-t-il, d'une voix enrouée. Inutile de perdre notre temps ici. Cherchons un autre abri pour la nuit !

Sa voix se brisa et il dut, une fois encore, feindre une quinte de toux.

Ils s'éloignèrent en silence et la fumée laissa place à la brume qui se changea bientôt en pluie. Images et souvenirs se bousculaient dans son esprit. Se rappelant qu'il avait récemment aperçu Kerig sur la place du marché à Deva, il espéra qu'il avait peut-être échappé au massacre. Mais la mort d'un druide aussi important que Benedig allait produire des remous. Se disant alors qu'il saurait assez tôt par son père ce qui s'était passé, il essaya de se bercer d'espoir. L'incendie de la maison ne signifiait pas pour autant la mort ou l'emprisonnement de ceux qui l'occupaient. Miara était peut-être rentrée chez elle, et Dieda ne faisait plus partie de la maisonnée. Quant à Elane, à Senara, à Rhys, était-ce trop demander aux dieux que de les croire vivantes ? « Ah ! si j'avais emmené Elane, elle serait à coup sûr en vie... Si j'avais tenu tête à mon père, si je l'avais enlevée... »

Taraudé par les regrets et les remords, il ferma les yeux un court instant. Un souvenir ancien lui remontait à la gorge. Sa mère sur son lit de mort, blanche et froide, et les servantes qui pleuraient... Comme il avait pleuré, lui aussi ! Mais son père était arrivé et l'avait éloigné en disant : Mon fils, un Romain ne doit jamais faiblir !

Tâchant alors de se convaincre qu'il n'avait pas oublié la leçon, Gaius voulut croire que les larmes qu'il sentait couler sur ses joues n'étaient en fait que des gouttes de l'averse qui fouettait son visage.

IX

— Où est mon mari ? Je veux mon mari !

Au milieu de la matinée, Miara se réveilla. Elle paraissait agitée.

— Où est Rhodri ? répéta-t-elle. S'il avait été là, il nous aurait défendues contre ces hommes.

— Il se serait battu, l'interrompit Elane, c'est sûr et... Elle se mordit les lèvres, terrifiée à l'idée qu'il fallait lui apprendre la nouvelle. Kellen !

Elle regarda la prêtresse d'un air suppliant.

— Miara, intervint la prêtresse brutalement, le résultat aurait été le même. Vous seriez maintenant veuve de toute façon.

Le visage décomposé, la jeune femme leva vers elle des yeux agrandis par l'horreur.

— Que me dites-vous là ? balbutia-t-elle d'une voix étranglée.

— J'aurais préféré vous apprendre sa mort plus tard et avec plus de ménagement. Malheureusement les circonstances ne nous en offrent pas le luxe. Rhodri a été pris par les Romains les armes à la main en essayant de libérer les otages. Il a aussitôt été tué, Miara. Jamais plus il ne vous reviendra.

119

LA COLLINE DU DERNIER ADIEU

– Ce n'est pas possible, ce n'est pas vrai ! hurla-t-elle, dans un sanglot. Je l'aurais su s'il était mort ! Rhodri !... Ah, les pillards auraient mieux fait de nous tuer tous ! Pourquoi les avez-vous empêchés de le faire. Je voudrais être morte !

Anéantie par le désespoir, Miara se renversa sur son lit en gémissant. À son tour, le bébé se mit à pleurer. Penchée sur l'accouchée, Kellen le prit dans ses bras et le tendit à Elane.

– Allons, courage, Miara ! tenta-t-elle de la réconforter. Vous n'êtes pas seule. Vous avez maintenant deux beaux enfants à protéger. Songez à leur avenir. Rassemblez vos forces, je vous en prie, les Scots peuvent revenir et il faut les mettre à l'abri.

Haletante, les yeux ruisselants de larmes, la jeune mère tendit éperdument les bras. Elane, bouleversée, lui donna son bébé. Kellen avait eu raison. Miara, le choc passé, quand elle aurait surmonté sa souffrance, vivrait pour ses enfants. D'instinct ou d'expérience, la prêtresse l'avait aussitôt su. Elle connaissait le cœur des femmes et leur volonté de survie dans les situations les plus désespérées.

Quand Benedig arriva une heure plus tard, Miara, accablée de fatigue et de désespoir s'était rendormie. Le nouveau-né aussi. Le bruit des chevaux, pataugeant dans la boue à la porte, ne les réveilla même pas.

– Père, êtes-vous venu nous apprendre la mort de Rhodri ? demanda à voix basse Elane en l'accueillant. Miara sait maintenant, Kellen vient de lui dire la vérité.

– Hélas ! J'ai d'abord voulu croire que la nouvelle était fausse. Ah, que la malédiction soit sur les Romains qui ont perpétré ce crime ! Comprends-tu maintenant pourquoi j'ai refusé ta main à l'un de ces misérables ?

Il prit sa fille dans ses bras et demeura un long moment à la regarder. Il semblait soudain très vieux et harassé. Puis il alla s'asseoir lourdement sur le banc près du feu.

Si Gaius l'avait pu, il aurait empêché cet acte monstrueux, voulut-elle lui dire. Mais elle s'en garda bien, sentant que ce n'était ni le lieu ni l'instant d'intercéder en sa faveur.

120

– Elane, nous avons un malheur plus grand encore à déplorer...

Le visage de son père devint blême et la jeune fille en le voyant prit peur.

– Ah, comment te dire...

– Je sais ce qui s'est passé, intervint Kellen d'une voix grave. Il m'arrive d'avoir le don de seconde vue et j'ai appris l'essentiel. La veille de mon départ, j'ai rêvé d'une demeure en cendres : c'était la vôtre. En venant ici, j'ai trouvé Elane et ai alors espéré m'être trompée. Mais, cette nuit, les pillards ont surgi. Je sais qu'ils se déplacent en bandes et j'ai eu peur. Le gros de la troupe s'est dirigé vers le sud d'où vous venez...

– Ces bandits vous ont aussi attaquées ? demanda Benedig d'une voix rauque.

– Quelques hommes seulement. J'ai pu les effrayer et ils se sont enfuis.

– Au nom des dieux, soyez-en remerciée. Grâce à vous, il me reste des enfants vivants !

Craignant de deviner ce que voulaient dire ces paroles, le cœur d'Elane se glaça. Non, l'horreur ne pouvait être ce qu'elle commençait à entrevoir.

– Père...

– Ma fille chérie, comment te raconter l'innommable ? Ayant appris que des bandits avaient assailli la ferme de Connor, j'ai aussitôt emmené mes hommes pour lui prêter main-forte. Mais nous ignorions qu'ils étaient venus, bravant la tourmente, en si grand nombre. Durant notre absence...

– Mère et Senara sont-elles mortes ? demanda Elane, d'une voix sans timbre.

Miara, oubliée un instant, venait de s'éveiller. Elle écarta ses courtines et s'avança d'un pas incertain. Kellen alla vers elle pour la soutenir.

– Je préférerais presque qu'elles le soient, avoua le druide, le visage altéré par la douleur. L'idée de les savoir... emmenées comme esclaves par-delà les mers est pire encore. Penser qu'elles puissent vivre dans pareille abjection m'est insupportable.

— Ainsi aimeriez-vous mieux, demanda Kellen d'une voix basse et tendue, les savoir mortes plutôt qu'esclaves ?

— Oui ! s'exclama Benedig, farouchement. Une mort rapide, même dans les flammes, suivie d'une existence paisible dans l'Autre Monde, sont de loin préférables à une vie hantée par l'atroce souvenir des morts de notre race ; celle-là même que je vais connaître désormais. Les dieux me sont témoins que ces monstres auraient payé cher leur forfait, si j'avais été là !

La violence qu'exprimait son regard s'évanouit en se posant sur Miara qui avançait vers lui en chancelant. Alors, avec un cri affreux de bête blessée, Benedig étreignit ses deux filles.

— Le corps de Senara n'a pas été retrouvé, acheva-t-il d'une voix brisée. Elle allait juste avoir dix ans...

S'efforçant peu à peu de retrouver son calme, Benedig s'écarta affectueusement de ses enfants.

— Comment vais-je maintenant pouvoir veiller sur vous, mes filles ? J'avais l'intention de te ramener à la maison, Miara, maintenant que tu es veuve, mais je n'ai même plus de toit à t'offrir...

— Sans doute ne le pouvez-vous pas pour l'instant, intervint paisiblement Kellen. Mais notre Ordre le peut. Le Sanctuaire de la Forêt hébergera Miara et ses enfants aussi longtemps qu'il le faudra. Je vous demande aussi l'autorisation d'emmener avec moi Elane comme novice.

— Est-ce là ton souhait, mon enfant ? demanda-t-il, scrutant attentivement le regard de sa fille.

— Oui, Père, répondit-elle simplement. Puisque je ne peux pas épouser celui que j'aime, permettez-moi de donner mon amour à la Déesse. J'avais déjà fait ce choix plus jeune quand je ne songeais pas au mariage.

Le visage de Benedig s'éclaira d'un pâle sourire.

— Ardanos, ton grand-père, va sûrement s'en réjouir !

Quant à moi, Elane, je n'avais pas, je te l'avoue, envisagé cette vie pour toi. Mais si c'est vraiment là ton désir, je t'y autorise de tout cœur.

Elane ferma les yeux. Comment, malgré sa joie présente, se passer du consentement de sa mère ? Comment pourrait-elle oublier un jour qu'elle n'entendrait jamais plus sa voix ? Comment ne pas imaginer aussi ce que penserait d'elle Gaius ? Mais sans doute la croyait-il morte, ce qui valait bien mieux que d'être prise pour une femme infidèle. Qu'il pleure ou non d'ailleurs avait-il maintenant la moindre importance, puisqu'elle quittait volontairement le monde et entrait pour toujours dans le Sanctuaire de la Forêt ? Oui, sa décision était prise. Elle allait devenir prêtresse et le sang de sa race se perpétuerait par Miara et sa descendance. De toutes ses forces, elle souhaita que son père y trouve un réconfort.

Sa voix l'arracha à ses méditations. Il s'adressait à Kellen.

– Nous allons avoir besoin de vos dons, Kellen, pour retrouver Kerig.

– Je m'y efforcerai avec l'aide de la Haute Prêtresse Liana.

– Mais j'ai aussi besoin de vous pour rechercher ces assassins et ces pillards, l'interrompit-il avec véhémence.

– Je ne pense pas que ce sera très difficile ; je les ai observés quand ils ont pénétré ici. S'ils ne faisaient pas partie de la bande qui a brûlé votre maison, ils étaient sous le même commandement. Les uns venaient de Calédonie, les autres étaient des Scots originaires d'Erin. Nos assaillants ont donc regagné la côte, ou bien se sont dirigés vers le nord.

Benedig, enfiévré, arpentait la pièce.

– Plus tôt Kerig sera avec nous, plus vite pourrons-nous nous lancer à leur poursuite. Kellen, je vous en prie, rendez-le-nous par la puissance de votre magie...

– Je vais m'y employer avec diligence, affirma la prêtresse. Je reste avec vos filles pendant que vous vous rendez chez Liana. Gagnez ensuite Deva où vous apprendrez la nouvelle au Haut Druide.

LA COLLINE DU DERNIER ADIEU

La nouvelle du raid des pillards se répandit très vite dans les campagnes. Le Haut Druide, en sortant un matin de chez lui à Deva, entendit un corbeau croasser sur sa gauche, présage funeste entre tous. Comme l'oiseau disparaissait à tire-d'aile derrière un toit, il vit arriver au bout de la ruelle un homme couvert de boue qu'il reconnut bientôt être son gendre visiblement en proie à une grande émotion.

Benedig lui ayant délivré son terrible message, Ardanos se rendit sur-le-champ chez Macellius Severus, lequel demanda, sans attendre, à être reçu par le commandant de la légion Augusta.

— Les pillards qui viennent d'Erin s'enhardissent de plus en plus, tonna Macellius avec colère. Cette situation ne peut plus durer. Les Brittons sont des nôtres, nous les avons placés sous notre tutelle. Que pouvons-nous leur dire après de telles exactions ? La famille d'un druide de la région, Benedig...

— Un hors-la-loi, coupa le commandant en fronçant les sourcils.

— C'est possible, mais Rome se doit de protéger tous les habitants du pays, nos concitoyens comme les Brittons ! Comment les amener à déposer les armes sans exception, si nous nous montrons incapables de les protéger ? Deux légions suffiraient à conquérir l'Hibernie...

— Sans doute, mais il faudra en tout cas attendre qu'Agricola en ait fini au nord avec les Novantae. Dans l'intervalle, contentons-nous de renforcer nos forteresses côtières et de tenir prêts un ou deux régiments de cavalerie au cas où les pillards reviendraient. Votre fils n'a-t-il pas été d'ailleurs envoyé en mission avec quelques hommes ? Affectez-le donc dans ces régiments à son retour. Et d'ajouter cynique : Nous ne permettrons plus à d'autres d'opprimer impunément les peuples de l'Ile de Bretagne.

124

LA COLLINE DU DERNIER ADIEU

Fortifier des places et entreprendre des actions punitives prennent du temps. Aussi, sans grande illusion sur l'apparente pugnacité romaine à l'encontre des hordes de forbans, Benedig, revenu chercher ses filles, avait confié aux prêtresses du Sanctuaire de la Forêt Elane et Miara, à peine remise de ses couches et du choc qu'elle avait subi.

Elane, prise en charge à son arrivée par Kellen, fut conduite à la Maison des Vierges.

– Elide, qui s'occupe des novices, est au courant de ta venue, lui dit-elle. Je te retrouverai tout à l'heure mais avant tout, je dois me rendre près de Liana car nous avons beaucoup à faire.

La nouvelle lune – la première depuis la naissance du bébé de Miara –, très basse à l'horizon, entreprenait lentement son périple vers l'ouest. Précédée par une servante, Elane franchit une enceinte intérieure, puis une porte donnant accès à une cour au fond de laquelle se trouvait un bâtiment tout en longueur qui ressemblait un peu à la grande halle de son père. Pénétrant sous un porche voûté, Elane franchit le seuil de la maison et se retrouva soudain entourée de visages étrangers. Une prêtresse s'avança vers elle.

– Je m'appelle Elide, dit-elle simplement. Kellen m'a prévenue de ton arrivée.

– Dieda, ma parente, est-elle parmi vous ? J'aimerais beaucoup la voir.

– Dieda est au service de Liana. Tu vas bientôt la voir. C'est ta tante, n'est-ce pas ? On dirait même à te regarder que vous êtes sœurs jumelles. Mais, dis-moi, comment as-tu connu Kellen ?

– Elle a accouché ma sœur de son second enfant. Je lui dois en partie ma venue ici.

– Elle m'a demandé de m'occuper de toi, car sa charge

auprès de Liana l'accapare beaucoup. Tu es presque aussi belle qu'elle me l'avait annoncé !

Intimidée par cette pique enrobée, Elane, se sentant rougir, baissa les yeux. La jeune fille qui lui faisait face ne manquait pas non plus de charme. Ses cheveux blonds, courts et bouclés, encadraient son visage comme une auréole. Une tunique légère en toile beige, à l'ancienne mode, maintenue à la taille par une ceinture verte tressée, épousait discrètement les formes harmonieuses d'un corps juvénile et souple.

– Tu dois être morte de fatigue, dit-elle. Approche-toi du feu, et réchauffe-toi.

Elane lui obéit, un peu étourdie à la vue de tant de nouveaux visages, se demandant soudain si elle n'avait pas pris sa décision hâtivement, décision qu'elle regretterait peut-être sa vie durant.

– Sois sans crainte, dit derrière elle une voix pleine de gaieté. Nous ne sommes pas si nombreuses que tu crois. Quand je suis arrivée ici, j'ai été effrayée comme toi et j'ai pleuré à chaudes larmes ! Je m'appelle Meline. Je suis ici depuis cinq ou six ans, et ne conçois plus maintenant d'existence hors de ces murs. Nous sommes toutes sœurs et amies et tu te sentiras bientôt l'une des nôtres.

Gentiment elle débarrassa Elane de son manteau.

– Liana tient à te parler avant toute chose, dit Elide. Viens avec moi, je vais te mener auprès d'elle.

Traversant une pelouse balayée par une brusque rafale, les deux jeunes filles s'engouffrèrent par une porte latérale dans la demeure proche de la Haute Prêtresse où Kellen les attendait.

– Entrez, mes enfants, dit-elle. Puis, s'adressant à quelqu'un qui se tenait légèrement en retrait : Dieda, voici Elane, enfin...

– Enfin... répéta Dieda, sortant de l'obscurité. Mon père, le Haut Druide, et le sien sont aussi dans nos murs ! C'est une véritable réunion de famille ! Elle éclata d'un rire railleur. Si Kerig reçoit votre message, il ne va pas tarder à apparaître. Est-il exact qu'on va utiliser vos dons de seconde vue, Kellen ?

— Ou peut-être le vôtre, répliqua Kellen, impassible, suscitant chez Dieda un petit rire indéfinissable mais où pointait une hostilité voilée.

— Qu'on ne compte pas sur moi s'il s'agit de rendre un oracle que Liana interprétera pour faire plaisir à Rome...

— Au nom de la Grande Déesse... taisez-vous, mon enfant, ordonna Kellen sèchement, à l'écoute d'un bruit de pas qui approchaient dans le couloir.

— Voici le Haut Druide, mon père, bougonna Dieda, accompagné de notre révérée Mère, qui va se faire un plaisir de rendre tous les oracles qu'il souhaite.

— Une fois encore, silence ! l'interrompit Kellen d'une voix sifflante. Ce que vous dites est sacrilège ! Ce n'est pas ce que vous pensez ou ce que je pense qui importe, mais ce que veut la Haute Prêtresse. J'accomplirai sa volonté.

— Si c'est vraiment sa volonté... Mais comment, dans notre situation, peut-on accomplir la volonté de Liana ? Notre pouvoir va être utilisé pour tromper Kerig et le conduire à faire ce contre quoi il a toujours appris à lutter, ce que Benedig se refuse également à faire, même s'il doit y laisser la vie : pactiser avec Rome ! Mais laissons cela pour l'instant, car ils vont nous entendre. Elane, mon amie, tu dois être bien troublée... Nous t'accueillons bien mal, pardonne-nous.

Au même moment, la porte s'ouvrit et Liana fit son entrée.

— Mes enfants, j'espère que vous n'êtes pas en train de vous quereller ?

— Mais non, ma Mère, s'interposa vivement Kellen. Dieda et moi souhaitions seulement la bienvenue à notre nouvelle novice.

Liana tourna son regard vers la jeune fille et aussitôt le cœur d'Elane bondit dans sa poitrine, transpercé par les yeux qui ne l'avaient en fait jamais quittée depuis les fêtes de Beltane.

— Te voici donc, Elane, murmura la Prêtresse d'une voix

douce, presque languissante, comme si d'avoir transmis la parole de la Déesse pendant tant d'années avait tari en elle la source de toute force. C'est vrai, tu ressembles étonnamment à Dieda. Il faudra trouver un moyen de vous distinguer l'une de l'autre.

Elle sourit alors avec tant de sollicitude qu'Elane se sentit aussitôt prise sous son aile protectrice et envahie par une grande vague d'amour.

– Viens, mon enfant, poursuivit la Prêtresse en lui tendant la main. Sais-tu que ton père et ton grand-père sont ici, parmi nous ? Kellen et Dieda, venez aussi, nous allons avoir besoin de vous.

Toutes quatre gagnèrent alors une petite salle attenante où se trouvait déjà réunie une assistance nombreuse. Au centre de la pièce, s'élevait en lourdes spirales une fumée épaisse sortant d'un chaudron où brûlaient des herbes. L'odeur était si forte qu'elle donnait le vertige. Aussi, Elane, légèrement suffoquée, n'aperçut qu'au bout d'un moment son père, le visage si défait par le chagrin qu'il paraissait presque aussi vieux qu'Ardanos.

Celui-ci, après avoir lancé dans le feu une substance poudreuse, s'adressa à l'assemblée.

– Ainsi, sommes-nous à nouveau réunis. Mais, une fois encore, je ne le cache pas, je suis un peu troublé. Mes enfants, qui de vous deux est Dieda et qui est Elane ?

Elane, n'osant répondre, garda le silence. Ce fut donc Dieda qui prit hardiment la parole.

– Père, c'est encore pour l'instant assez simple. Elane ne porte pas la robe de prêtresse.

– Est-ce là le seul moyen de reconnaître ma fille de ma petite-fille ? La faute en est sûrement à la fumée qui règne ici. Alors, Elane, reprit le druide avec affection, te voici arrivée parmi nous en de bien tristes circonstances. Il nous faut tous ensemble mander Kerig ; sa présence nous est indispensable. Ton aide nous sera donc également précieuse. Êtes-vous prête, Kellen ?

128

– Si Liana le veut, je le suis, répondit calmement la prêtresse.

Liana approuva d'un signe de tête, puis déclara :

– Il faut absolument que Kerig apprenne la mort de sa mère adoptive et les crimes qui viennent d'être commis. Les Romains ne sont pas nos seuls ennemis...

– Confirmeriez-vous ces propos devant Miara, Père ? osa demander Dieda à voix basse.

– Dieda, chuchota d'un ton réprobateur Ardanos, quoi que tu en penses, Macellius Severus est un homme de bien. En apprenant le forfait des brigands, il s'est indigné comme si sa propre maison avait brûlé.

Puis, s'adressant à Kellen d'une voix forte, il lui demanda de commencer.

Kellen alors s'avança vers un coffre et en sortit un petit bassin en argent, de forme simple, mais gravé de figures complexes. À l'aide d'une aiguière, elle l'emplit d'eau et le posa sur la table, tandis que le vieux druide approchait un trépied afin qu'elle pût s'asseoir devant la coupe, Liana ayant quant à elle pris place légèrement en retrait sur une haute chaise en bois sculpté.

– Un instant encore, dit Ardanos à Kellen en se tournant vers Dieda. Mon enfant, tu étais très proche de lui, plus proche que quiconque ; c'est donc à toi qu'il revient de l'évoquer.

Apparemment surprise, Dieda hésita un instant et Elane crut qu'elle allait refuser.

Mais le druide reprit, en la regardant dans les yeux :

– N'étiez-vous pas promis l'un à l'autre, mon enfant ? Pour l'amour de ta sœur aussi qui l'avait adopté avant ta naissance, qui, mieux que toi, peut nous aider ?

– Si tel est votre désir, Père, je vous obéirai, dit-elle, prenant place devant le bassin.

– Nous tous réunis en ce lieu consacré pour faire entendre notre voix à Kerig, fils adoptif de Benedig, nous unissons la force de nos esprits et de nos cœurs afin qu'il ressente l'extrême désir que nous avons de l'évoquer et qu'il réponde à notre appel !

Ainsi parla Ardanos, le Haut Druide, frappant le sol de son bâton dans le doux cliquetis de ses clochettes d'argent.

Elane cligna des yeux. L'obscurité s'était faite dans la salle, rendant plus blanche encore et rayonnante la silhouette du grand prêtre.

– Ô enfant bien-aimé, reprit-il, mêlant sa voix à celle de Dieda, ta famille tout entière t'appelle... Guerrier, fils du Grand Corbeau, nous te supplions d'apparaître par toutes les puissances de la terre, du chêne et du feu !

Puis sa propre voix faiblit, relayée par la respiration de plus en plus rapide de Dieda qui venait d'inhaler à pleins poumons la fumée odorante. Bientôt, on n'entendit plus qu'elle et son incantation rauque.

Toute l'assistance encerclait désormais le bassin. Elane qui n'avait jusqu'alors pas remarqué les longs cheveux de Dieda qui s'étaient déversés en cascade autour du récipient, voyait de l'endroit où elle se tenait frissonner la surface de l'eau. Elle ressentit une étrange sensation et s'aperçut que Dieda se balançait de gauche à droite à moins que cette oscillation ne vînt d'elle-même... Oui ! le monde entier bougeait... les formes autour d'elle se diluaient, son regard était de plus en plus attiré par la surface liquide. L'eau de la coupe s'était ternie ; un remous gris et noir l'agitait, s'apaisait, s'éclaircissait, laissait apparaître un visage... un visage familier... celui de Kerig ! Médusée, elle étouffa un cri.

Dieda cependant prenait la parole d'une voix à la fois feutrée et distincte, comme si elle s'adressait à un interlocuteur très éloigné.

– Kerig ! Entends-nous et reviens ! Nous t'appelons de toute notre âme. Ce ne sont pas cette fois les Romains qui nous ont attaqués, mais des hommes venus du nord. Ils ont saccagé et brûlé ta maison, tué ta mère et ta jeune sœur. Reviens-nous ! Benedig, ton père adoptif, est vivant et réclame ton aide.

130

LA COLLINE DU DERNIER ADIEU

Dieda s'était tue. Il y eut encore un grand bouillonnement à la surface de l'eau qui s'assombrit d'un seul coup et le visage disparut.

– Il va venir, balbutia la jeune fille, qui s'était redressée, titubante. Si les dieux le veulent, si l'état des routes et un temps favorable le permettent, il sera là dans quelques jours.

– Qu'en est-il des barbares qui ont brûlé notre maison ? interrogea fiévreusement Benedig.

– Je ne sais, répondit Dieda dont les cheveux cachaient encore le visage. Je me suis pliée à la volonté du Haut Druide, mais ne peux continuer dans la voie que vous demandez. Que Kellen prenne ma place. C'est elle qui souhaite une collaboration avec les Romains, moi je la réprouve.

– Mon enfant...

– Oui, vous venez de vous servir de moi contre Kerig. Comment avez-vous pu ?

– Pas contre lui, intervint Kellen.

Elle prit le bassin et en jeta le contenu par une porte basse donnant sur l'extérieur. Un peu d'air frais qu'Elane respira avec délice entra dans la salle étouffante. Puis, l'emplissant d'eau à nouveau, la prêtresse s'immobilisa, se livra, le corps penché, à une concentration extrême.

Cette fois, l'image mit plus de temps à se former sur l'eau et le tourbillon obscurcissant sa surface fut long à se dissiper.

Le visage crispé de Kellen était pâle comme la mort quand elle se mit à parler d'une voix trahissant un épuisement manifeste.

– Que ceux qui souhaitent voir regardent !

Sentant, malgré la nuit d'été, un grand froid la saisir, Elane s'approcha mais ne sut jamais ce que les autres virent. Pour elle l'eau redevint limpide, et elle vit apparaître la scène des brigands lors de leur incursion. Les cheveux longs, blonds ou roux, et la barbe en broussaille, ils étaient figés sur le pas de la porte et portaient des vêtements en haillons taillés dans des étoffes multicolores. Certains brandissaient des épées, d'autres des lances. L'image était si nette qu'on distinguait même la pluie ruisseler. Autour du bassin de Kellen, Benedig et les hommes se pressaient maintenant, obstruant totalement le champ de vision d'Elane. Mais ce qu'elle avait vu suffisait. L'image resterait ancrée dans sa mémoire jusqu'à son dernier jour.

À jamais, elle serait aussi hantée par le souvenir de Kellen se précipitant sur les assaillants, ramassant des braises à pleines mains, et les lançant sur eux pour les mettre en fuite.

– Rian le Rouge, rugit Benedig, les mâchoires serrées. Maudites soient son épée et son ombre ! Ainsi donc ils n'ont pas repris la mer.

– De toutes mes forces, je joins ma malédiction à la vôtre, s'exclama soudain Liana, qui venait elle aussi de s'arracher à sa vision. Je déclare également que les Romains s'allieront à notre peuple pour les punir.

D'un geste, elle imposa silence à Benedig qui souhaitait encore intervenir.

– Il suffit, maintenant ! Allez et rattrapez Rian le Rouge sur le rivage comme Kellen vient de l'évoquer.

– Dame, comment avez-vous pu savoir, et comment être sûrs que nous y parviendrons ?

– Nous détenons le pouvoir de commander aux vents. Rian le Rouge ne trouvera pas la moindre brise pour l'emmener au-delà des mers tant que vous ne l'aurez pas rejoint. Êtes-vous satisfait ?

– Pour assouvir notre vengeance, qu'il en soit ainsi ! clama avec ardeur Benedig. Je jure même de m'allier provisoirement aux Romains s'ils me prêtent main-forte.

– Attendrez-vous pour agir l'arrivée de Kerig ? demanda Dieda en respirant profondément.

Benedig mit du temps à répondre.

– La décision sera prise en commun par Macellius et moi-même, lâcha-t-il comme à regret.

C'est alors que Liana aperçut le visage livide d'Elane qui tremblait de tous ses membres.

– La plus jeune d'entre nous se meurt de froid ! Où as-tu mis ton manteau, mon enfant ?

– Je l'ai laissé dans la salle où m'a accueillie Elide, répondit la jeune fille sans parvenir à contrôler ses frissons.

– Tu as surtout besoin de beaucoup de repos après tant d'émotions. Approche-toi du chaudron ; le feu va te réchauffer maintenant que les herbes ont fini de brûler. Kellen t'emmènera ensuite dans le dortoir des novices ; elle te donnera des vêtements de nuit et une robe de prêtresse.

– Cela va passer, mon enfant, murmura à son oreille Kellen, l'entourant de son bras. Il fait très froid entre les deux mondes...

Comme il s'apprêtait à partir à la suite d'Ardanos, Benedig, se drapant dans sa cape, s'arrêta devant Elane.

– Ma fille, j'ignore si nous nous reverrons avant longtemps. Mais je sais que tu es ici en sécurité et c'est pour moi un très grand réconfort. Que la Déesse t'accorde en ce monde sa protection ! Je te confie à elle avec espoir et gratitude.

Puis il la serra dans ses bras.

– Je La prierai chaque jour pour votre salut, Père, murmura-t-elle la gorge serrée.

Benedig la regarda une dernière fois, caressa une boucle de ses cheveux.

– Tu as les cheveux de ta mère, souffla-t-il, déposant un baiser sur son front.

Puis il s'en fut sans se retourner pour ne pas voir couler ses larmes.

– Elane, ta nouvelle vie commence ! lança vivement Kellen, voulant chasser l'ombre de tristesse qui voilait le visage de sa protégée. N'oublie pas que je serai toujours là pour t'aider. Elle s'avança vers elle et l'embrassa affectueusement. Maintenant que tu t'es réchauffée, viens avec moi, je vais t'installer dans le dortoir des novices.

Devancée par Kellen, Elane traversa pour la seconde fois la cour venteuse qui séparait la retraite de Liana de la grande salle où l'avaient accueillie les prêtresses. Elide et quelques-unes de ses compagnes y étaient encore rassemblées. Sentant le désarroi de la jeune fille, Kellen s'empressa de la rassurer :

— Nous ne te demandons pas bien sûr de prononcer encore des vœux définitifs. Il te faudra seulement durant ton noviciat faire certaines promesses. Dis-moi simplement aujourd'hui si tu es venue te joindre à nous de ta propre volonté ? Personne ne t'a forcée ni menacée ?

Elane la regarda, surprise.

— Vous savez bien que non !

— Je sais, mais c'est une question rituelle. Tu te dois d'y répondre.

Elane acquiesça.

— Oui, je suis venue ici de mon plein gré.

— Promets-tu de traiter chacune de tes compagnes comme ta sœur, ta mère ou ta fille, tel un membre de ta propre famille ?

— Je le promets, dit Elane, de nouveau bouleversée à l'idée qu'elle n'avait plus ni mère ni sœur, et que, si elle prononçait ses vœux, elle ne pourrait jamais avoir de fille.

— Promets-tu d'obéir sans broncher à tous les ordres donnés par une prêtresse plus ancienne que toi et de n'avoir jamais aucun contact charnel avec un homme à l'exception bien sûr du Roi de l'Été, s'il vient à te choisir ?

— J'obéirai, dit Elane sans hésiter, sachant que désormais cet engagement n'avait plus aucun sens pour elle, puisqu'on l'avait empêchée d'aimer le seul qui avait pris son cœur.

Kellen inclina la tête et poursuivit :

— Qu'il en soit donc ainsi. Au nom de la Déesse, je t'admets parmi nous.

Elle lui donna l'accolade et, une à une, toutes ses compagnes firent de même. À sa grande surprise, Elane s'aperçut que ses yeux étaient humides, comme si elle venait de retrouver sa famille perdue.

Alors, la prêtresse la plus ancienne réclama le manteau d'Elane qu'elle posa sur ses épaules ; puis elle la conduisit par un couloir couvert de chaume jusqu'à une rotonde où se trouvaient une douzaine de lits étroits, installés tout autour du mur circulaire.

– Voici ta place, murmura Kellen, lui désignant une couche installée non loin de la porte. Tu es la dernière arrivée. Demain, Meline ou une autre t'indiquera ce que tu devras faire.

Elle lui fit passer alors un vêtement de nuit blanc en tissu grossier, un peu trop grand pour elle, puis souleva l'épaisse couverture en lui faisant signe de se glisser dessous.

– On te réveillera à l'aube, pour l'office du matin dans le bosquet. Ne t'attends pas à m'y voir. J'assiste en ce moment Liana dans la préparation des fêtes de la Pleine Lune. La robe que tu porteras demain est au pied de ton lit. Quoi que tu puisses penser, dit-elle encore, en se penchant pour l'embrasser, rappelle-toi que tu es la bienvenue parmi nous. Même Dieda sera un jour heureuse de ta présence, tu verras. Ne lui en veux pas trop, car elle est malheureuse aujourd'hui.

X

– Pourquoi devons-nous garder secret le nom des plantes qui guérissent ?

La vieille Latis se tourna vers les filles assises sous un chêne ;
elle tenait une tige de digitale à la main.

– Pour que les gens du peuple nous respectent ? demanda
l'une des plus jeunes.

– Ce respect, nous devons avant tout le mériter, ma fille,
reprit Latis avec sévérité. Sans doute le peuple est-il ignorant,
mais il n'est pas stupide. Nous devons tenir secret le nom de
ces plantes pour une raison moins évidente ; si nous les utili-
sons pour le bien, sache qu'elles peuvent l'être aussi pour le
mal. La digitale stimule un cœur défaillant, mais si on l'admi-
nistre en quantité trop importante, le cœur se met à galoper
comme un cheval emballé jusqu'à ce qu'il éclate. Aussi, le
guérisseur doit-il bien savoir doser ses remèdes.

La leçon terminée, professeur et élèves regagnèrent leur
toit. Goûtant un bref moment de solitude, Elane, pensive, se
remémora les jours passés depuis son arrivée dans le Sanctuaire de la Forêt. Sans doute avait-elle trouvé la paix, une
certaine inclination pour le mystère, sûrement aussi un peu

de nostalgie et une sensation latente de désœuvrement. Mais elle rêvait surtout très souvent de Gaius, chevauchant à la tête de ses hommes, ou bien se livrant à des exercices guerriers. Il s'emportait parfois en frappant aveuglément de son épée tous les obstacles qui se dressaient sur sa route, proférant des paroles incompréhensibles où revenaient sans cesse, distinctement cette fois, les noms mêlés de Senara, de Rhys et d'Elane ! Alors elle se réveillait en sursaut, étouffant ses sanglots pour ne pas éveiller ses compagnes, désespérée de ne pouvoir lui transmettre un message lui apprenant qu'elle était en vie. Mais, il la croyait morte et c'était mieux ainsi.

Durant ces premiers mois passés dans le Sanctuaire de la Forêt, elle n'était en somme qu'une prêtresse virtuelle parmi les autres, apprenant peu à peu les arcanes du savoir druidique. Ni la Mère Éternelle ni les dieux ne devaient être honorés dans un temple bâti par la main de l'homme mais en pleine nature. Quant à la science divine, elle ne pouvait être transmise par écrit, car rien de ce qui est humain n'est digne des mots des dieux. Elane, dans un premier temps, avait trouvé étrange cette conception de la tradition orale, la mémoire de l'homme lui paraissant bien faible pour ne rien omettre. Mais les prodiges de mémorisation de ses maîtres lui avaient rapidement ôté ses doutes ; Ardanos, par exemple, était capable de réciter sans aucun effort toute la Loi, bien qu'une grande partie de l'ancien savoir ait été perdue lors de l'anéantissement de Mona.

Ainsi, Elane partageait-elle sa vie entre l'étude et ses compagnes, apprenant avec elles les plus petits détails des rites auxquels les vierges devaient participer, toute faute entraînant l'annulation de l'office que l'on devait alors reprendre à son début. Le mouvement de la lune et des étoiles lui devint familier, et elle observa de longues heures le Grand Chariot se balançant sans fin autour de l'Étoile polaire, le défilé solennel des planètes dans leur ascension et leur chute, l'aurore boréale quand elle flamboyait dans le ciel d'été. On lui révéla enfin que ce qu'elle avait toujours cru n'était pas exact, que le soleil ne tournait pas autour de la terre, mais que la terre se déplaçait autour du soleil. Comme elle aurait beaucoup aimé apprendre à accompagner les chants qui ponctuaient et embellissaient leur existence, elle en fit un jour la demande à Kellen qui lui répondit que les femmes n'étaient pas autorisées à jouer de la harpe au cours des cérémonies.

— Pourquoi ? s'étonna-t-elle. Les femmes pourtant peuvent être bardes maintenant, comme Dieda qui le souhaite. Et vous-même, ne jouez-vous pas souvent de la harpe ?

— Il est vrai, en certaines circonstances. L'instrument que je possède est une lyre, le premier cadeau de Liana, et j'en joue depuis des années. Personne donc ne s'y oppose. Quant à Dieda, son talent est indéniable.

— Pourquoi pas moi alors ? Pour quelle raison m'est-il interdit d'apprendre ?

— C'est ainsi, répliqua Kellen. Les prêtres s'y opposent et ne donnent pas d'explications. Leurs décisions ne sont pas toujours compréhensibles. En ce qui me concerne par exemple, je ne serai jamais appelée à succéder à Liana. Mais cela, Ardanos n'ignore pas que, moi aussi, je le sais.

— Aimeriez-vous être Haute Prêtresse ?

— Les dieux m'en préservent ! s'exclama vivement Kellen. Je me heurterais tête baissée à la domination des hommes. Ils s'accrochent de toutes leurs forces à ce qu'ils pensent être un privilège et c'est encore pis depuis l'arrivée des Romains ! À eux donc les armes... et les harpes ! Aux femmes les souffrances de l'enfantement, les besognes de la cuisine et de la maison. À croire qu'ils veulent persuader l'univers de l'incapacité des femmes à servir les dieux. Mais laissons tout cela et revenons à ta question. Pourquoi désires-tu tant apprendre à jouer de la harpe ?

— Parce que j'aime la musique et que je ne peux pas chanter.

— Ta voix est mélodieuse, je l'ai entendue.

— Grand-père prétend qu'à côté de Dieda je coasse comme une grenouille ! Chez nous, c'était toujours elle qui chantait !

– Je ne partage pas complètement son avis, bien qu'il soit l'un de nos plus grands bardes. Dieda, c'est vrai, possède une très belle voix qu'elle tient peut-être de lui et à côté d'elle nous coassons toutes comme des grenouilles. Mais n'en sois pas attristée, mon enfant. Toi, tu apprendras l'histoire des dieux. Même si tu ne la chantes pas, je suis persuadée que tu n'auras aucun mal à psalmodier les incantations.

Kellen ne s'était pas trompée. Elane apprit la mélopée des formules magiques avec une facilité déroutante, et sut bientôt par cœur certains Mots de Puissance parmi les plus simples.

Un jour qu'elle étudiait avec la prêtresse, celle-ci lui posa une question :

– Te rappelles-tu la nuit qui suivit l'accouchement de Miara, lorsque je mis en fuite les misérables qui nous assaillaient en leur lançant des braises ?

– Comment l'oublier ? J'y penserai toujours.

– Ne t'ai-je pas dit que tu pouvais en faire autant, à condition de recevoir le bon enseignement ?

Elane acquiesça.

– Eh bien, je vais te l'apprendre maintenant. Avant tout, tu dois te persuader que le feu ne peut te faire aucun mal. Tu m'as vue le prendre dans les mains ; tu sais donc que c'est possible.

Kellen prit dans sa main froide les doigts tendres et blancs de la jeune fille et souffla sur sa paume.

– Maintenant, la condition essentielle est d'avoir confiance en toi. Tends rapidement la main et prends dans le feu une poignée de braises. Le feu blesse seulement ceux qui croient qu'il est fait pour brûler. Quand tu connaîtras sa véritable nature spirituelle, tu pourras le manipuler comme une poignée de feuilles mortes. Le feu brûle à l'intérieur de toi comme il le fait dans l'âtre. Une flamme ne peut donc faire de mal à une autre flamme. Que l'étincelle de vie qui t'habite accueille en toi le feu !

Le cœur d'Elane se mit à battre la chamade ; de peur ou

d'excitation, elle n'aurait su le dire. Tremblante, elle s'avança vers le brasier.

– N'hésite surtout pas ! dit Kellen d'une voix ferme. Saisis-le et fais vite !

Hypnotisée par l'incandescence aveuglante, Elane tendit la main vers les flammes et sentit l'ardeur du foyer sur son visage. Mais, à son grand étonnement, le contact de la braise sur ses mains lui parut aussi froid que la neige.

– Lâche-les tout de suite, maintenant ! commanda impérativement Kellen.

Elane ouvrit les doigts, brusquement sensible à la chaleur.

– L'ai-je vraiment fait ? balbutia-t-elle stupéfaite, considérant ses mains tandis que les charbons ardents roulaient dans l'âtre.

– Oui, tu as réussi, répondit Kellen, un sourire aux lèvres, mais j'ai vu que tu commençais à penser, donc à douter. C'est pourquoi je t'ai ordonné d'ouvrir immédiatement tes doigts. Le doute est l'ennemi de la magie, ne l'oublie jamais. On nous enseigne la magie pour pouvoir, parfois, étonner ou émerveiller les gens simples ou nous défendre en cas de danger. Mais, tu dois savoir aussi qu'il est dangereux de faire des miracles pour le simple plaisir de déconcerter les spectateurs. Sois-en parcimonieuse, même lorsqu'il s'agit de sauver ta vie. Je n'ai peut-être pas eu entièrement raison d'agir comme je l'ai fait chez Miara, mais ne revenons pas sur le passé. Maintenant que tu es initiée, sache utiliser tes nouvelles connaissances seulement à bon escient. Sache enfin que seule la femme, à travers l'enfantement, approche tous les secrets de la naissance et de la mort. Elle seule, et non l'homme, est donc à même d'accomplir sa propre renaissance.

Elane, songeant depuis souvent à ces paroles, se demanda les jours suivants si la Haute Prêtresse avait déjà subi cette renaissance dont Kellen avait parlé. Malgré son âge, elle semblait n'avoir jamais éprouvé ni douleur ni passion humaines. Elle n'avait, à sa connaissance, ni connu d'homme, ni porté d'enfant. Vêtue de voiles flottants, environnée d'un nuage de lavande, le sourire vague et distant, elle semblait planer dans une réalité qui n'était pas celle des autres. Visiblement, Kellen la vénérait pour des raisons qui lui échappaient mais qui devaient être déterminantes. Son aînée voyait à coup sûr dans la Haute Prêtresse ce qu'elle-même ne pouvait distinguer, mais elle ne doutait pas un instant de ses motivations profondes.

Elane apprit surtout avec ferveur à interroger l'avenir et à utiliser les formules magiques propres à susciter le don de clairvoyance. Au cours de l'une de ses toutes premières expériences, elle entrevit la lutte qui avait opposé les siens aux assassins de sa famille. Comme elle s'y attendait, son père avait fait partie de l'expédition et, à son grand étonnement, Kerig était non seulement revenu du nord, mais il avait combattu aux côtés des Romains, son désir de vengeance l'ayant emporté sur la haine qu'il nourrissait à leur égard.

Comme s'éclaircissait la surface embrumée de l'eau, Elane assista à la bataille, Brittons et Romains repoussant les envahisseurs jusqu'au rivage et les taillant en pièces. Subjuguée, elle les vit abattre tous leurs chefs et brûler leurs vaisseaux aux flancs curieusement arrondis, jeter un homme blessé, aveugle et sanglant, dans le seul navire épargné à dessein, afin qu'il pût porter aux siens la nouvelle du désastre, poussé par des vents à nouveau favorables sous l'influence magique d'Ardanos.

Elane, qui n'avait jamais vu de bataille rangée si atroce, fut remplie à la fois d'horreur et de joie en voyant périr tous les pillards, l'un d'eux ayant été obligatoirement l'auteur de la mort de sa mère et de sa jeune sœur. Hélas, elle eut beau scruter la surface de l'eau, le visage de Gaius ne lui apparut pas. Et elle en ressentit une douleur si vive, qu'à son étonnement, toute la vision s'estompa devant l'emprise toute-puissante d'un souvenir plus fort que tous les autres.

Aussi, reprit-elle ce jour-là, non sans peine, le cours tranquille de sa vie dans le Sanctuaire de la Forêt, s'obligeant à s'absorber encore davantage dans ses activités quotidiennes.

Avec ses compagnes, elle apprit à cueillir les plantes sacrées en fonction des périodes solaires et lunaires.

— Cette science est beaucoup plus ancienne que les druides eux-mêmes, lui confia Meline, plus vieille encore que le Sanctuaire de la Forêt. Elle nous vient de très loin, de l'époque où notre peuple n'était pas encore installé ici.

Le printemps avait été pluvieux et ce matin-là, le long des rives du ruisseau qui serpentait à travers champs, l'armoise que les prêtresses utilisaient pour leurs incantations ou soulager les douleurs, avait poussé aussi haut que la taille, exhalant une odeur puissante qui donnait presque le vertige.

— Kellen m'en a parlé, dit Elane à son tour. À une certaine époque, l'Ile de Bretagne n'avait pas de druides. Quand notre peuple est arrivé, il a tué les prêtres des tribus vaincues, mais n'osa pas s'en prendre aux prêtresses de la Déesse Mère. Celles-ci transmirent leurs connaissances qui s'ajoutèrent aux nôtres.

— C'est vrai, confirma Meline, tout en poursuivant sa cueillette. Kellen a étudié plus que moi et elle appartient à un ordre très ancien, celui des prêtresses de l'Oracle, qui existait bien avant l'Ordre des Druides et bien avant la fondation du Sanctuaire de la Forêt. On dit que les premières prêtresses sont venues d'une île très lointaine à l'ouest qui a disparu depuis sous les flots. En même temps qu'elles, s'installèrent les prêtres qui enseignèrent la science des étoiles et des pierres levées.

Une brise légère se leva qui fit voleter leurs jupes. Perdues dans leurs pensées, elles s'immobilisèrent un instant, respirant le souffle d'air frais qui agitait doucement le feuillage autour d'elles.

— Matricaire ou cerfeuil ? demanda Elane de nouveau penchée sur les herbes, désignant de petites plantes basses aux feuilles découpées.

— Cerfeuil. Remarque la finesse des tiges. La matricaire pousse l'hiver et sa tige est ligneuse. Mais tu ne t'es pas beaucoup trompée car leurs feuilles se ressemblent.

– Que de choses à se rappeler ! Si notre peuple n'a pas toujours vécu ici, comment avons-nous appris tout ce que nous savons ?

– Les hommes, par nature, veulent toujours connaître de nouveaux horizons. C'est difficile à croire pour des femmes comme nous, enracinées en ces lieux. Mais les peuples viennent tous de quelque part et ont recueilli l'héritage de ceux qui occupaient les terres avant eux. Nos dernières tribus sont arrivées ici environ un siècle avant les Romains, venant de la même partie du monde.

– Les Romains nous connaissaient-ils parce que nous étions voisins ?

– Ils en savaient assez sur nos guerriers pour les redouter. Peut-être est-ce pour cette raison qu'ils ont répandu tant de faux bruits sur nous. Dis-moi, Elane, as-tu jamais vu des hommes et des femmes brûler sur nos autels ?

– Non. Seuls les criminels sont mis à mort. Pourquoi les Romains... répandent-ils de pareils mensonges ?

– Pourquoi ? ! Pourquoi sont-ils si ignorants ? reprit Meline avec véhémence. Ils consignent leur savoir sur des morceaux de cuir, des tablettes de cire ou de pierre et, ce faisant, ils pensent être des sages. Mais la sagesse naît-elle d'un morceau de pierre ? Moi qui ne suis qu'une jeune prêtresse, je sais que la sagesse ne peut s'apprendre qu'avec le cœur. Enseigne-t-on les plantes uniquement à l'aide de livres ? La connaissance ne suffit pas, il faut aussi l'expérience ; tu dois chercher les plantes toi-même, les tenir dans tes mains, les aimer, les regarder pousser. Alors seulement tu peux t'en servir pour soigner, car leur esprit te parle.

– Peut-être que les Romaines savent plus de choses que nous ? Pourtant, j'ai entendu dire que les hommes ne leur apprennent pas à écrire. Je me demande ce que les mères peuvent bien transmettre à leurs filles...

– Peut-être les hommes craignent-ils qu'en enseignant l'écriture aux femmes, leurs scribes et leurs écrivains publics deviennent inutiles ?

– Kellen a abordé ce sujet peu de temps après mon arrivée, dit Elane en frissonnant, malgré la température clémente, au souvenir des vents froids qui avaient envahi la salle le jour où l'on avait demandé à la Déesse Mère de faire revenir Kerig. Mais je la vois très peu en ce moment et me demande si je l'ai contrariée.

– Ne donne pas tant d'importance à tout ce qu'elle te dit, répondit insidieusement Meline. Elle a beaucoup souffert et se montre parfois excessive. Il n'en demeure pas moins vrai que les Romains n'ont pas une très haute opinion des femmes.

– Quelle attitude inepte !

– Chacun le sait mais les Romains, eux, du moins certains, ne s'en rendent pas compte. Espérons qu'ils changeront bientôt d'avis. D'ailleurs, quelques-uns de nos prêtres sont aussi bornés. Dis-moi, on m'a dit que tu voulais jouer de la harpe ? As-tu entendu Kellen en jouer ?

– Non. Je t'ai dit que je l'avais à peine vue ces derniers temps, reprit-elle, se gardant bien cependant de lui raconter comment la prêtresse lui avait appris à manipuler les braises.

– Si un jour elle te paraît étrange, ne t'en soucie pas trop. Elle est très solitaire. Toutes nos sœurs, ou presque, l'aiment beaucoup ici, mais elle peut rester des jours sans parler à quiconque, excepté peut-être à Liana. Je sais qu'elle t'aime particulièrement, du moins je l'ai entendu dire.

Elane la regarda, puis détourna vivement les yeux. Oui, Kellen l'aimait. Elle l'avait tout de suite ressenti la nuit de l'attaque chez Miara. Mais elle s'était aussi rendu compte alors de l'étrangeté de la situation qui l'avait sans doute poussée à se raconter au-delà de ce qu'elle aurait normalement souhaité. Était-ce d'ailleurs la raison pour laquelle elle l'évitait depuis ?

Meline coupait du thym sauvage sous un arbre avec son petit couteau incurvé. Une senteur à la fois douce et forte montait des tiges tendres.

– Parle-lui de sa harpe, conseilla-t-elle, complétant son bouquet.

145

– Je croyais que c'était une lyre.

– Kellen a eu du mal à expliquer la différence, poursuivit la jeune fille avec un sourire. Les cordes pénètrent dans une boîte à la base et non sur le côté, mais le son est identique. Elle sait de nombreuses chansons venues d'Erin, chansons étranges qui rappellent le bruit de la mer. Elle connaît aussi toutes les vieilles complaintes.

Meline se mit à glousser.

– Peut-être aurait-elle pu aussi être Haut Druide après ton père, si ce n'est pas blasphémer...

– Ardanos est le père de ma mère, pas le mien. Dieda est sa fille, précisa Elane tout en cueillant les derniers brins de thym.

– Et ton frère adoptif fait partie de la Troupe Sacrée. Tu appartiens vraiment à une famille de prêtres. Ils vont sûrement essayer de faire de toi une Prêtresse de l'Oracle.

– Pourquoi dis-tu cela ?

– N'aie pas l'air si effrayé ! Tu n'aimerais pas ? demanda Meline en riant. Nous avons toutes certains devoirs à remplir et, pour ma part, je suis heureuse de me consacrer surtout aux herbes. Prédire l'avenir est la plus haute des missions. N'aimerais-tu pas être la voix de la Déesse ?

– Les prêtresses, mes sœurs, décideront de ce que je serai. Elles savent mieux que moi ce que veulent les dieux.

– Kellen n'est pas de cet avis. Elle m'a dit une fois que le savoir des druides a été accordé à tous, hommes et femmes, dans les temps anciens.

– Mais enfin, le Haut Druide lui-même s'en réfère à Liana ! s'emporta presque Elane en se penchant pour couper quelques feuilles d'une touffe de stellaires cachée à l'ombre d'un rocher.

– Il nous donne du moins cette impression. Mais Liana, elle, est différente et nous l'adorons toutes.

Une brusque rafale de vent d'ouest interrompit sa confidence et des nuages noirs envahirent le ciel. Quelques gouttes de la nuée traversèrent les frondaisons. Meline poussa un petit cri et s'abrita la tête sous son châle.

LA COLLINE DU DERNIER ADIEU

– La pluie va bientôt tomber à verse. Nous allons être trempées si nous restons ici ! Prends ton panier et courons ! Nous arriverons peut-être avant d'être transpercées jusqu'aux os.

À la nouvelle lune, Liana appela Elane à son service. Il fallut d'abord enseigner à la jeune fille le cérémonial indispensable pour assister une Haute Prêtresse en public, autrement dit, à chaque fois qu'elle quittait sa demeure.

Elane apprit la façon rituelle de draper les robes de cérémonie, plus compliquée qu'il n'y paraissait car nul doigt humain ne devait effleurer la Prêtresse durant le service. Elle dut aussi partager avec Liana la longue retraite qui précédait l'office et l'aider à se remettre après son accomplissement.

Elle mesura alors le prix que devait payer la Haute Prêtresse en compensation de l'immense prestige et du respect dont elle était entourée. Lourd était le tribut que réclamaient les dieux pour transmettre aux humains leur parole. Aussi lointaine et détachée qu'elle fût parfois, quand elle revêtait les ornements de l'Oracle, Liana se trouvait chaque fois réinvestie d'une puissance nouvelle. Elle avait été choisie, comprit Elane, non pour la force de sa volonté ou l'étendue de sa sagesse, mais bien parce que, quand c'était nécessaire, elle savait s'abstraire de sa propre personnalité, sans ménager sa peine, sans proférer la moindre plainte.

Au cours des Fêtes de l'Été, avec leurs jeux et leurs grands feux de joie, Elane, peu à peu, réalisa qu'elle ne supportait plus ni le bruit ni le corps des hommes en sueur, observant d'un œil nouveau tout ce qu'on lui avait appris au sujet des Mystères.

Le gagnant des jeux, la tête couronnée de fleurs estivales, présidait les cérémonies. Dans certaines tribus, tous les sept ans, le Roi de l'Année assistait en personne à l'incinération de son prédécesseur. L'Empire avait tué ou romanisé les héritiers des princes brittons, mais tant que des hommes avaient accepté d'offrir leur vie pour leur peuple, les Rois Sacrés étaient demeurés, garants de valeurs trop souvent oubliées.

LA COLLINE DU DERNIER ADIEU

En cas de désastre nécessitant un sacrifice au cours de l'année, et malgré l'interdit des Romains, il arrivait que le jeune Roi fût condamné et subisse la sentence. En échange de ce risque, lui seul avait l'autorisation de choisir la femme qu'il désirait, même parmi les vierges du Sanctuaire de la Forêt, si son choix tombait sur l'une d'elles.

Elane ne s'éloignait jamais de Liana ; elle regardait les guerriers arracher au feu de joie des brandons et les jeter très haut pour obtenir des moissons abondantes, sachant que personne ne songerait à l'importuner en présence de la Haute Prêtresse, pas même le Roi de l'Année.

Bien lui en prit, car elle apprit un jour que son amie Meline était enceinte du vainqueur des jeux. Liana, furieuse et bouleversée, l'avait envoyée réfléchir et se recueillir pour quelque temps dans une hutte près de l'étang.

– Ce n'est pas juste ! avait protesté Elane. S'il l'a choisie, comment pouvait-elle le repousser ? Elle aurait fait preuve d'impiété.

– Elle aurait dû se tenir à l'écart, lui répondit-on. On ne manque pas de femmes ici. Il fallait éviter de se faire remarquer !

Ainsi passa l'été, et bientôt Elane put fêter le second anniversaire de son arrivée dans le Sanctuaire de la Forêt. Elle avait assisté la Haute Prêtresse au cours d'une douzaine de cérémonies, et considérait sans enthousiasme la possibilité de devenir à son tour Prêtresse de l'Oracle, sachant bien que les druides, s'ils décidaient de la choisir, ne tiendraient nullement compte de ses propres sentiments. Elle les voyait agir auprès de Liana, venant la voir avant chaque célébration pour l'aider, disaient-ils, à la préparer ! Ardanos, lui-même – elle l'avait vu de ses yeux par une porte entrebâillée –, ne lui avait-il pas soufflé quelque chose à l'oreille alors qu'elle se trouvait déjà en transe ?... Ils la ligotent ainsi, pensa-t-elle, ils l'envoûtent, pour lui faire dire uniquement les mots qu'ils veulent entendre !

XI

GAIUS n'était pas revenu dans la région depuis plus de deux ans quand eurent lieu pour la troisième fois les fêtes de Beltane. Son père, depuis la disparition d'Elane dont il s'était en fait réjoui, n'avait pas reparlé du mariage envisagé avec la fille de Licinius. Il avait seulement recommandé son fils auprès du Gouverneur, qui pacifiait alors les tribus des Basses-Terres.

Pour le jeune officier des légions d'Agricola, le chagrin était un luxe prohibé, du moins en apparence. Car s'il apercevait, d'aventure, une jeune fille aux cheveux clairs et aux yeux graves, ses anciennes blessures se rouvraient.

Après une campagne couronnée de succès, il avait été envoyé dans le sud et chevauchait donc sur la route menant à la Colline des Vierges, escorté par un centurion et un détachement de fantassins, afin d'y maintenir l'ordre si nécessaire.

Arrivant à proximité du sommet dénudé de la colline, lieu chargé pour lui de tant de souvenirs, Gaius comprit combien seraient durs les moments qu'il allait vivre. Il retint son cheval et fit signe à sa troupe de s'arrêter.

149

LA COLLINE DU DERNIER ADIEU

– Tout a l'air calme, dit le centurion. Pour l'instant. Un rassemblement peut dégénérer quand on y mêle la religion.

Portant comme autrefois les vêtements du pays, afin de pouvoir accomplir le plus anonymement possible sa mission, Gaius leva les yeux vers le ciel couvert. Heureusement le temps était gris. Revoir cette colline sous un soleil éclatant eût été encore plus pénible.

– Nous allons mettre pied à terre, dit-il enfin, rabattant sa capuche sur son visage. Qu'un homme garde les chevaux.

Des meuglements s'élevèrent alors derrière eux et ils s'écartèrent pour laisser passer le bétail.

– Pourquoi toutes ces bêtes ? questionna le centurion.

– La nuit venue, on jette des plantes dans les flammes et les troupeaux cheminent entre les feux, indiqua laconiquement le jeune homme.

– Qui dirige les cérémonies ? Les druides ? insista le soldat.

– Pas exactement. C'est une prêtresse, une vestale en quelque sorte, qui appelle la bénédiction des dieux.

Un instant, Gaius ferma les yeux et la silhouette voilée, qui avait levé les bras vers la lune, fut de nouveau vivante dans sa mémoire.

– Une vestale ? Est-ce elle qui offre les sacrifices ? demanda encore le centurion tout en avançant sur la place centrale envahie maintenant par le troupeau.

– Il n'y a plus de sacrifices de nos jours, répondit Gaius obligé, malgré lui, de donner des explications. Les druides ou ceux qui exercent leur culte n'offrent plus que des fleurs et des fruits.

– J'ai pourtant entendu dire qu'ils faisaient toujours des sacrifices, même humains.

– Mais non, ce sont des fables ! le coupa Gaius avec agacement, se souvenant, comme si c'était hier, de l'indignation d'Elane quand il lui avait posé la même question. En réalité, ces festivités sont parfaitement calmes. J'y ai d'ailleurs assisté une fois...

À quelques pas devant eux, se produisit alors une brève

bousculade. Un homme poussa un cri, laissa tomber sa lanterne, provoquant un début de panique autour de lui. Les vaches se mirent à meugler, à piétiner le sol nerveusement.

– Les bêtes vont s'affoler ! s'exclama Gaius, soudain sur le qui-vive.

Les choses en fait allèrent très vite : un gamin, qui portait en courant un seau d'eau, éclaboussa des spectateurs, effrayant davantage les bêtes. L'une d'elles se mit à galoper maladroitement, renversa un bouvier, le projeta dans la foule. Les gens alors commencèrent à s'injurier, deux ou trois hommes tombèrent et une femme s'écroula en hurlant, atteinte par une corne. Dès lors la débandade fut générale, chacun cherchant à se mettre hors d'atteinte. Des mères serraient contre elles leurs enfants ; un Légionnaire perdit l'équilibre et fut piétiné. Gaius, luttant de toutes ses forces pour rester debout, se trouva séparé de ses hommes.

Une main se tendit vers lui.

– Venez m'aider, je vous en prie. Vous semblez fort, empêchez la Dame de tomber.

Une grande femme brune vêtue d'une robe bleue l'attirait vers un groupe qui soutenait une silhouette vacillante enveloppée d'une grande cape.

Gaius se précipita pour la retenir et reconnut alors la prêtresse qui avait invoqué la Déesse deux ans auparavant. Précautionneusement, il la souleva, surpris par la légèreté du corps dissimulé sous la longue robe. Autour d'eux, par chance, le calme semblait revenir ; bouviers et paysans accourus en force étaient parvenus à maîtriser et à isoler du troupeau les bêtes les plus agitées.

Appréciant d'un coup d'œil la situation, Gaius, par prudence, voulut cependant s'éloigner.

– Par ici, dit une prêtresse, dont l'abondante chevelure brun roux encadrait le visage, entraînant le petit cortège d'un pas vif à travers le désordre qui régnait sur la place vers l'échoppe d'un herboriste installé à l'écart.

Un gros homme, s'empressant de les accueillir, tira le

rideau qui masquait l'entrée, puis désigna dans un coin un amoncellement de fourrures sur lequel Gaius déposa délicatement son précieux fardeau.

L'endroit était sombre et poussérieux, imprégné de l'odeur fraîche des plantes de l'été suspendues au plafond ou alignées sur des rayons dans des sacs de toile. Gaius, en se redressant, fit tomber sa capuche et découvrit son visage. Derrière lui s'éleva un cri de surprise, et son cœur se mit à battre la chamade. Lentement, il se retourna.

La moins grande des suivantes de la Haute Prêtresse avait également rejeté son voile et montrait, stupéfaite, son visage. C'était Elane. Les regards des deux jeunes gens se croisèrent et Gaius sentit son sang refluer vers son cœur, le monde s'obscurcir puis retrouver son éclat. « Tu n'es donc pas morte, brûlée vive ? » voulut-il crier, mais les mots ne parvinrent pas à franchir ses lèvres. Elane le contemplait, les yeux brillants, étreinte comme lui par une émotion qui les submergeait.

Enfin, il réussit à se dominer et à balbutier d'une voix enrouée :

– Elane, est-ce bien toi, toi que j'ai cru disparue à jamais dans l'incendie ? J'ai pourtant vu de mes yeux qu'il ne restait plus rien de ta maison.

Elle fit un pas en arrière, se réfugia dans le fond de la pièce, tandis que ses compagnes, préoccupées seulement par l'évanouissement de Liana, se penchaient anxieusement sur elle.

– Je n'étais pas chez mon père lorsqu'ils sont venus, souffla-t-elle, respirant avec difficulté, n'arrivant pas à croire que Gaius était là devant elle. J'étais chez ma sœur Miara sur le point d'accoucher. Ma mère et Senara sont mortes.

Sa voix se brisa. Dans la lumière diffuse, vêtue de clair, elle avait l'air d'un fantôme. Il tendit la main vers elle comme pour s'assurer qu'elle aussi était bien vivante, indemne. Un instant, ses doigts effleurèrent sa cape mais la jeune fille s'écarta vivement.

– Elane, quand pourrai-je te revoir ?

152

– C'est impossible, désormais. Je suis prêtresse du Sanctuaire de la Forêt et je n'ai plus le droit... Et puis vous êtes romain. Vous savez aussi ce qu'a dit mon père.

– Je sais.

Un instant, il se demanda si son père, à lui, avait appris qu'elle n'était pas morte et l'avait ainsi laissé souffrir inutilement. Oui, elle avait raison : mieux valait disparaître dans la foule et ne jamais la revoir. Mais si fort était son émerveillement devant le miracle de sa présence qu'il sentit monter en lui une immense colère contre ceux qui l'avaient torturé sans raison.

Plongeant son regard dans les yeux gris d'Elane, il sut alors que, depuis son départ de la maison de Benedig, jamais il ne s'était senti aussi vivant, aussi amoureux de la vie. Et tout cela grâce à elle. Non, il ne la laisserait pas de nouveau disparaître de son existence. Qu'importe ce que diraient son père et le sien !

Mais le regard soudainement effrayé d'Elane lui fit tourner la tête. Les prêtresses qui entouraient Liana les regardaient maintenant. Elane leva une main comme pour le bénir.

– Je vous remercie, dit-elle d'une voix qui tremblait à peine. Sans vous, nous n'aurions jamais pu soulever la Haute Prêtresse.

Acquiesçant d'un signe de tête, Gaius rabattit sa capuche sur son visage et gagna la porte d'un pas mal assuré. Comme il s'éloignait, il entendit s'élever la voix de Dieda et ralentit sa marche.

– Elane, que disais-tu à cet homme ? Il a le maintien d'un Romain !

– Un Romain ? Dans ces habits de chez nous ? S'il en était ainsi, il porterait un uniforme comme tous les autres.

Aussi surpris qu'heureux par l'à-propos de sa réplique, Gaius se hâta de disparaître, se demandant comment il allait faire pour la revoir. Mais pas un seul instant ne lui vint l'idée qu'après l'avoir retrouvée il pût la perdre une seconde fois.

LA COLLINE DU DERNIER ADIEU

Dans la baraque de l'herboriste, Elane chercha à comprimer les battements de son cœur, persuadée que son rythme effréné allait être perçu par ses compagnes. Heureusement, grâce à une intervention divine, du moins voulut-elle le croire, Dieda ne semblait pas avoir reconnu Gaius.

— Eh bien, que se passe-t-il ? murmura Liana, sortant de son évanouissement. Quelqu'un est-il blessé ?

— Non, tout va bien ! s'empressa de la rassurer Kellen. Les troupeaux se sont subitement affolés, et il y a eu une bousculade.

— Mais... pourquoi suis-je ici ?

— Nous avons été prises dans un mouvement de foule. Il y a eu quelques blessés légers, vous vous êtes évanouie... Un homme robuste se trouvait près de nous. Il vous a portée jusqu'ici et vient de se retirer. Elane l'a béni en votre nom.

★
★ ★

Un mois après cet incident, Elane fut appelée chez Liana qu'elle trouva en compagnie d'un homme qui lui rappela tout de suite Kerig, et d'une petite fille aux cheveux blonds.

Elane sourit à l'enfant qui la regardait d'un air timide.

— Hadron est un Corbeau, dit la Haute Prêtresse. Arrêté puis relâché par les Romains, il est devenu maintenant trop connu par ici. C'est pourquoi... mais racontez-lui vous-même votre histoire, Hadron.

— Ce ne sera pas long. Vous le savez sans doute, j'ai un frère de lait qui a rejoint les auxiliaires romains ; il a intercédé en ma faveur et a réussi à m'éviter d'être envoyé dans les mines de plomb. Ma vie a donc été épargnée, la sentence de mort annulée et commuée en dix ans d'exil. Mais il me faut fuir vers le nord, hors des territoires contrôlés par Rome, et je ne peux emmener ma fille.

154

— Cette enfant est trop jeune pour rester parmi nous, intervint Liana visiblement contrariée.

— Si ce n'est que cela, répondit Elane, je veux bien m'en occuper jusqu'à ce qu'on lui trouve une nourrice... Elle n'a pas de parents qui puissent l'héberger ?

— Non. Ma femme était romaine et je ne connais pas sa famille.

— Ainsi, votre enfant est romaine par sa mère ? demanda Liana.

— Oui et, malheureusement, ma femme a rompu avec tous ses proches pour m'épouser. Elle m'a supplié sur son lit de mort de ne jamais confier notre enfant aux siens. C'est pourquoi j'avais pensé qu'ici elle trouverait refuge.

— Ce n'est pas notre vocation de recueillir des enfants en bas âge. Néanmoins vous êtes membre des Corbeaux, ajouta la Prêtresse pensive, attendant manifestement la réaction d'Elane.

La jeune fille regardait la fillette, songeant à sa jeune sœur, tuée deux ans auparavant par les pillards. Si elle avait survécu, qui se serait occupé d'elle ? Quant au bébé de Meline, il n'y fallait hélas plus songer car, mort-né, il n'avait pas vu le jour.

— Je veillerai sur elle, dit-elle doucement.

— Soit ! Puisque tu prends toi-même la décision, mais je ne te l'aurais jamais imposée. C'est un engagement trop grave.

Liana fit une pause, puis s'adressant à Hadron, elle poursuivit :

— Comment s'appelle-t-elle ?

— Dame, ma femme la nommait Valeria.

Le visage de Liana se ferma.

— Mais c'est un nom romain ! C'est impossible ici.

— Ma femme a tout abandonné pour m'épouser, répondit l'homme. Je ne pouvais faire moins que de lui laisser donner à notre fille le nom de sa famille.

— Quand bien même, il lui faut un nouveau nom pour vivre parmi nous. Elane, veux-tu te charger de lui en trouver un ?

LA COLLINE DU DERNIER ADIEU

La jeune fille contempla l'enfant dont le regard craintif était fixé sur elle. Elle avait tout perdu, sa mère, son père et maintenant son nom.

– Avec votre permission, je la nommerai Senara, dit Elane d'une voix attendrie. Elle a l'âge de la petite sœur que j'ai perdue en même temps que ma mère.

– C'est un très joli nom, tu as raison, acquiesça Liana. Va maintenant, mon enfant. Je te confie cette jeune vie. Trouve-lui un endroit pour dormir et des vêtements convenables. Quand elle sera en âge de faire ses vœux, elle pourra, si elle le désire, devenir l'une des nôtres.

Hadron parti, Elane entoura de son bras la petite fille en larmes, la consolant de son mieux de quelques mots affectueux. Puis elle dit très vite, l'image de Gaius ne quittant jamais son esprit, qu'il serait peut-être utile de s'assurer auprès des Romains qu'aucun membre de sa famille ne souhaitait réellement l'accueillir.

– J'approuve cette idée, c'est une sage précaution, répondit la Prêtresse. (Mais elle avait déjà l'esprit ailleurs.) Pour l'instant, veille bien sur elle, Elane.

Sortant avec l'enfant, elle sentit sa petite main confiante se glisser dans la sienne.

– Aimes-tu ton nouveau nom ? lui demanda-t-elle.

Lui offrant son plus beau sourire, la petite fille fit oui de la tête.

Tout émue, Elane la regarda, cherchant à déceler en elle un signe de son appartenance à la race romaine, et de nouveau elle pensa à Gaius. Le souvenir du jeune homme l'obsédait nuit et jour depuis les dernières fêtes. Au moins, que ce ne soit pas en vain ! Fils du Préfet, il pourrait sûrement aider à découvrir les proches de la fillette. Avant que Valeria disparût à jamais pour renaître en Senara, n'était-elle pas moralement tenue de connaître ses origines et de tout faire pour retrouver sa famille maternelle ?

Elle montra alors à sa jeune protégée l'endroit où elle allait dormir et trouva une robe de novice qu'on mettrait à sa taille.

156

Puis, laissant à l'une de ses compagnes le soin de la lui faire essayer, elle s'éloigna afin de se retrouver seule en pensée avec le jeune Romain. Gaius... Où était-il maintenant ? L'avait-il déjà oubliée ? Elle soupira en se rappelant sa voix, son beau visage et son corps élancé, le long baiser qu'il lui avait donné la nuit où ils s'étaient trouvés réunis près des feux de Beltane. Revivant avec une acuité nouvelle ces élans de passion si douloureusement jugulés, elle mesura soudain l'étendue de sa solitude. À qui maintenant pouvait-elle se confier ? Dieda la comprendrait peut-être, mais séparée de son bien-aimé, elle ne pouvait lui apporter le moindre réconfort. Kellen alors ? Mais elle n'avait jamais aimé, et pour cause ! Comment donc attendre d'elle compassion et soutien ?

Sentant le désespoir la gagner, tout en se refusant à se laisser abattre, Elane repoussa loin en elle la tentation de se résigner lâchement. De toute son âme elle aspirait à revoir Gaius, à lui faire seule à seul ses adieux, à poser son regard une fois encore sur lui, même si ce devait être la dernière. Les prêtresses, bien sûr, l'accuseraient de n'avoir recherché que l'homme en Gaius ; elles interpréteraient son amour comme une affaire sordide, une façon de trahir ses engagements, même si elle n'était encore nullement liée par des vœux définitifs. Il fallait donc trouver un moyen sûr de le revoir, à l'abri des yeux et des oreilles indiscrets.

Pensant d'abord se confier à l'enfant, et lui demander si elle gardait des souvenirs de la famille de sa mère, Elane se ravisa aussitôt, craignant bien trop de se trahir imprudemment. Qu'adviendrait-il en effet si l'on venait à découvrir qu'une prêtresse du Sanctuaire de la Forêt et un soldat romain s'étaient secrètement rencontrés pour des mobiles inconnus mais facilement imaginables ? Le scandale et ses conséquences seraient terribles.

Saurait-elle d'ailleurs, en la circonstance, prouver aux yeux de tous son innocence ?

XII

QUE sait-on du hasard, ou plutôt des événements for-
tuits qui changent le cours des choses ? Peut-être
sont-ils inscrits, de toute éternité, dans le grand livre du
Destin ?

Gaius, un matin de bonne heure, trouva Valerius, le secrétaire de son père, en plein désarroi.

– Que se passe-t-il ? demanda-t-il.

– Je viens d'apprendre la mort de ma sœur.

– Quelle horreur ! crut devoir s'exclamer le jeune homme
qui ne la connaissait nullement. Comment est-ce donc
arrivé ?

– C'est une longue et très pénible histoire. J'avais perdu
tout contact avec elle depuis son mariage et ne l'ai revue qu'à
de très rares occasions.

– Elle vivait loin d'ici ?

– Non, pas très loin de Deva... Mais elle avait épousé un
homme des Tribus et mon père l'avait reniée.

Gaius inclina la tête. Il ne savait que trop ce qu'un Romain
pouvait endurer, même si sa femme appartenait à une
famille princière. Son père lui en avait rebattu les oreilles et

159

il n'ignorait rien des sentiments de la société romaine vis-à-vis d'une fille enlevée par un amant originaire d'un pays conquis.

— C'est notre vieille nourrice qui m'a appris sa mort, poursuivit Valerius. Par elle, j'ai su aussi la triste situation dans laquelle se trouve mon beau-frère. Je le connais à peine, mais il a un frère de lait dans les Auxiliaires. Il m'a dit qu'Hadron faisait partie des Corbeaux et qu'il venait d'être banni. Le plus triste, c'est que ma sœur laisse une fillette dont j'ignore le sort.

— On m'a parlé de cette société secrète, avança prudemment Gaius en pensant à Kerig. Ses membres sont animés d'un farouche sentiment de vengeance.

— Il faut absolument que je retrouve l'enfant, bien que je n'aie, dans mon entourage, aucune femme à qui la confier, mais je suis son plus proche parent et ne peux l'abandonner. Elle doit avoir maintenant huit ou neuf ans peut-être...

— Où la chercher ? Ce ne sera pas facile, répondit Gaius pensant aussitôt que Kerig pourrait l'aider.

Étant lui-même séparé de Dieda qu'il aimait, peut-être accepterait-il de lui faire aussi rencontrer Elane ?

— Accepteriez-vous de m'aider ? demanda Valerius d'une voix tendue, voyant son interlocuteur songeur, sachant bien que Macellius, son maître, était hostile au contact établi par son fils avec le peuple de sa mère.

— Il faut voir. Peut-être... Je connais quelqu'un qui acceptera sans doute de se renseigner.

Il fallait cependant se montrer prudent. Le bruit courait que Kerig avait été envoyé dans le sud prêter main-forte aux Légionnaires qui pourchassaient les pillards incendiaires et meurtriers. L'association était certes inattendue mais très utile car le Britton servait de guide et d'interprète. Le contacter au cours des opérations était dangereux, car son père le saurait aussitôt. Mieux valait donc chercher à le rencontrer dans une taverne quand il serait de passage dans la forteresse. Tout en évoquant le sort de la fillette, il lui serait facile de détourner la conversation sur le Sanctuaire de la Forêt et les femmes qui s'y trouvaient.

— C'est entendu, je vais essayer de retrouver l'enfant, promit Gaius à l'homme qui le remercia avec effusion, se méprenant sur la raison réelle de son appui. Je t'avertirai dès que j'aurai des nouvelles.

Quelques jours plus tard, Gaius aperçut dans la foule, sur la place du marché de Deva, la haute stature de Kerig qui dominait d'une tête les passants. Gaius le héla, mais l'autre ne le reconnaissant pas, après l'avoir pourtant dévisagé, poursuivit son chemin. Hâtant le pas, l'officier romain le rattrapa.

— Eh bien, Kerig, tu ne me reconnais pas ? Je voulais simplement t'offrir à boire en souvenir du jour où tu m'as sorti de la fosse aux sangliers !

Kerig, ouvrant de grands yeux, s'arrêta.

— Si, dit-il, je te reconnais maintenant. Mais quel est cet uniforme ? Ainsi tu ne t'appelais pas Gavain. Comment te nommes-tu alors, Tribun ?

— En fait, je ne vous ai pas vraiment menti. Ma mère m'a appelé Gavain jusqu'au jour de sa mort. C'était une Silure. Pour les Romains, je suis Gaius, fils du Préfet Macellius.

— Si je l'avais su à l'époque, je t'aurais tué sans hésitation. Mais tant de choses se sont produites depuis... Allons boire, si tu veux !

Gaius l'entraîna dans une taverne proche et ils reprirent leur conversation dans l'obscurité poussiéreuse.

— J'ai appris avec indignation la destruction de ta maison et la disparition de deux des tiens. Ma douleur a été aussi grande que s'il s'était agi de ma propre famille. Ton père, heureusement, vit, mais ta pauvre mère...

— Oui ! Elle n'était que ma mère adoptive, mais je l'aimais beaucoup, autant que si elle m'avait porté.

— Je n'oublierai jamais la vision des cendres de ta maison, poursuivit Gaius d'un air sombre. Aussitôt mon père m'a envoyé dans le nord du pays et je me suis jeté à corps perdu dans les combats de Calédonie, comme jamais je ne l'avais fait jusqu'alors. Grâce aux dieux, les pillards irlandais ont été châtiés !

— Dire qu'aux fêtes de Beltane, quand tu étais parmi nous, nous étions si heureux... Nous sommes maintenant tous dispersés.

— J'étais sur la Colline des Vierges l'automne dernier, pendant les festivités, dit Gaius avec circonspection, et j'ai vu Dieda ainsi qu'Elane, ta sœur adoptive. J'ai constaté avec joie qu'elles étaient vivantes et en bonne santé.

— Je sais, commenta Kerig, laconique. Elane est devenue prêtresse de la Grande Déesse et vit dans le Sanctuaire de la Forêt. Dieda appartient désormais à la même famille, mais ce n'est pas la mienne. Elle ne risque pas d'y entrer d'ailleurs si elle reste là-bas !

— Kerig, commença Gaius, pour entrer dans le vif du sujet, j'ai un ami dans la Légion dont la sœur, ayant épousé un Britton, a été rejetée par sa propre famille. Ils ont eu une fille, mais cette femme vient de mourir et son mari a été obligé de prendre la fuite. Il voudrait retrouver son enfant.

— Pourquoi me racontes-tu cela ?

— Parce qu'on affirme que ce mari en fuite fait partie de ceux qui volent à minuit.

— Et alors ? Beaucoup d'oiseaux volent à minuit, rétorqua Kerig, méfiant, les yeux fixés sur son gobelet de vin. Et comment s'appelle cet homme ?

— Hadron. Sa femme se nommait Valeria.

— Je peux essayer de me renseigner, si tu veux.

— Crois-tu possible qu'on ait emmené l'enfant dans le Sanctuaire de la Forêt ? Dans ce cas, ne penses-tu pas que tes parentes devraient le savoir ?

— Peut-être. Je leur demanderai à l'occasion, répondit Kerig, évasif.

À l'évidence, il flairait quelque piège.

— Tu as quelque chose derrière la tête, finit-il par lâcher après un long silence. Que cherches-tu exactement à me dire ?

Gaius, n'y tenant plus, se jeta à l'eau.

– Eh bien, écoute ! Je veux revoir Elane. Je jure que je ne lui veux aucun mal, loin de là, mais j'aimerais tant savoir si elle est heureuse parmi ses compagnes.

Kerig releva les yeux et, posant d'un coup sec son gobelet sur la table, planta son regard dans celui du jeune homme. Puis soudain un grand sourire éclaira son visage buriné.

– Mais, dis-moi, tu es amoureux ! J'aurais dû m'en douter plus tôt. Alors nous avons tous les deux nos belles derrière les mêmes murs ?

– Oui, mais toi étant de la famille, tu peux leur parler librement. Kerig, fais quelque chose pour moi !

– Ce n'est pas si facile, tu sais, emprisonnées comme elles le sont ! D'ailleurs, depuis qu'elle est dans le Sanctuaire de la Forêt, Dieda n'a voulu ni me parler ni me rencontrer. Mais Elane n'a pas encore prononcé ses vœux. Je vais donc voir ce que je peux faire pour toi.

Il vida sa coupe et se leva. Se penchant alors vers l'officier romain, il lui dit à mi-voix :

– Dans trois jours, une heure après sixte, trouve-toi au bord du chemin qui mène à l'entrée du Sanctuaire de la Forêt. Je tâcherai qu'elle t'y rejoigne.

Elane attendait dans l'éclatante lumière d'un début d'été, étonnée de trembler si fort. D'abord, lorsque Kerig lui avait parlé de rencontrer Gaius, elle avait pensé que la plus fervente de ses prières avait été exaucée. Puis, elle n'avait pas tardé à comprendre qu'elle allait se mettre dans une situation extrêmement périlleuse, car minces étaient ses chances de garder secret son rendez-vous. Or, si on les surprenait, qui croirait à leur innocence ?

Aussi s'était-elle résolue à demander conseil à Kellen.

– Rejoins-le, avait répondu la prêtresse, puisqu'il doit venir. Je me tiendrai moi-même à portée de voix. Ainsi pourrai-je témoigner, s'il le faut, que du début à la fin de l'entretien, votre conversation s'est déroulée sans donner lieu à aucune équivoque. Acceptes-tu cette condition ?

Bien obligée d'en passer par-là et, à vrai dire, également soulagée, Elane donna son assentiment, sûre au moins qu'en présence d'une prêtresse, Gaius ne pourrait rien lui demander de... répréhensible.

— Pourquoi as-tu fait appel à moi ? lui avait encore demandé Kellen avant qu'elle ne s'éloigne. Pensais-tu que j'allais t'approuver ?

— En revoyant Gaius, je ne fais rien qui trahisse mes vœux, avait-elle alors répondu spontanément. Mais je sais le mal que peuvent faire les langues malintentionnées. En vous consultant, j'étais certaine d'avoir un avis sage, quoi que vous en pensiez.

Elle attendait donc maintenant, cherchant à se rassurer puisque Kellen cautionnait leur rencontre.

— Que vais-je lui dire ? demanda-t-elle à son aînée assise non loin sur une pierre à l'orée du bois, occupée à broder.

— Pourquoi me poses-tu cette question ? L'idée vient de toi et non de moi. Je ne suis pas très experte dans ce genre de situation. En revanche, je peux t'assurer à nouveau que vos propos, s'ils sont innocents, seront fidèlement rapportés si on m'en prie.

Elane poussa un soupir, se demandant, une fois de plus sans pouvoir répondre, si elle avait bien fait de recourir à son arbitrage. Mais il était trop tard pour faire machine arrière, les minutes passaient et Gaius allait incessamment paraître. Elle ne devait d'ailleurs pas oublier que Senara lui avait été confiée, qu'elle se devait d'en savoir le plus possible sur ses origines et sa famille, que c'était donc pour elle aussi qu'elle se trouvait là.

Mais toutes ces questions qu'elle remuait dans sa tête s'envolèrent soudain, car elle aperçut, le cœur battant, la silhouette élancée de Gaius s'encadrer sous la voûte du feuillage au tournant de l'allée. D'une démarche rapide et souple, il venait à elle, impressionnant et fier dans l'uniforme des légionnaires romains, son casque à cimier pourpre rehaussant l'éclat sombre de son regard. Voyant qu'Elane n'était pas seule, il eut une très brève hésitation, puis s'élança vers elle, ôtant son casque pour la saluer.

La gorge serrée, Elane, qui ne le quittait pas des yeux, oublia tout à coup ce qu'elle voulait lui dire.

Déçu et contrarié par la présence inopportune de Kellen, Gaius, lui, tâcha pourtant de garder bon visage, voulant se persuader qu'une jeune prêtresse, tout comme à Rome une vestale, ne pouvait sans témoins communiquer avec le monde. Il réprima donc l'envie d'embrasser la jeune fille, si belle et si touchante dans sa robe claire, ses cheveux d'or illuminés par un faible rayon de soleil, et se contenta un court instant de serrer ses deux mains dans les siennes. Lui exposant alors en quelques mots pourquoi il était là, il fut interrompu par Elane, étreinte par l'émotion.

– Comme c'est étrange, murmura-t-elle, je voulais justement te parler moi aussi de l'enfant. Elle est heureuse parmi nous. Le serait-elle chez un oncle qu'elle ne connaît pas ?

Le regard de Gaius s'assombrit. Valerius appartenait à une bonne famille très attachée aux traditions et n'apprécierait sûrement pas qu'un de ses membres vive hors de sa protection. Mais, d'un autre côté, il est vrai, le fait qu'il ne pouvait s'occuper personnellement de l'enfant prise complètement en charge par Elane pouvait modifier sensiblement ses intentions. De plus, n'était-ce pas à Rome un honneur insigne pour une petite fille que d'être admise dans le temple de Vesta ? Il en était de même dans le Sanctuaire de la Forêt. Fort de ces arguments, il arriverait peut-être à le convaincre.

– Tu as peut-être raison, finit-il donc par répondre. J'essaierai d'expliquer les choses à Valerius, mais je ne peux m'engager à sa place.

Voyant Kellen se lever et signifier par-là que l'entretien avait assez duré, Gaius se tut, désemparé de devoir quitter si vite la jeune fille sans avoir pu lui dire la vraie raison de sa venue. Leurs regards cependant se croisèrent et leurs yeux exprimèrent ce que leurs lèvres n'avaient pu formuler.

Alors, ne pouvant hélas prolonger ses adieux sans éveiller la suspicion, Gaius s'inclina cérémonieusement devant les deux femmes et s'éloigna à grands pas sans se retourner.

Comme elles franchissaient à nouveau l'enceinte de leur citadelle, Kellen regarda Elane d'un air interrogateur.

— Ainsi, voilà le Romain dont tu rêves du soir au matin et du matin au soir ! Mais que lui trouves-tu donc ?

— Je savais bien que vous ne l'aimeriez pas, constata la jeune fille, mais reconnaissez au moins qu'il est séduisant.

— Ni plus ni moins qu'un autre. Je préfère quant à moi ton frère adoptif Kerig. Son visage est plus doux et moins arrogant. Mais laissons cela. Reviens sur terre et cours chercher Senara. Mets-la au courant de ce que nous venons d'apprendre et ensuite, va prendre ta leçon avec Latis. Si tu t'en donnes la peine, tu seras bientôt aussi experte que Meline.

Cette nuit-là, ce fut le tour d'Elane de veiller sur Liana et elle dut affronter le regard réprobateur de la Haute Prêtresse.

— Mon enfant, j'ai appris que tu étais sortie du Temple pour rencontrer un homme. C'est un comportement incompatible avec les engagements et les devoirs d'une fille du Sanctuaire de la Forêt. Tu me déçois beaucoup.

Une bouffée de révolte empourpra les joues de la jeune fille. N'était-elle pas sortie avec l'accord et sous la surveillance de Kellen ? Se maîtrisant toutefois, elle parvint à répondre calmement :

— Je n'ai pas dit un mot que vous ne puissiez entendre.

— Je n'en doute pas, soupira Liana, mais cela n'empêchera nullement commentaires et bavardages inutiles d'aller bon train. Que la Déesse soit louée ! Kellen au moins a assisté à l'entretien, mais elle n'aurait pas dû l'autoriser. Elle partage donc la faute avec toi. Mais comme elle est l'aînée, elle va être punie à ta place. Ainsi, considère, s'il te prenait l'envie de faire une nouvelle incartade, que quelqu'un d'autre encore pourrait payer pour toi. Tu es jeune, Elane, méfie-toi toujours des actes irréfléchis.

— Kellen va être punie ? Mais c'est injuste ! Que va-t-on lui faire ?

— Ne t'inquiète pas, nous ne la battrons pas, si c'est ce que tu crains, reprit Liana adoucie. Même quand elle était petite, je n'ai pas une fois porté la main sur elle. Peut-être aurais-je dû d'ailleurs... Quant à la punition, rien n'est encore décidé.

— Mais, Mère, je ne comprends pas, protesta Elane. N'est-ce pas vous qui m'avez demandé de retrouver la famille de l'enfant ?

— Je ne t'ai jamais dit de mener une enquête chez les Romains, répliqua vivement la Prêtresse, il y avait d'autres moyens pour cela !

Lesquels ? se demanda Elane sans oser insister, voyant Liana s'absorber dans une profonde méditation qui mit fin ce jour-là à tout dialogue entre elles.

Le lendemain, alors que toutes les prêtresses étaient réunies, Elane s'arrangea pour s'approcher de Kellen.

— Liana m'a dit qu'elle allait vous punir, souffla-t-elle. Je suis si désolée ! Me pardonnerez-vous ? Heureusement, elle m'a promis que vous ne seriez pas battue.

— Mais non ! confirma la prêtresse. Je vais être envoyée dans une maison perdue en pleine forêt où j'aurai le loisir de méditer sur mes péchés tout en étant astreinte à en dégager les abords qui en ont, paraît-il, bien besoin. Cet isolement forcé n'est pas pour moi une sanction. Liana ne se doute même pas de la joie que j'aurai à me retrouver seule avec mes pensées et ma musique. Tu vois, je ne serai pas malheureuse.

— Seule dans la forêt ? Mais vous n'allez pas avoir peur ?

— Peur ? De quoi donc ? Des ours ? Des loups ? Des bandits ? Là-bas, les derniers ours ont été capturés il y a plus de trente ans et l'on n'y voit plus guère de loups qui se terrent dans des taillis infranchissables. Quant aux hommes, tu sais que je ne les crains pas ! Non, vraiment, j'ignore ce qu'est la peur.

LA COLLINE DU DERNIER ADIEU

Kellen quitta donc sans regret le Sanctuaire de la Forêt où son départ ne souleva pas d'émotion excessive. Différente des autres, la prêtresse n'était pas très populaire parmi ses compagnes sauf auprès d'Elide et de Meline, et bien entendu de Liana, qui éprouvaient pour elle une véritable amitié. Mais Elane s'était attachée à elle et songeait souvent à l'exilée. Un soir de tempête, tandis que les femmes étaient assises frileusement autour du feu dans la Maison des Vierges, ses pensées la rapprochèrent spécialement de Kellen, seule sous le toit humide de sa hutte dans le grand silence de la forêt. Supportait-elle toujours avec joie et sérénité la solitude, comme elle l'avait prétendu ? La pluie et la froidure ne transperçaient-elles pas les précaires cloisons de son refuge ?

Mais l'une de ses compagnes, demandant à Dieda de chanter, l'arracha à ses interrogations.

– Oui, chante-nous une histoire de l'Autre Monde, renchérit à ses côtés Meline. Celle de Bran, fils de Febal par exemple, et de son voyage dans les Iles Occidentales.

Dieda chanta alors, puis narra le conte de Bran et de sa rencontre avec Manannan, le dieu marin, Seigneur de l'Illusion, qui changea la mer en bosquet fleuri, les poissons en oiseaux, les vagues en bouquets de fleurs, les créatures marines en moutons. Et quand Manannan tomba du bateau, l'océan se rua à l'assaut de la nef, engloutissant tous les marins, n'épargnant que le dieu de la mer qui fut rejeté miraculeusement vivant sur le rivage.

Lorsqu'elle eut terminé, ses compagnes, pareilles à des enfants subjugués, réclamèrent une autre histoire.

– Celle du roi et des trois sorcières ! suggéra l'une des femmes.

Et Dieda commença selon la formule consacrée :

– Il était une fois, en des temps beaucoup plus favorables, quand l'Autre Monde s'ouvrait davantage sur le nôtre sans qu'on pût pour autant passer de l'un à l'autre... bref, il y a très longtemps, plus longtemps encore que ne pourrait le dire le plus âgé de nos ancêtres, se trouvait une maison où vivaient un roi et une reine à l'extrême frontière des deux mondes.

« Vint un soir, la veille du premier jour de Samain, quand s'entrouvrent les portes qui les séparent, au moment précis où l'année se termine et où commence la suivante. À minuit donc, trois sorcières se présentèrent chez le roi ; l'une avait le groin d'un cochon et sa lèvre inférieure, qui pendait jusqu'aux genoux, masquait tous ses vêtements ; la seconde avait deux lèvres sur la même joue et une longue barbe dissimulant ses seins ; la troisième, une créature hideuse, dotée d'un seul bras et d'une seule jambe, portait sous son unique bras un petit cochon si gracieux qu'on aurait pu le prendre pour une princesse...

Les femmes éclatèrent de rire et Dieda, se contentant de sourire, poursuivit :

– Les trois sorcières entrèrent dans la maison et s'installèrent sur trois sièges près du feu, de sorte qu'il ne resta pas de place pour le Roi et la Reine, forcés de s'asseoir près de la porte.

« Alors, la première des sorcières, celle à la lèvre pendante, déclara : "J'ai grand-faim. Qu'avez-vous à manger ?" Les souverains se hâtèrent aussitôt de lui faire préparer une bouillie d'avoine et la sorcière engloutit le plat d'un seul coup alors qu'il aurait rassasié une douzaine d'hommes, puis s'écria avec hargne : "Que vous êtes avares, j'ai encore faim !"

« La seconde, qui portait la barbe, se plaignit d'avoir soif. On lui apporta aussitôt un tonneau de bière, qu'elle vida d'un trait jusqu'à la dernière goutte en maugréant : "J'ai encore soif !"

« Le Roi et la Reine, craignant de voir les sorcières dilapider toutes leurs provisions pour l'hiver, sortirent alors pour se concerter. Comme la Reine se désolait de leur infortune, parut une fée qui la salua en ces termes :

"Que les dieux vous préservent, gente dame. Pourquoi pleurez-vous donc ?"

« La Reine lui fit part des exigences des trois sorcières et de sa crainte d'être bientôt dévorée avec son époux dès qu'elles auraient mangé tout ce qu'ils possédaient.

169

« Aussitôt, la fée expliqua ce qu'elle devait faire.

« La Reine rentra chez elle, prit place sur un siège et se mit à tisser. Intriguée, la première sorcière l'interpella avec aigreur :

"Eh bien, ma bonne dame, que faites-vous donc ?

— Je tisse un linceul, chère Tante."

« Grimaçant à travers sa barbe, la seconde sorcière insista :

"Un linceul ? Et pour qui, bonne dame ?

— Pour qui n'a pas de maison où loger cette nuit, bonne Tante."

« La troisième sorcière, embrassant son cochon, intervint à son tour : "Et quand ce linceul vous servira-t-il donc ?"

« Au même instant, le Roi se précipita dans la pièce en hurlant : "La montagne noire et le ciel au-dessus sont en feu !"

« À ces mots, les trois sorcières se ruèrent, affolées, vers la porte en criant : "Hélas, hélas, notre père est mort !" Puis elles disparurent dans l'obscurité et on ne les revit plus jamais dans la région. »

Dieda se tut. Un long silence s'ensuivit et l'on n'entendit plus que le vent mugissant autour de la bâtisse.

Meline alors prit la parole.

— J'ai entendu Kellen raconter une histoire tout à fait semblable, il y a bien longtemps. Est-ce elle qui te l'a apprise ?

— Non, c'est mon père qui me l'a contée quand j'étais toute petite.

— C'est sûrement une très vieille histoire, approuva de la tête Meline, et ton père est l'un de nos plus grands Bardes. Tu l'as dite en tout cas aussi bien qu'un druide. Kellen ou toi pourriez être à la tête du Collège.

— Le crois-tu donc ? plaisanta Dieda. Je n'ai fait que suivre l'enseignement de mon père Ardanos.

Et Kellen ? Qu'en penserait-elle ? se demanda pensivement Elane. Mais Kellen était loin et ne pouvait répondre.

XIII

UNE fois qu'il eut expliqué à Valerius que sa nièce était en sécurité sous la protection d'Elane, dans le Sanctuaire de la Forêt, Gaius évita de rencontrer son père de peur qu'il ne lui parlât mariage à nouveau, avoir revu Elane lui rendant toute idée d'épouser une Romaine insupportable. Or, depuis la mort de Titus et l'accession au pouvoir de Domitien, les temps étaient troublés et le Préfet cherchait manifestement à conforter sa position en élargissant le cercle de ses appuis et de ses relations.

La matinée avait été chaude et lourde, mais des nuages menaçants commençaient à s'amonceler à l'ouest apportant un vent frais qui ébouriffait les cheveux. Gaius aspira une grande bouffée d'air humide et sentit les premières gouttes de pluie rafraîchir son visage.

Comme la pluie se faisait plus drue, les ruelles autour de lui se vidèrent, chacun cherchant à s'abriter de l'averse. C'est alors qu'il aperçut Kerig et courut le rejoindre.

– Je préfère que tu dises, si on te questionne, que tu ne m'as pas vu, lui déclara d'emblée le Britton. Il vaudrait mieux aussi que ton père l'ignore.

– Pourquoi ? demanda Gaius, surpris.

– Écoute, je ne devrais même pas te saluer en plein jour. Si quelqu'un nous voit, dis surtout que tu m'as rencontré par hasard.

– Ne t'inquiète pas, il n'y a plus personne dehors. Kerig, il faut que je te parle d'Elane.

– Ah, non ! C'est la plus grave erreur que j'aie commise cette année. La Haute Prêtresse est furieuse contre moi. Les choses heureusement se sont arrangées, mais il est préférable que tu ne cherches plus à revoir ma sœur. Il jeta un regard inquiet autour de lui. Il faut que je te quitte maintenant. Tu peux te permettre d'être en ma compagnie, mais pas moi. Je ne dois plus être vu avec un officier romain en uniforme. Mieux vaut même à l'avenir feindre de ne pas me connaître, je te le demande. On s'est rendu compte que je gardais partie liée avec les Corbeaux et que par suite ma situation chez les Auxiliaires risquait de semer le trouble. On m'a donc banni et, si je suis repéré à moins de trente mille d'une ville romaine, on peut m'expédier dans les mines, ou pire encore, s'il y a pire. Alors, adieu !

Réalisant soudain que Kerig ne portait plus les insignes romains, Gaius n'eut pas le temps d'en savoir davantage, car déjà son ami disparaissait au détour d'une ruelle, le laissant seul sous la pluie.

« Ne cherche plus à revoir ma sœur. » Seules ces paroles résonnaient douloureusement en lui. Signifiaient-elles la fin de ses espérances ? Kerig et son père avaient-ils raison ? Fallait-il oublier, rayer de son passé la première grande joie de son existence ?

★
★ ★

Kellen, enfin, était de retour à Vernemeton. Elle s'arrêta sur le seuil de la grande salle, tressaillant malgré elle en entendant le caquetage des femmes, bourdonnement futile qu'elle avait oublié dans le silence de sa retraite.

– Vous voilà revenue, dit Dieda venant à sa rencontre. Après ce que vous a fait Liana, franchement, je ne pensais pas vous revoir !

– Et toi, pourquoi es-tu encore ici ? répliqua Kellen, d'un même ton. L'homme que tu aimes s'étant enfui dans le nord, poursuivi par les Aigles, ta place ne serait-elle pas à ses côtés ?

La virulence de la réplique laissa sans voix la jeune fille qui rougit puis ne parvint pas à cacher sa déception :

– J'y serais s'il me l'avait demandé, répondit-elle, amère. Mais il semble avant tout être fidèle à la Dame des Corbeaux. Si je ne suis pas sûre d'être seule dans son cœur, je prononcerai mes vœux définitifs et renoncerai à jamais aux hommes.

Sa voix se troubla et elle regretta soudain de s'être ainsi dévoilée, refusant d'avance tout témoignage de compassion qu'elle ressentait comme une offense. Mais Elide, heureusement, vint à propos mettre un terme à son embarras.

– Kellen, s'écria-t-elle, se précipitant dans ses bras. Vous voilà enfin parmi nous ! Liana vous attend. Elle ne se plaint jamais mais je sais que vous lui avez beaucoup manqué.

Ayant remercié la jeune fille de son accueil, Kellen gagna la cellule de la Haute Prêtresse, un sourire ambigu aux lèvres. Liana l'avait chassée mais avait hâte de la revoir.

Comme souvent lorsqu'elle la retrouvait après une séparation, elle fut frappée par sa pâleur et sa fragilité, et ne put s'empêcher de penser que ses jours sur terre étaient comptés. Pourtant elle n'était pas en mauvaise santé, ne montrait aucun symptôme de maladie, mais devenait de jour en jour plus diaphane, comme si un feu intérieur la consumait lentement.

– Mère, me voici, dit simplement Kellen. Vous désiriez me voir ?

Liana tourna son visage vers elle ; dans ses yeux clairs brillaient des larmes.

– Oui, mon enfant. Je t'attendais avec impatience, murmura-t-elle. Me pardonneras-tu jamais ?

Kellen traversa vivement la pièce et vint s'agenouiller près de la Haute Prêtresse.

– Qu'avez-vous à vous faire pardonner ? parvint-elle à dire tout émue, posant la tête sur les genoux de Liana. Tout est arrivé par ma faute. Je n'étais pas destinée à être prêtresse. Je n'aurais jamais dû le devenir, et je vous ai causé tant de peine !

Soudain, par la simple imposition des mains de Liana sur son front, la barrière qui avait commencé à se disjoindre la nuit où elle s'était confiée à Elane, se disloqua brusquement.

– J'aurais dû vous parler plus tôt, murmura-t-elle. Mais, au début, je n'ai pas compris et ensuite j'ai eu honte. Mère, je ne suis pas vierge. En Erin, avant même notre rencontre, un homme a lâchement abusé de moi.

Sa voix s'étrangla, un long silence suivit et de nouveau les doigts de Liana lui caressèrent les cheveux.

– Petite fille, petite fille, est-ce donc cela qui te troublait tant ? Je savais qu'une ombre obscurcissait ta vie, mais je ne voulais pas violer ton secret ni interroger la Déesse. Rassure-toi. Tu n'étais pas encore nubile quand nous avons quitté Erin. Comment aurais-tu pu commettre un péché ? Que tout cela reste entre nous, car certains risqueraient de ne pas comprendre. Les apparences doivent toujours rester sauves et c'est pour cette raison unique que je t'ai exilée. Kellen, ma chère enfant, ce qui t'est arrivé avant que tu ne viennes ici n'a d'importance ni à mes yeux ni à ceux de la Déesse aussi longtemps que tu vivras dans Sa maison et que tu La serviras de toute ta dévotion !

Les larmes aux yeux, Kellen se releva, comprenant tout à coup pourquoi depuis toujours, en dehors de quelques rares moments d'exaspération, elle chérissait Liana d'un amour aussi profond que celui qu'elle aurait pu éprouver pour un homme, bien qu'il fût bien sûr d'une essence toute différente. Mais elle aimait aussi tendrement Elane dont la compassion lui avait permis d'affronter et de vaincre ses souvenirs.

Grâce à elle, deux de ses vœux de prêtresse prenaient désormais une nouvelle et réelle signification.

Elane, le lendemain, toujours hantée par le souvenir de Gaius, accueillit avec un soulagement extrême la venue d'une de ses compagnes la priant d'aller trouver Kellen qui la demandait.

— Vous êtes de retour ! s'exclama-t-elle, écartant la tenture qui fermait la cellule de la prêtresse. Personne ne m'en avait avertie ! Depuis combien de temps êtes-vous revenue ?

— Depuis hier seulement, murmura Kellen, serrant la jeune fille sur son cœur. J'ai dû voir d'abord longuement Liana.

Se dégageant doucement des bras de Kellen pour mieux la contempler, Elane observa, ravie, le teint hâlé de son aînée, dont le regard brillant témoignait de sa vitalité retrouvée.

— En tout cas, votre séjour vous a fait du bien ! s'exclama-t-elle, constatant que même la petite ride transversale qui barrait le croissant bleu tatoué entre ses sourcils s'était atténuée. Mais j'espère surtout que vous avez pardonné mon erreur.

— Oui, tout est oublié ! C'est d'ailleurs pourquoi, mon enfant, je t'ai fait appeler. Tu es maintenant depuis longtemps parmi nous et tu ne nous as donné que des satisfactions. L'heure est donc venue de prendre une décision. Veux-tu vraiment devenir l'une des nôtres et prononcer tes vœux ?

— C'est vrai que le temps passe...

Le bébé de Miara était déjà une vigoureuse petite fille et il semblait à Elane, qui avait peine à le croire, avoir toujours vécu à Vernemeton. Pourtant elle n'avait pas la force de renier totalement son passé, tout en sachant qu'il lui était désormais impossible d'imaginer vivre un jour pour un

175

homme, idée d'autant plus insensée que l'homme qu'elle aimait était romain.

— Dieda prononcera-t-elle ses vœux, elle aussi ? finit-elle par répondre, comme si elle cherchait à gagner un ultime délai de grâce.

— C'est une affaire entre elle et la Déesse, qui ne te concerne nullement, répliqua aussitôt la prêtresse. C'est de toi qu'il s'agit pour l'instant. Parle-moi librement et en toute franchise. Souhaites-tu toujours te joindre à nous ?

« Dieda prononcera ses vœux, et moi aussi, se dit intérieurement Elane, puisque ni l'une ni l'autre nous ne pouvons espérer revoir l'homme que nous aimons ! »

— Oui, je le souhaite... répondit-elle d'une voix hésitante, du moins si la Déesse veut toujours de moi, sachant que mon amour s'est d'abord tourné vers Gaius.

— Sois sans crainte, mon enfant. La Déesse ne tient jamais compte du passé. Liana me l'a affirmé hier quand je lui ai enfin avoué ce qui m'était arrivé, petite fille. Je te dois sa bénédiction, Elane, et je suis heureuse de te la transmettre !

Radieuse, Kellen posa les mains sur les épaules de la jeune fille et poursuivit :

— Écoute-moi bien, petite sœur, je vais te dire la vérité qui se trouve au cœur des Mystères. La Lumière de la Vérité est unique, mais nous l'entrevoyons de manière incertaine et diffuse. Hommes et femmes honorent les dieux à leur façon, mais chacune d'entre elles fait partie de la vérité. Nous qui vivons ici dans le Sanctuaire de la Forêt, avons donc le privilège d'honorer la Déesse sous de multiples formes et sous diverses appellations. Mais nous connaissons aussi et surtout le premier et le plus grand de tous les secrets : tous les dieux, toutes les déesses, quel que soit leur nom, ne font qu'un.

— Essayez-vous de me dire que nous honorons les mêmes dieux que les Romains ?

— Oui, c'est la vérité. Voilà pourquoi ils gravent sur les autels qu'ils érigent ici les images de leurs dieux avec les attributs des deux religions. Mais nous, dans le Sanctuaire de la

Forêt, qui connaissons l'identité de tous les dieux, nous pensons servir la Déesse dans Sa forme la plus pure, celle de la divinité incarnée dans chaque femme. Ainsi, nous nous engageons à la servir en tant que Mère, Sœur et Fille. Comprends-tu maintenant pourquoi le visage de la Déesse se retrouve dans celui de toutes les femmes de la terre ?

Elane, en l'écoutant, éprouva un instant une brève colère. Pourquoi lui avait-on alors reproché son idylle avec un Romain si les dieux pour les hommes étaient tous les mêmes ? Elle avait parlé à Gaius devant Kellen qui connaissait la profondeur de ses sentiments. Comment pouvait-elle prétendre maintenant que tout serait oublié une fois ses vœux prononcés ? Son amour pour Gaius lui était aussi sacré que son extase mystique en présence de la Déesse, lorsque son être était imprégné d'Elle comme l'eau de la fontaine sacrée brillant au clair de lune. Enfouissant dans son cœur ses pensées qui lui faisaient mal, Elane alors s'entendit répondre :

— Que va-t-on exiger de moi ?

— Avant tout, tu feras vœu de rester chaste, à moins que tu ne sois choisie par le dieu. Tu t'engageras aussi à ne jamais révéler les secrets du Temple aux non-initiés, à toujours accomplir la volonté de la Déesse et celle de tous ceux qui parleront en Son nom, sous quelque forme qu'Il soit prononcé.

— J'en fais le serment, de toute mon âme.

— Dans ce cas, mon enfant, la Déesse t'acceptera. Je ne peux te donner encore toutes les obligations de notre ordre, car pour chaque candidate, les épreuves sont différentes. Mais sois confiante. L'heure des révélations est proche !

Elane tenta de dissimuler un frisson d'inquiétude. Dans la Maison des Vierges courait une rumeur au sujet des candidates malheureuses qui échouaient. Certaines, disait-on, étaient chassées ou, pis encore, disparaissaient à jamais.

Sachant néanmoins qu'elle ne pouvait désormais revenir en arrière, Elane, d'une voix calme, confirma son engagement :

— Je consens à tout.

– Qu'il en soit ainsi ! Au nom de la Déesse, je t'accepte dès à présent parmi nous.

Elle embrassa Elane ainsi que l'avait fait une jeune prêtresse le jour de son arrivée à Vernemeton et la jeune fille, l'espace d'un instant, confondit les deux baisers, comme si ce qu'elle avait vécu se répétait une seconde fois. Le destin était-il donc toujours tracé d'avance ?

– Tu prononceras solennellement tes vœux en présence des prêtresses à la pleine lune précédant Samain. Liana et ton grand-père vont se réjouir de ta décision.

Une nouvelle fois, Elane eut un moment de stupeur. Elle n'agissait pas uniquement pour faire plaisir. Venait-elle d'offrir sa liberté sous l'influence occulte de sa famille et d'autres forces qu'elle sentait confusément rôder dans l'ombre ?

– Kellen, murmura-t-elle en s'avançant vers la prêtresse. Si je me voue à la Déesse, ce n'est pas parce que je suis fille et petite-fille de druides, mais bien parce que je crains ne plus jamais revoir Gaius. Pourtant, je pressens qu'il existe une autre raison...

– Elane, la première fois que nous nous sommes rencontrées, j'ai eu l'intuition, moi aussi, que ta place se trouvait parmi nous. Désormais, j'en ai l'intime conviction, mais n'ai pas le pouvoir de te dire si tu seras heureuse.

– Je ne crois pas au bonheur sur terre, balbutia Elane, des larmes dans la voix. J'espère seulement qu'il existe une raison à tout cela !

Dans un élan de compassion, Kellen tendit les bras et Elane vint s'y réfugier, avide d'y puiser le seul réconfort qui lui restait.

– Il y a toujours une raison, mon enfant, même si nous ne la comprenons pas tout de suite. C'est la seule certitude que je puisse t'apporter. La Déesse t'aime et agit sur la terre intentionnellement. Quel sens aurait le monde sans cela ?

– Je vous crois, murmura Elane, la joue contre le cœur de Kellen qu'elle entendait battre doucement ; je vous crois à condition que je garde toujours votre affection.

LA COLLINE DU DERNIER ADIEU

— Tu la garderas, affirma la prêtresse d'une voix étrangement émue. Je t'aime comme Liana m'a aimée...

Lumineuse dans le ciel, la pleine lune semblait veiller sur la terre, comme si Arianrhod en personne l'avait chargée de suivre la cérémonie d'initiation d'Elane. Frissonnante dans la nuit, la jeune fille s'avançait vers les lieux sacrés, baignée d'une lumière qui la mettait mal à l'aise mais lui permettrait au moins de ne pas s'écarter du sentier et de retrouver son chemin au retour.

Elle marchait depuis un moment quand elle se rendit compte qu'elle s'était malgré tout égarée, épreuve qui lui était imposée sans doute, supposa-t-elle en maîtrisant les battements de son cœur, pour éprouver ses facultés intuitives. S'imprégnant du pouvoir immuable de la terre, elle reprit donc vaillamment sa route, s'abandonnant à la bienveillante protection de l'astre de la nuit et des étoiles. Se sentant devenir au rythme calme et lent de sa respiration le trait d'union voulu par la Déesse entre la terre et le firmament, toute angoisse et toute appréhension la quittèrent. Autour d'elle le clair de lune filtrait à travers le feuillage comme s'il l'entourait d'un universel halo. Cette grande clarté transformait tout le paysage. Les branches semblaient d'argent, les feuilles étincelaient et sur les pierres dansaient de petites lueurs tremblotantes aussi brillantes qu'une rosée de joyaux. Elane maintenant franchissait, elle en était certaine, l'imprécise frontière qui séparait les deux mondes. Autour d'elle, les arbres et les arbustes familiers, chênes, noisetiers, aubépine, se mélangeaient à d'autres qui lui étaient totalement inconnus. Là, croissait une espèce argentée aux fleurs d'or ; plus loin, poussait un sorbier qui portait en même temps des bourgeons blancs et des baies rouges, alors que dans le monde des humains la floraison était passée depuis longtemps et que les fruits commençaient seulement à mûrir. Les fleurs emplissaient l'air d'un parfum entêtant et elle allait confiante, guidée par une main invisible, oubliant presque dans son enchantement la raison primordiale de sa présence dans la forêt. Obscurément, elle devinait cependant que la libération enivrante de ses sens en éveil allait inévitablement l'exposer à des dangers qu'elle ne serait plus en mesure d'apprécier, ne parvenant à se souvenir des limites et des motivations profondes de sa mission.

S'inquiétant soudain de cette étrange amnésie, elle s'arrêta à l'orée d'une petite clairière, ferma les yeux et implora de toute son âme la Déesse.

– Déesse, viens à mon secours ! Puissances surnaturelles qui régnez dans ces bois, je vous honore et vous vénère. Montrez-moi le chemin juste et vrai !

Alors elle rouvrit les yeux, et entrevit à travers les arbres une large avenue bordée de pierres polies et de rochers grossièrement taillés. Elle s'y engagea sans hésiter, marcha longtemps de l'allure gracieuse des vierges se rendant aux offices, passa entre deux murailles élevées, atteignit une vaste pièce d'eau dont les eaux miroitaient sous la lumière lunaire.

Elane, osant à peine respirer, s'approcha de la rive et se pencha. Une brise soudaine rida le miroir tranquille qui, peu à peu, s'aplanit et retrouva son immobilité.

Elane se courba davantage et, dans ses profondeurs, elle devina une mer émeraude aussi transparente que du verre. L'eau alors, la forêt, les pierres, tout disparut et la jeune fille se sentit attirée irrésistiblement vers elle, comme si, tel un oiseau, elle s'envolait en planant au-dessus des vagues.

Encerclée par les eaux, une île aux falaises de grès rouge émergeait au loin, dominée par des temples blancs disséminés dans des écrins de bosquets sombres. Sur une haute colline, se dressait, plus imposant que tous les autres, un édifice blanc dont le toit brillait comme de l'or.

Elane s'en approcha et distingua une femme en robe couleur de neige qui arpentait les remparts, le regard fixé sur la mer. Son cou, ses poignets et son front s'ornaient de bijoux magnifiques, sa chevelure était de flammes, et ses yeux étaient ceux de Kellen. Au même instant, sortit du temple un jeune homme qui s'agenouilla devant elle et appuya la tête contre son ventre. La prêtresse le bénit et Elane vit des dragons tatoués qui s'enroulaient autour de ses bras. Puis une voix cristalline se fit entendre, pareille à des gouttes de pluie :

> *Elle est perdue, la terre par-delà les vagues,*
> *Que nul n'a pu sauver...*
> *À jamais perdu, le savoir divin...*

Les derniers vers de sa complainte se perdirent dans le vent et l'apparition s'évanouit. Fulgurantes comme l'éclair, de nombreuses années passèrent et le centre de l'île explosa soudain dans le rougeoiement d'un brasier, les eaux s'élevèrent comme un mur de glace aux reflets glauques, engloutissant végétation et temples. Au moment où s'effondrait toute l'île, une flottille s'en éloigna pareille à un vol de mouettes effrayées, et sur les voiles resplendissait un dragon triomphant. Elane suivit les bateaux vers le nord jusqu'au moment où des brumes légères vinrent ternir l'éclat du soleil, la mer à l'infini se parant d'une robe grisâtre.

Une autre terre surgit alors, falaises blanches et hautes collines verdoyantes. Elane survola monts et vallées et arriva au-dessus d'une vaste plaine où de longues files d'hommes encordés traînaient d'énormes blocs de pierre. Mais, déjà, le cercle de granit était presque dressé et la jeune fille, à qui l'on avait souvent conté la Danse des Géants, reconnut le site dans l'instant. L'homme qui conduisait les travaux ressemblait à son père et parlait à un personnage qui rappelait trait pour trait Gaius, brun et trapu comme un Silure. Et quand, d'un geste, il désigna le grand cercle de pierres, Elane, une fois encore, reconnut sur ses bras les dragons que ses muscles animaient comme s'ils étaient vivants.

Un coup de vent parcourut les hautes herbes de la plaine, et aussitôt la scène et les personnages changèrent de nouveau. Elane reconnut son grand-père et la façon inimitable dont il jouait de la harpe, Liana et sa démarche royale, et elle-même, transportée sur un char comme une reine. Un homme de haute taille chevauchait à ses côtés, et elle comprit que c'était grâce à son pouvoir qu'elle avait eu accès à l'Autre Monde.

Une voix claire et musicale s'éleva encore :

> *Tout ce qui a été sera,*
> *Le dragon surgit des flots ;*
> *Seuls demeurent libres les sages...*

Elane vit enfin une colline de granit où poussait la bruyère. Des vents froids qui venaient de la mer soufflèrent en rafales vers l'est, balayant la houle mauve des champs. Il n'y avait d'arbres que le long du détroit, devant la masse sinistre du continent, et Elane reconnut aussitôt l'île de Mona. Elle vit aussi des hommes de son peuple tout de blanc vêtus, des femmes dans leur robe bleu nuit, qui empilaient, le visage grave, du bois en deux énormes tas.

Comme elle demeurait un moment sans comprendre, un rayon de lumière glissa le long du rivage opposé, et elle reconnut l'armée romaine. Les habitants de Mona l'avaient vue, eux aussi. D'un seul coup, les bûchers s'enflammèrent et les prêtresses s'avancèrent en dansant, ombres ondoyantes hurlant leurs imprécations aux soldats. Un moment, les Romains hésitèrent, mais leurs chefs les ayant harangués, le premier rang entra dans l'eau. Le détroit bouillonnait, agité furieusement par la Légion en marche, les guerriers brandissant au-dessus de leurs têtes leurs glaives reflétant le rougeoiement des feux. Sitôt sortis de l'onde, les Romains commencèrent leur carnage. Fumée et sang, sang et fumée...

Les feux enfin s'éteignirent dans le silence, tandis que pointait l'aube blafarde. Déjà les corbeaux s'acharnaient sur les corps, puis s'envolaient en criant, obscurcissant le ciel de leurs ailes.

LA COLLINE DU DERNIER ADIEU

Quand l'Aigle se repaît, dort le Dragon,
Quand vole le Corbeau, pleure la Déesse,
Ce que la haine a semé, la pitié le récolte...

En entendant la mélopée, Elane se sentit envahie par un chagrin immense et ses yeux s'embuèrent de larmes.

Quand sa vision revint, elle était à nouveau au bord de l'eau où elle s'était penchée mais elle n'était plus seule. À sa surface se découpait la silhouette d'un homme vêtu de la dépouille tachetée d'un taureau, la tête ornée d'une coiffe faite des ailes d'un épervier surmontée des andouillers d'un grand cerf, cet étrange costume étant celui que portaient les druides lors des cérémonies rituelles les plus sacrées.

— Seigneur, souffla-t-elle, toute surprise, le saluant avec respect, qui êtes-vous ?

Il sourit et son rayonnement irradia tout le paysage.

– J'ai revêtu de nombreuses formes et j'ai porté des noms multiples. J'ai été l'Épervier du soleil et l'Étalon blanc, le Cerf d'Or et le Sanglier noir. Mais désormais on m'appelle Merlin de Bretagne.

Elane avait, au cours de son enseignement, déjà entendu ce nom. Son âme, lui avait-on appris, ne se matérialisait pas à chaque génération et seuls les très grands prêtres le rencontraient dans l'Autre Monde. On le disait aussi destiné à occuper dans les temps à venir un rôle primordial.

– Que me voulez-vous donc ? répéta-t-elle, éblouie.

– Fille de l'Ile Sacrée, veux-tu servir ton peuple et tes dieux ?

– Je sers déjà la Dame de Vie, répondit Elane d'une voix plus ferme. Et je ferai ce qu'Elle me demandera...

– Voici venue l'heure du choix et des présages. Nombreuses sont les voies qui se croisent, mais il te faut maintenant consentir avec abnégation, car celle qui s'ouvre à toi exige un don total. Si tu la suis jusqu'au bout, n'espère de quiconque ni soutien ni reconnaissance.

– Parle et j'obéirai !

LA COLLINE DU DERNIER ADIEU

– Fille de l'Ile Sacrée, voici l'instant où doivent s'accomplir les anciennes coutumes selon l'usage immémorial. Sans doute crois-tu que la virginité est indispensable ; il n'en est rien. Une prêtresse doit se donner au moment qu'elle-même a choisi et, lorsque la puissance de la vie l'investit toute, elle retrouve sa souveraineté originelle. Une prêtresse se donne mais ne peut être prise. Elle est l'initiatrice suprême qui sanctifie le Roi Sacré afin que soit sans cesse renouvelée la vie sur terre.

– Merlin de Bretagne, voulez-vous de moi ? demanda la jeune fille en tremblant. Que dois-je faire ? Je suis si ignorante !

– Tu ignores encore bien des choses, mais la Déesse est en toi, dit-il en souriant. Il est de mon devoir de La faire renaître par notre union maintenant.

Il ôta sa dépouille rituelle et attira Elane contre son corps nu, symbolique et vivante expression de la puissance divine.

Alors les sens de la jeune fille s'embrasèrent sous la bouche qui avait pris ses lèvres, ses seins, son ventre. « Déesse, cria son âme, vivant la brusque révélation de sa nature intime, Déesse, je m'abandonne toute à toi ! » Elane, dans son essence même, se fondait dans l'Autre et elle ne savait plus si la grande Présence faisait partie d'elle-même ou si, inversement, c'était son corps qui prenait possession d'Elle. Ce qu'elle ressentait au-dessus de tout était une extase infinie, un bonheur éperdu, la fin définitive de sa solitude terrestre, un bien-être sensuel et spirituel bien plus grand et profond que tout ce dont elle avait pu rêver.

Elane brûlait d'un feu si doux qu'il lui semblait attendre depuis toujours la Voix si chère qui chantait à son oreille :

L'ennemi que tu dois conquérir, tu l'aimeras,
La loi que tu dois respecter, tu la braveras,
Ce que tu dois garder, il faudra le donner...
Fille des Druides, par toi le Dragon renaîtra...

Des images flamboyantes traversaient sa conscience : sang et splendeur, batailles et cités de pierre, un tor de verdure

184

dominant une mer intérieure, des flammes et une épée et, pour finir, un homme aux cheveux blonds, dont les yeux étaient ceux de Gaius. Mais prodige plus troublant encore, l'homme qui s'élançait au combat portait l'image de la Dame peinte sur son bouclier !

– Oui, je veux tout ce que vous voulez ! s'écria Elane. Mais ne m'abandonnez pas...

– Fille de l'Ile Sacrée, je resterai près de toi. Tu es Mienne désormais et tu le demeureras jusqu'à la fin des temps.

Elane qui avait déjà entendu ces mots une première fois, savait qu'ils renouaient un lien très ancien, et l'Amour qui la submergeait devenait océan pour se noyer, rideau de flammes inextinguibles où s'anéantissaient le cœur et la conscience.

C'est alors qu'elle eut l'impression de flotter sur une eau froide. Elle sentit la présence d'arbres sombres autour d'elle et, dans le clair de lune, elle entrevit des mains qui se tendaient vers elle pour l'attirer sur le rivage. Frappée de stupeur, elle fit un effort extrême pour ouvrir les yeux et découvrit qu'elle gisait sur l'herbe non loin de la Maison des Vierges.

Essayant de se relever, elle voulut parler mais n'y parvint pas. C'était sans doute préférable car comment relater un mystère trop grand pour être expliqué ? Elle s'étonna pourtant qu'il ne parlât pas de lui-même, car le Feu Divin brûlait encore en elle. En silence, ses compagnes l'aidèrent donc à se mettre debout puis la vêtirent d'une robe nouvellement teinte en bleu, la couleur des prêtresses consacrées.

– Tu viens de suivre la lisière qui sépare les mondes et tu as vu la lumière qui ne fait pas d'ombre. Tu es maintenant purifiée, dit la voix de Kellen.

Elane leva les yeux et reconnut la femme qu'elle avait aperçue dans sa vision, debout sur le rempart.

– Fille de la Déesse, marche pour que tes sœurs puissent t'accueillir !

Les prêtresses la soutinrent et elles se mirent en route vers le Bosquet Sacré.

LA COLLINE DU DERNIER ADIEU

A la lumière ondoyante des torches, Elane vit Liana qui l'attendait, assistée par Elide. Dieda se tenait à ses côtés, les yeux agrandis et brillants comme devaient être les siens, les cheveux plaqués sur son front en mèches humides. « Que lui est-il arrivé ? » se demanda Elane. Leurs regards se croisèrent, et alors toutes les barrières qui les séparaient s'effondrèrent, car elles étaient désormais sœurs.

« Nous allons prononcer nos vœux ensemble », pensa Elane tout heureuse, voyant dans les yeux de Dieda resplendir le sourire de la Déesse.

Autour d'elle, toutes ses compagnes du Sanctuaire de la Forêt étaient présentes. Elle les connaissait depuis trois ans, mais en cet instant solennel, chaque visage reflétait l'Autre Monde.

« Pourquoi les hommes craignent-ils tant la mort puisque nous revivrons ? » se dit encore Elane. Les druides nous l'ont enseigné : l'âme revit sous différentes formes au cours des cycles du renouveau. Bien sûr, elle les avait toujours crus, mais maintenant elle en était absolument certaine. Enfin, elle comprenait la sérénité de Kellen, la sainteté, en dépit de sa fragilité et de ses erreurs, de Liana. Toutes deux, comme elle maintenant, connaissaient l'endroit d'où elle venait et ses inéluctables vérités.

La cérémonie se déroula comme dans un rêve et Elane prononça ses vœux sans hésitation. Elle avait déjà fait dans l'Autre Monde la promesse essentielle, celle qui gouvernait toutes les autres. Son sang chantait encore dans ses veines, la lumière de la Dame scintillait encore dans ses yeux. Aussi ne sentit-elle même pas la piqûre de l'épine, quand on dessina sur son front le croissant bleu, inaltérable et sacré, des prêtresses vouées à la Mère Éternelle.

XIV

TRADITIONNELLEMENT, les prêtresses de Vernemeton devaient se soumettre, après leur initiation, à une période d'isolement. Elane apprécia cet usage, d'autant plus qu'au cours des jours qui suivirent l'épreuve, aussi épuisée que Liana après avoir rendu l'Oracle, elle dut garder le lit. Aussi continua-t-elle, même lorsqu'elle eut recouvré ses forces, à se concentrer sur son monde intérieur afin d'essayer de trouver une explication à ce qui lui était arrivé.

Parfois, il lui semblait que les paroles des druides n'étaient qu'un mauvais rêve né de son amour impossible pour le jeune Romain. Mais lorsque les prêtresses se rassemblaient dans les ténèbres glacées pour saluer la lune d'hiver et qu'elles entonnaient leurs chants, son esprit prenait son essor à l'unisson des voix, envahi par le clair de lune comme par une flamme d'argent, persuadé que son extraordinaire expérience était bel et bien le reflet de la réalité.

Kellen parfois l'observait sans mot dire, mais son regard bienveillant valait pour elle tous les encouragements du monde. Cependant, même quand la prêtresse lui eut enseigné les secrets des Sages qui avaient traversé les mers – secrets que

187

seules pouvaient apprendre celles qui avaient prononcé leurs vœux définitifs –, elle n'eut pas envie de lui parler de Merlin ni du destin qu'il semblait lui avoir annoncé. Quelles qu'eussent été les extases mystiques vécues par ses compagnes, Elane, en effet, demeurait persuadée que le mystère qu'elle avait connu lui avait été spécialement réservé. Ainsi passèrent pour elle et ses compagnes les sombres journées d'hiver, puis, tout à coup, ce fut de nouveau le printemps avec son cortège de mutations et de renouvellements. Mais seul, sur le front d'Elane, demeura immuable le petit croissant bleu de la Déesse.

★
★ ★

Debout, dans le bureau de son père, Gaius respirait l'air frais du matin que laissait pénétrer la fenêtre ouverte. Le printemps triomphait dans les champs et les bois, et l'odeur des pommiers en fleur lui rappelait Elane.

– Que vas-tu faire de ta permission ? lui demanda à brûle-pourpoint le Préfet.

– Je n'y ai pas encore songé. La chasse ne m'attire pas beaucoup. De plus en plus, j'ai horreur de tuer pour le plaisir. Non, vraiment, je n'ai aucun projet.

– Tu devrais aller voir le Gouverneur, suggéra Macellius. Tu ne connais pas encore sa fille.

– Si les dieux me sont favorables, j'espère ne jamais la connaître, répliqua sèchement Gaius en se retournant.

Mais, voyant le regard peiné de son père, il se radoucit.

– Père, je sais qu'elle s'appelle Julia et qu'elle a quinze ans. Je sais aussi qu'elle est en âge de se marier. Je ne suis ni aveugle ni sot.

– Qui te parle de mariage ?

– Personne, et c'est mieux ainsi.

La voix de Gaius était triste. S'il devait se marier, il épouserait Elane et personne d'autre. Sûrement pas en tout cas la fille que son père voulait lui mettre dans les bras.

– C'est bon. Que penserais-tu d'un petit voyage à Londinium ?

– Ah, non ! Vous irez sans moi, répliqua Gaius avec humeur sans se préoccuper de paraître aimable. Si je dois partir, ce sera vraiment loin de la capitale.

– Pourquoi me parler ainsi ? Quelle mouche te pique ? J'espère que tu ne penses plus à cette fille de druide ? répliqua vivement Macellius, comme s'il lisait dans les pensées de son fils. J'espère qu'il te reste assez de bon sens pour savoir qu'elle n'était pas pour toi. Je suis sûr d'ailleurs que tu l'as parfaitement compris et qu'elle est maintenant sortie de ta mémoire.

Refusant de répondre à un souhait auquel il ne pouvait souscrire, Gaius répliqua d'une voix apparemment posée :

– Finalement, je crois que je vais aller voir Albus.

Puis, ne voulant pas donner d'autre explication à son père, il prit rapidement congé de lui et se prépara à partir.

L'esprit plein du souvenir d'Elane, il gagna le sud, s'interrogeant aussi sur le sort de Kerig qu'il n'avait pas revu. Le printemps avançait comme une armée victorieuse, mais il ne sentait ni le froid du matin, ni le soleil qui perçait par intermittence. Albus l'accueillit avec empressement car il cherchait surtout à rester en bons termes avec Rome. Gwenna, la fille aînée de la maison, s'étant mariée, sa sœur cadette s'offrit en vain à le consoler. Gaius, s'efforçant avant tout de donner le change à ses hôtes, ne pensait qu'à revoir Elane, aussi inaccessible dans son sanctuaire qu'une vestale à Rome dans son temple.

Un jour qu'il chassait sans aucune conviction, ressassant sa mélancolie, il déboucha par hasard sur la clairière dévastée où se dressait naguère la demeure de Benedig. Vernemeton n'était pas loin et derrière ses murailles respirait celle qui l'avait sauvé d'une mort certaine. Depuis ce jour déjà lointain où elle avait posé pour la première fois ses yeux sur lui, chaque arbre, chaque pierre dans la forêt lui parlait douloureusement d'elle. Rester dans les parages sans rien tenter pour l'approcher lui parut soudain lâche et indigne d'un officier romain, toujours libre, en dépit de la volonté exprimée par son père, de mener son destin comme il l'entendait. Les fêtes de Beltane allaient se dérouler bientôt ; il fallait s'y rendre et tout faire pour saisir l'occasion de la retrouver.

C'est pourquoi, le soir même, installé devant un bon feu, il fit part à Albus de son intention de se rendre dans le sud visiter la famille de sa mère.

Approuvant son idée, son hôte cependant le pressa de rester quelques jours de plus.

— Les chemins seront encombrés à la veille des fêtes du printemps. Attendez un peu que tout rentre dans l'ordre. Les choses seront alors plus faciles pour vous.

— Ne vous inquiétez pas, répliqua le jeune homme. Je ne serai pas importuné si je ne voyage pas en uniforme. Nous sommes de la même taille. N'auriez-vous pas quelques habits à me prêter ? Vêtu comme les gens du pays, j'attirerai moins l'attention.

Ne voulant surtout pas contrarier le fils du Préfet, Albus, le voyant résolu, s'exécuta sans rechigner.

Aussi Gaius put-il, dès le lendemain, prendre congé de son hôte. Portant des braies en cuir tanné et une tunique verte, drapé dans un volumineux manteau en laine épaisse, il n'avait plus rien d'un officier romain.

— Les nuits sont encore fraîches, déclara Albus en le complimentant sur sa métamorphose. Vous aurez besoin de ces vêtements chauds au crépuscule. Que les dieux vous protègent ! Vraiment vous n'êtes plus Gaius Macellius Severus.

— Non, je suis devenu l'un des vôtres ou presque. Ma mère, si elle me voit, doit être heureuse. Adieu !

LA COLLINE DU DERNIER ADIEU

★
★ ★

Le matin de Beltane, Elane se réveilla avec une étrange prémonition. En ce jour de fête où, chaque année, le cœur des garçons et des filles entonnait secrètement un hymne à l'amour, le sien, encore plus fort, lui rappelait les heures d'une trop brève rencontre.

Certes, dans le chaste Sanctuaire de la Forêt, elle n'aurait pas dû se laisser envahir par de telles pensées ou, du moins, elle aurait dû les considérer avec le détachement de ceux pour qui ne comptent plus les désirs charnels. Durant l'hiver, elle n'avait pas eu de mal à les museler, et il lui avait semblé même que la passion transmise par Merlin s'était totalement épurée au point de devenir aussi radieuse que la flamme de l'autel.

Mais maintenant que la sève montait dans les arbres et que les bourgeons s'épanouissaient en fleurs, elle commençait à s'interroger. Sa vision de nouveau venait troubler son sommeil, son corps s'enflammait et, chaque nuit, elle rêvait d'un amant, qui avait le visage de Merlin ou celui de Gaius, parfois même celui d'un étranger au regard dominateur d'un roi.

– Elane ! Liana t'a-t-elle demandé de l'aider ce matin à se préparer ? (La voix de Meline la ramena à la réalité et elle fit non de la tête.) Alors, pourquoi ne pas profiter de la liberté qui nous est offerte en ce jour, celle de pouvoir, voilées, nous mêler à la foule ? Un peu d'air frais te fera du bien. Emmenons Senara, si tu veux, elle sera ravie de sortir, elle aussi.

La matinée était si belle qu'Elane accepta sans hésiter. Dehors les haies d'aubépine brillaient comme si la lumière du soleil s'échappait joyeusement de toutes les branches ; mais la foule, déjà dense, provoqua en elle, habituée au calme et au silence de plusieurs mois de réclusion, un imperceptible mouvement de recul. Il est vrai qu'elle s'était toujours sentie

191

mal à l'aise dans la cohue, mais aujourd'hui elle avait vraiment l'impression de se trouver nue au milieu des autres. Enfermée dans sa solitude depuis le jour où elle avait revu Gaius, elle avait ce matin l'impression que tous les habitants de l'Ile de Bretagne s'étaient donné rendez-vous pour narguer sa retraite, déployant sous ses yeux une vitalité provocante à seul dessein d'ébranler sa sérénité en lui faisant regretter ou douter de ses engagements.

– Liana viendra-t-elle aujourd'hui ? demanda Senara qui trottinait à côté d'elles.

– Oui, en compagnie d'Ardanos, répondit Meline. Se montrer à la foule les jours de fête fait partie de sa mission, mais ce n'est pas ce qu'elle préfère. Entre nous, continua-t-elle, s'adressant à voix basse à Elane, elle vieillit beaucoup et je la trouve fatiguée. Tous les ans, je me demande si elle ne célèbre pas sa dernière fête.

– La crois-tu à la fin de sa vie ? demanda Elane, ne pouvant réprimer un frisson.

– Je le pense, répondit sa compagne. Pour une prêtresse heureusement, la mort est aussi importante que la naissance, tu le sais.

Elane constata, non sans inquiétude, qu'elle ne partageait pas cet avis. Elle voulut le dire mais les cris de la foule l'en empêchèrent.

Devant elles, un groupe de badauds entourait un montreur d'ours. Senara voulut le voir et elles durent s'avancer au premier rang.

– Pauvre bête ! s'exclama l'enfant, voyant l'animal muselé tourner en rond sur ses pattes arrière.

– Parfois, je me dis que la Haute Prêtresse est comme cet ours, souffla Meline en soupirant. Toujours en représentation, elle ne peut jamais dire ce qu'elle pense.

Elane en fut choquée :

– Meline, tu ne devrais pas parler ainsi.

– Et pourquoi non ? Dire la vérité n'est pas mal dire, répliqua-t-elle vivement. Mais, bien sûr, ce que je dis est ma vérité à moi. Je regrette simplement la faiblesse de Liana et me demande...

En voyant l'ours retomber sur ses pattes antérieures et, de sa démarche lourde, tirer sur sa chaîne, Meline ne termina pas sa phrase. Elle saisit par la main l'enfant et chercha à s'enfuir, mais la foule compacte les pressait de toutes parts. Elane, de son côté, marcha par inadvertance sur une robe et se fit rabrouer vertement par sa propriétaire.

Elle s'excusa, et essayant de se faire toute petite, voulut rejoindre ses compagnes. Mais séparées par un mouvement de foule, elle se retrouva seule, isolée au milieu d'inconnus pour la première fois depuis des années.

Prise dans le tumulte, ballottée, encerclée, étouffée, Elane aperçut soudain une trouée dans la mêlée, parvint à s'y couler à grand-peine, reprit son souffle et son sang-froid à mesure que s'éclaircissaient les rangs des spectateurs. Enfin, elle respira à l'air libre, cherchant à se repérer pour regagner rapidement le Temple.

Comme elle regardait autour d'elle, le visage protégé par son voile, elle crut apercevoir la robe d'une prêtresse, mais qui n'était, en réalité, que le sombre manteau d'un étranger. Elle allait le quitter des yeux, quand la démarche inoubliable de l'homme qu'elle aurait reconnu entre tous la cloua sur place, pétrifiée. Un instant elle crut défaillir, puis s'élança vers lui en criant son nom : Gaius !

Le jeune homme s'arrêta brusquement et tourna la tête, mais déjà Elane se jetait dans ses bras, incapable de prononcer un mot, se serrant précipitamment contre lui. Sentant qu'elle tremblait de tous ses membres, il l'étreignit plus fort, prisonnier lui aussi du cercle merveilleux qui les unissait à nouveau de toute sa puissance.

— Elane..., murmura-t-il. J'ai tant voulu, tant espéré te retrouver !

— Gaius ! Moi aussi, je sentais ta présence, sans y croire. Je me suis égarée et cherchais à regagner Vernemeton, balbutia-t-elle en s'écartant de lui.

193

– Ne me quitte pas ! Je suis venu ici avec le seul espoir de te revoir. Reste ! supplia-t-il, l'attirant de nouveau contre lui. Je ne supporterai pas de te perdre encore une fois. Elane, ne me laisse pas, c'est le Destin qui veut nous réunir.

Ses lèvres et son souffle effleurèrent sa tempe.

À la fois effarée et ravie, Elane leva les yeux vers lui, retrouvant avec ravissement ses cheveux bruns bouclés, sa mâchoire volontaire sous la courte barbe, le regard brûlant de ses yeux sombres, ceux qui l'avaient envoûtée dès le premier instant, lorsqu'elle s'était penchée quatre ans plus tôt dans la forêt au-dessus de la fosse où gisait le blessé.

« Mon pauvre amour, pensa-t-elle, qu'allons-nous devenir puisque je t'aime toujours ? »

– Ne pars pas, c'est impossible, insista-t-il avec fougue.

– Non, puisque tu le veux, murmura-t-elle, vaincue.

Alors, il souleva le voile et dégageant son front, vit pour la première fois le croissant bleu entre ses sourcils. Ne pouvant ignorer ce qu'il signifiait, il resta cependant impassible et la garda serrée contre lui.

Elane ne chercha pas davantage à s'échapper, car la seule pensée qu'elle pût ne jamais le revoir obscurcissait déjà son ciel. Elle allait donc désobéir à Kellen, s'écarter de la voie qu'on lui avait tracée, mais, cette fois, son aînée n'aurait nullement à en pâtir.

Deux passants, qui les avaient heurtés, se retournèrent, surpris d'apercevoir le visage d'une prêtresse. Gaius, se rendant compte de leur imprudence, enveloppa sa compagne de son manteau après avoir rabaissé le voile qui lui dissimulait le front.

– Éloignons-nous de la foule, recommanda-t-il à voix basse, échaudé par l'incident, l'entraînant à grands pas pour la dérober aux regards.

Quand ils furent à l'abri d'un bosquet de noisetiers touffus, Gaius, tout à la joie d'avoir maintenant son aimée à lui seul, lui résuma fébrilement le cours des événements depuis leur dernière rencontre : sa désespérance d'avoir été séparé d'elle, son obsession de la retrouver, le hasard et la volonté du Destin qui l'avaient guidé jusqu'à elle, le bannissement de Kerig aussi et la volonté de son père de lui faire épouser une jeune Romaine, fille du Procurateur.

— Vas-tu lui obéir ? demanda-t-elle, sentant sourdre en elle une lancinante blessure.

— Tu sais bien que je n'épouserai jamais que toi ! cria-t-il presque, plongeant avec ferveur ses yeux dans les siens. Et toi, tu le veux aussi, n'est-ce pas ?

— Je ne peux me marier, tu le sais, Gaius, j'ai voué ma vie aux dieux.

— Alors, moi non plus, je ne me marierai jamais, dit-il farouchement, un voile de tristesse ternissant son regard.

Mais, malgré l'élan de bonheur qui montait en elle, la prescience d'Elane lui apprit le contraire. Une image floue se précisa, la silhouette d'une femme qui serait son épouse. Elle eut une crispation douloureuse, voulut lui dire sa détresse, mais les mots s'évanouirent sur ses lèvres. Pourquoi lui en vouloir ? Elle n'avait pas le droit de le condamner à la solitude, puisqu'elle ne pouvait plus elle-même se libérer. Quels mots, quel pouvoir impossible pouvaient effacer le croissant bleu entre ses yeux ?

Elle trébucha sur une racine et Gaius chercha à la retenir. Ils étaient maintenant entrés dans le sous-bois. Le monde autour d'eux s'était assourdi puis tu, comme s'ils marchaient depuis longtemps sur les chemins de l'Autre Monde. La frondaison des arbres les enveloppait de leur ombre protectrice, furtivement éclairée çà et là par un rayon de soleil mutin, se jouant de la masse compacte du feuillage pour se glisser jusqu'à eux.

— Elane, murmura Gaius, l'étreignant davantage. Elane... je t'en prie !

Elle sentit alors la force de son désir, et le monde s'arrêta. Les yeux grands ouverts, elle voyait, clairement, terrible certitude, le présent se mêler et se fondre dans le passé et le futur. Sans doute le Destin les avait-il réunis, mais c'était elle, et elle seule, qui en cet instant même allait décider de leur propre avenir. Le cercle de ses perceptions s'agrandit alors, et elle revit avec une acuité terrible le guerrier de sa vision, l'homme aux cheveux éclatants, aux poignets ornés de dragons.

De ses mains tremblantes, Gaius cependant l'avait étendue sur la mousse. Il repoussa son voile, caressa sa joue, s'attarda un instant sur les courbes veloutées de son visage ; puis, comme aimantée par une force irrésistible, sa main glissa le long du cou et se posa sur les seins par l'entrebâillement de la robe.

Elane frémit. N'avait-elle pas juré, six mois plus tôt, qu'elle garderait sa virginité pour le Roi Sacré ? Mais, en même temps, une voix répondait pour elle : *D'un homme issu de deux sangs naîtra un Roi...* Ainsi avait parlé Merlin, telle devait donc être sa destinée.

— Nous ne pouvons nous marier selon la loi des hommes, s'entendit-elle dire encore. Gaius, veux-tu me prendre pour femme selon les anciennes coutumes, au temps où les prêtresses s'accouplaient avec les hommes de la lignée royale avec la seule bénédiction des dieux ?

— Elane, Elane ! je t'aime, gémit-il, caressant d'une main plus précise les seins aux pointes roses qui se gonflaient de plaisir. Jusqu'à la mort, et dans l'au-delà, par Mithra et la Mère...

Avec Merlin, elle s'était embrasée et une grande flamme avait parcouru tout son corps. Mais cette fois, plus chaude, plus dévorante encore, elle montait de la terre, brûlante et destructrice.

Elane effleura le visage de Gaius et lui, d'une main maladroite, parvint à dénouer ses cheveux. Leurs lèvres alors se trouvèrent, non plus avec l'hésitation des premiers baisers, mais avec l'ardeur du désir inassouvi. Surprise, Elane ne répondit pas aussitôt à l'assaut du jeune homme, mais elle sentit bientôt monter en elle une joie si profonde que sa bouche s'ouvrit, avide de l'accueillir.

— Je suis heureuse, bredouilla-t-elle, si heureuse...

Et ses bras enlacèrent le cou de son amant, l'attirant sur son corps, emporté par un torrent de feu. Devinant tout contre elle la dure virilité du garçon dont les mains emprisonnaient furieusement ses reins, elle plaqua son ventre encore plus étroitement contre le sien. Ses forces l'abandonnaient, ses genoux s'ouvraient irrésistiblement, sa taille se cambrait, avide de sensations inconnues.

Gaius, lui, comme ébloui par une lumière trop violente, explorait maintenant, sans rencontrer de résistance, les intimes trésors de sa féminité. Souffles, larmes et baisers confondus, ils se livraient l'un à l'autre avec un même délire, haletants, brisés, comblés, engloutis dans un océan d'indescriptible félicité.

N'en pouvant plus d'attendre, Elane alors s'offrit à lui de tout son corps, de toute son âme.

— Viens, mon Roi, chuchota-t-elle, brûlée au fer rouge par la flamme qui la consumait, viens, prends-moi, je t'en supplie !

Et il entra en elle comme le soleil dans la mer qui disparaît le soir en un ultime embrasement, avant de plonger dans l'abîme sans fin de l'éternel recommencement.

L'ombre envahissait les bois quand ils reprirent conscience. Elane voulut se relever, mais Gaius la retint pour l'embrasser encore.

— Je t'en prie, je dois maintenant regagner le Sanctuaire, car on va s'inquiéter, dit-elle, la bouche contre ses lèvres.

— Ne retourne pas auprès d'elles, plaida Gaius en se soulevant sur un coude pour mieux la voir. J'ai tellement peur pour toi.

— Je suis la petite-fille du Haut Druide. On n'osera pas me châtier.

— Si seulement j'étais là pour te défendre... Personne n'aurait l'audace de lever la main sur toi.

— Nous ne serions pas plus en sécurité si nous nous enfuyions ensemble. Où irions-nous d'ailleurs ? Les tribus insoumises du nord m'accepteraient peut-être, mais toi, mon pauvre amour, tu serais en danger. Rome est ta patrie et tu dois la servir. Quant à moi, si je n'ai pas tenu tous mes engagements, je n'ai pas pour autant trahi. Ma vie est toujours vouée à la Déesse. Elle me protégera !

XV

S'ÊTRE abandonnée tout entière dans les bras de Gaius n'avait en rien, malgré ce que l'on chuchotait dans la Maison des Vierges, altéré les pouvoirs d'Elane. Grâce à eux, elle avait regagné sans encombre sa cellule, sans pouvoir éviter cependant que sa brève disparition, considérée par toutes comme une coupable escapade, suscitât chez des femmes cloîtrées un sentiment d'instinctive jalousie et de frustration.

Revivant donc au fil des jours les minutes fulgurantes passées avec Gaius qui avait su, si tendrement, libérer en elle tant de plaisir et de passion brûlante, Elane ne pouvait s'empêcher de s'interroger. Devait-elle regretter et pleurer sa virginité perdue ? La Déesse allait-elle se venger, la faire mourir peut-être, pour avoir failli à son serment ? Et quand cela serait, son sort ne serait-il pas encore mille fois préférable à celui d'être restée vivante sans avoir connu cet inaltérable et immense bonheur ?

Les semaines passèrent et Elane peu à peu, reprise par le cours immuable des rites et des prières qui ponctuaient chaque jour de sa vie, retrouva un certain équilibre, en marge de la réalité des choses. Elle participa aux cérémonies de la

199

pleine lune aux côtés de Liana et la foudre ne la frappa point. Elle poursuivit ses études, approfondit son initiation, améliora ses connaissances pratiques et intellectuelles.

Les beaux jours, les sorties se faisaient dans les jardins ou le Bosquet Sacré. Parmi les treize chênes, douze formaient un cercle et le treizième, le plus vieux qui se trouvait au centre, ombrageait les pierres de l'autel. Elane ne se lassait pas de les admirer, persuadée qu'ils retenaient dans leurs branches un peu de la magie dont la lune les revêtait la nuit. Ce jour-là, dans la douce chaleur d'un après-midi ensoleillé, la jeune fille, sentant une faiblesse envahir ses membres, les yeux levés vers la cime percevait par intermittence la voix bien timbrée de Kellen, tout en songeant intensément que cette lumière qui perçait à travers le feuillage avait aussi illuminé sa rencontre surnaturelle sous la voûte vert émeraude d'une clairière.

– Jadis – la voix de Kellen lui parvenait à nouveau – existait une communauté de neuf prêtresses qui chacune représentait l'une des régions de ce pays et conseillait leur reine.

– Ces femmes devenaient-elles reines à leur tour ? demanda Dieda.

– Leur rôle auprès du futur roi était plus discret, bien qu'elles fussent elles-mêmes souvent d'une lignée royale. Mais, au moment du couronnement, elles devenaient parfois le canal par lequel la Déesse conférait au monarque un pouvoir qu'il transmettait lui-même à la reine.

– Alors, elles n'étaient pas vierges ? demanda Meline.

A ces mots, Elane retrouva soudain ses esprits, se rappelant ce que Merlin lui avait dit. Avait-elle représenté la Déesse pour Gaius, lors de leur étreinte ? Quel allait donc être le destin de son bien-aimé ?

– Les prêtresses partageaient la couche des hommes quand le service de la Déesse le réclamait, précisa Kellen d'un ton neutre. Mais elles ne se mariaient pas et ne portaient des enfants que pour éviter la fin d'une dynastie. Elles demeuraient entièrement et pour toujours libres.

200

– Nous n'avons pas ce privilège. Nous ne nous marions pas, mais on ne peut pas dire que nous soyons libres nous-mêmes, observa Dieda, non sans amertume. La Prêtresse de l'Oracle a beau choisir celle qui doit lui succéder, il lui faut l'approbation du Conseil des Druides.

– Pourquoi les choses ont-elles changé ? intervint à son tour Elane d'une voix vibrante. Est-ce à cause des massacres de Mona ?

– Oui, les druides affirment que notre sécurité est à ce prix, répliqua Kellen d'un ton prudemment détaché. Notre virginité de Vestales oblige les Romains à nous respecter.

Réconfortée par cette révélation qui explicitait clairement que l'amour pour un homme – interdit par les druides par prudence –, ne pouvait nullement offenser la Déesse Mère, Elane fixa Kellen avec reconnaissance.

Mais Meline insistait à nouveau :

– Devrons-nous toujours vivre ainsi ? demanda-t-elle, avide de savoir. N'existe-t-il pas un lieu où nous puissions servir la Déesse sans qu'interviennent les hommes ?

Kellen ferma les yeux un court instant et répondit :

– Si, il existe, mais il est hors du temps, protégé et isolé du monde par une brume magique...

Elane vit la brume qui dérivait comme un voile sur les eaux argentées, survolées par un grand vol de cygnes blancs qui prenaient leur essor.

Rassérénée, Elane s'apaisa peu à peu. Mais, vers le milieu de l'été, elle commença à comprendre pourquoi la Déesse ne l'avait pas frappée de sa foudre. Un autre destin l'attendait auquel la mort eût été préférable. Lorsque les pommes commencèrent à mûrir sur les arbres et que les champs s'enorgueillirent des richesses de la terre, elle réalisa enfin qu'elle portait un enfant de Gaius.

D'abord, elle avait voulu croire que ses brusques accès de fatigue, ses langueurs passagères n'étaient que le contrecoup des tensions et des émotions vécues depuis plusieurs semaines. Mais l'interruption de ses indispositions mensuelles l'avait bien obligée à regarder la vérité en face : Beltane, comme pour la nature, avait agi en elle et fait son œuvre.

Une joie instinctive compensa alors sa détresse. Au moins, elle garderait le souvenir impérissable de ces instants magiques ! Mais à ces brefs emballements succédaient des heures de découragement absolu. Alors elle se mettait à pleurer sans raison, ressentant encore davantage l'absence de sa mère qui l'aurait soutenue et choyée. Ne pouvant jouir de ce réconfort, elle se persuadait même qu'il était somme toute juste de subir le châtiment d'un crime sacrilège.

Autant qu'elle pouvait d'ailleurs s'en souvenir, jamais sa sœur Miara n'avait enduré de tels malaises au début de ses grossesses. Même l'eau de la Source Sacrée, que les prêtresses, réunies le jour le plus long de l'année, buvaient et interrogeaient avec tant de ferveur, la glaçait maintenant jusqu'aux os !

Le regard de Kellen se posait enfin de plus en plus souvent sur elle. Curieusement, la prêtresse semblait malade, elle aussi, et Elane, pourtant très proche d'elle, ne parvenait pas à en déceler les causes. Kellen prétendait seulement ressentir les mêmes troubles qu'elle, ce qui ne laissait pas de l'inquiéter au plus haut point. Et si sa faute venait à rejaillir sur la communauté entière ? Si cette maladie frappait d'abord Kellen, sa préférée, puis l'ensemble de ses compagnes dans le Sanctuaire de la Forêt ?

Kellen cueillit quelques branches de thym dans la cour intérieure et le respira longuement. Il embaumait. Comme elle s'apprêtait à en prendre davantage, son attention fut attirée par une plainte étouffée derrière un mur, suivie d'un froissement de tissu et d'un bruit de pas furtifs. Puis une silhouette blanche se glissa sous la voûte, cherchant visiblement à se dérober aux regards.

Reconnaissant aussitôt Elane, la prêtresse l'appela avec autorité, l'invitant sans ambages à approcher. S'arrêtant net, Elane s'exécuta en traînant les pieds. Les yeux cernés et le teint hâve, elle semblait exténuée et Kellen se demanda, en l'observant, comment elle avait pu jusqu'ici ne pas s'apercevoir de sa faiblesse. L'équilibre incertain de sa démarche, la nausée dont elle venait d'être victime, ses seins gonflés trahissaient pourtant sans conteste son état.

– Depuis combien de temps sais-tu ce qui t'arrive ? depuis Beltane ?

Elane, au bord des larmes, le visage crispé, baissa la tête, incapable de répondre.

Alors, n'y tenant plus, Kellen ouvrit les bras et la jeune femme s'y précipita, éclatant en sanglots.

– Kellen, oh Kellen, si tu savais ! Je me sens si épuisée, si mal ! Je crois sans cesse que je vais mourir !

– Allons, allons, calme-toi, mon enfant ! C'est la vie, et non la mort, que tu portes en toi.

Ses yeux s'emplirent de larmes. Certes, il s'agissait d'une terrible nouvelle et pourtant, elle ne pouvait s'empêcher d'éprouver un sentiment d'envie désespéré. Son corps aussi la trahissait souvent, alors qu'allait bientôt disparaître en elle sa propre fertilité de femme dont elle n'avait pas fait usage, à moins que ses malaises ne fussent le signe d'une mort prochaine.

– Quel est le responsable de tout cela, ma chérie ? murmura-t-elle, la bouche contre les cheveux de la jeune femme. Maintenant, je m'explique ta tristesse et les instants où tu semblais si loin. Pourquoi ne pas m'avoir parlé ? As-tu douté de moi ? As-tu pensé que je ne te comprendrais pas !

Elane leva vers elle des yeux rougis de larmes.

– Ce n'était pas un viol, tu sais...

Kellen, qui la savait incapable de mentir, soupira.

– Alors, c'est donc le jeune Romain.

D'un signe de tête, Elane répondit affirmativement à ce qui n'était pourtant pas, à l'évidence, une question.

– Pauvre enfant... Si tu m'avais prévenue à temps, nous aurions pu tenter quelque chose, mais il est trop tard, tu es enceinte de trois mois. Il va falloir nous confier à Liana.

– Que va-t-elle faire ? demanda Elane, tremblante.

– Je ne sais pas. Une ancienne loi condamnait à mort toute prêtresse ayant violé ses vœux, mais elle ne s'appliquera pas à toi, j'en suis sûre.

– Quelle honte ! N'es-tu donc qu'un animal ? s'écria la Haute Prêtresse, avec indignation. Quel est l'auteur de cette ignominie ?

Elane recula, secouant désespérément la tête.

– Mais tu l'as fait exprès ? Tu ne t'es même pas défendue ? Tu n'as pas crié ? Traîtresse ! As-tu voulu nous humilier toutes, ou, pire encore, n'as-tu pensé à rien ? En rut comme une bête, c'est cela, après tout ce que nous avons fait pour toi !

Hors d'elle, la prêtresse suffoquait.

Kellen, cette fois, s'alarmait. Jamais elle n'avait imaginé si violente réaction. La Haute Prêtresse était d'une santé de plus en plus précaire et l'état dans lequel elle était risquait encore de l'aggraver. Mais comment revenir en arrière ?

Soudain, Liana frappa Elane au visage.

– Tu n'es qu'une coureuse, une allumeuse, une putain !

– Liana…, s'interposa Kellen vivement, voyant le visage de sa protégée s'embraser, Liana, je vous en prie ! Voyez dans quel état vous êtes, c'est folie ! Je comprends votre émoi, mais il faut avant tout vous ménager, examiner avec sérénité l'épreuve qui nous est infligée.

Doucement, elle passa une main sur le front de la Haute Prêtresse qui s'effondra dans ses bras.

Kellen alors, l'ayant assise, versa dans un gobelet une potion calmante que contenait un flacon et la porta aux lèvres de Liana. Celle-ci respira d'abord l'odeur de menthe qui se répandait dans la pièce, puis consentit à en absorber quelques gouttes en tremblant. Éprouvant son effet bénéfique, la Haute Prêtresse laissa échapper un long soupir et se redressa, ayant apparemment maîtrisé un peu son ressentiment.

– Assieds-toi, dit-elle le souffle court à Elane restée debout, lui désignant un trépied. Un homme et une femme seront toujours un homme et une femme. Qu'y pouvons-nous ? Je me suis emportée, ne m'en veux pas. Avoue tout de même, mon enfant, que tu nous mets dans un grand embarras. Mieux vaut mettre tout de suite Ardanos au courant.

– Mère, intervint Kellen, en quoi se trouve-t-il concerné ? Elane n'est pas la première à s'être laissé enflammer par les feux de Beltane et ne sera pas la dernière. Que son père soit Benedig n'arrange rien, évidemment, mais Ardanos et lui seront bien obligés de s'en accommoder ! Il n'en reste pas moins que le destin d'une prêtresse de Vernemeton nous regarde seules. Serions-nous incapables de trouver une solution ?

– Là n'est pas la question, répondit Liana, agacée. Ardanos ne peut rester dans l'ignorance.

– Pourquoi ? Quelle loi nous oblige à l'informer à moins de se référer aux seules lois romaines qui bafouent l'importance et le rôle des femmes ? Tenez-vous la sagesse du Haut Druide en si haute estime ?

– Comme tu t'emportes inutilement, Kellen ! Tu sais parfaitement qu'il ne s'agit pas de sagesse, mais de pouvoir. Le traité qui assure la protection de notre sanctuaire le place sous sa dépendance.

– Je le sais bien et le déplore. Il n'est pas notre dieu ! Les femmes de notre ordre seront-elles toujours contraintes de s'en remettre à lui ?

– Kellen, Ardanos est l'un des rares survivants de la famille d'Elane. À ce seul titre, il doit être informé. Veux-tu, toi aussi, augmenter mes tourments ?

Une vague de pitié envahit, malgré elle, la prêtresse. Manifestement Liana était épuisée physiquement. Incapable d'assumer seule ses responsabilités, elle aspirait avant tout à s'en décharger sur le Haut Druide.

Elane, quant à elle, gardait le silence. Sa confession lui avait ôté toute force et ce qui se passait autour d'elle ne semblait pas la concerner. Son destin cependant était en jeu ! Kellen se battrait donc pour elle.

205

– Très bien, acquiesça cette dernière, décidée à affronter le druide. Faites mander Ardanos. Mais réfléchissez bien avant de lui livrer sans défense notre enfant.

– Eh bien, que se passe-t-il ? Quelle nouvelle si importante avez-vous à me révéler ? demanda Ardanos, faisant face aux trois femmes qui l'attendaient.

– Que les choses soient bien claires, attaqua aussitôt Kellen. Ce n'est pas moi qui vous ai mandé et, sur mon lit de mort, je proclamerai encore que vous ne détenez aucune autorité sur les prêtresses !

– Femme ! répliqua Ardanos d'une voix de stentor.

– Ne m'appelez pas « femme » sur ce ton, comme si vous méprisiez celle-là même qui a été votre mère ! l'interrompit Kellen avec véhémence. Ces hommes qui ne craignent pas la Déesse, qui sont-ils d'abord pour parler à Sa place ?

– Ne serait-il pas plus simple de me dire sans détour l'objet de cette rencontre ? reprit Ardanos s'adressant cette fois à Liana. Parler avec Kellen est impossible.

Liana émit un son étranglé, toussa, puis parvint enfin à s'exprimer.

– Ardanos, ce que nous avons à vous dire est difficile. Elane est enceinte du fils du Préfet et nous sommes perplexes quant à la conduite à tenir.

Le regard stupéfait du Haut Druide se porta sur sa petite-fille.

– Qu'entends-je ? Est-ce vrai ?

Elane hocha la tête affirmativement.

– Eh bien, tonna le druide, la nouvelle est en effet consternante ! Malheureuse ! Te rends-tu compte que les Romains ont uniquement consenti à protéger notre Sanctuaire parce qu'il leur rappelait le Temple des Vestales, mais surtout en raison de la virginité imposée aux femmes aussi bien dans nos murs qu'à Rome ! Ignores-tu que la mort est réservée aux prêtresses qui violent leurs serments ! Seule l'union avec le Roi Sacré, tu le sais, dispense de cet engagement.

— La mort ? C'est impossible ! s'exclama Kellen s'avançant vers lui, comme si elle voulait faire de son corps un rempart. J'avais bien dit qu'il ne fallait rien vous dire. Ah ! vieillard sans cœur !

Mais voyant Liana s'effondrer sur sa chaise, elle se précipita vers elle pour la soutenir.

— Vous voulez donc aussi sa mort à elle ! s'indigna-t-elle sourdement.

Ardanos s'approcha lui aussi.

— Elle n'est qu'évanouie, dit-il, paraissant néanmoins ébranlé. Étendons-la sur sa couche.

Comme Liana rouvrait les yeux et prononçait tout bas quelques mots inaudibles, il se pencha vers elle.

— Pas la mort, bredouilla-t-elle plus distinctement. Elle ne résoudrait rien et ne ferait qu'aggraver le scandale.

Le Haut Druide se tourna alors vers Elane qui avait suivi la scène, pétrifiée sur un banc, incapable de prononcer un mot, de faire un geste.

— Elane, tu dois savoir que s'il s'était agi de ma propre fille, Dieda, j'aurais parlé de même.

— Dieda ne pourra jamais se trouver dans ce cas ! Encore faut-il aimer pour en arriver là, persifla Kellen.

— Laissons Dieda en paix, intervint Liana d'une voix lasse mais ferme. Ne pensons pour l'instant qu'à sauver Elane.

— Mère, vous avez raison. Ardanos, d'ailleurs, sait comme nous que la sanction suprême dont il vient de parler n'est plus appliquée depuis de longues années.

— Que suggérez-vous donc ? avança le Haut Druide prudemment, ne pouvant s'empêcher en lui-même de savourer l'inquiétude et le grand embarras de Kellen.

— Le cas s'est déjà présenté. L'enfant de Meline, par exemple, a été engendré par le Roi de l'Année. Il est vrai toutefois qu'elle a fait une fausse couche ; le problème ne s'est donc pas posé. En revanche, si mes souvenirs sont exacts, un cas semblable s'est présenté il y a cinq ou six ans. On s'est alors simplement contenté d'éloigner la fautive.

207

– Je m'en souviens, approuva Ardanos, mais à la différence d'Elane, elle n'appartenait pas à la famille du Haut Druide...

– Nous y sommes ! triompha Kellen. Vous ne craignez en somme que de voir entacher votre réputation !

Souhaitant avant tout dédramatiser le débat, la Haute Prêtresse s'interposa une seconde fois :

– Kellen, je t'en prie, dit-elle, calme-toi. Oublie tes divergences avec le Haut Druide. Seul compte pour le moment le sort de cette pauvre enfant. Il faut mettre tout en œuvre pour la sauver.

Ardanos approuva.

– Personne n'est encore au courant, dit-il. Si nous n'ébruitons rien, peut-être pouvons-nous trouver une solution.

– Quelle soudaine générosité ! grinça Kellen sarcastique. Faites-nous part de votre proposition !

Ignorant cette nouvelle provocation, le Haut Druide se drapa dans sa cape et déclara avant de prendre congé :

– Je vais aller voir Macellius à Deva. Je lui dirai qu'une prêtresse a été victime d'un viol, et quel en est l'auteur, méfait risquant de mettre à feu et à sang toute l'Ile de Bretagne. S'il le faut, je parlerai aussi à ce jeune homme. Je pense que nous serons tous trois du même avis. Ni Rome, ni le Sanctuaire de la Forêt n'ont intérêt à ébruiter ce très pénible et regrettable incident.

Au cours du mois suivant, les malaises d'Elane s'atténuèrent et elle parut même n'avoir jamais été aussi jolie. Des robes larges dissimulaient la rondeur de ses seins, sa taille, pour un premier enfant, ne pouvant pas encore s'alourdir.

Savoir comment avait réagi Gaius en apprenant sa grossesse, demeurait sa grande préoccupation. Elle ne regrettait pourtant pas de lui avoir cédé, malgré toutes les forces qui se liguaient contre elle. Jamais elle ne serait évidemment la grande prêtresse qu'elle avait imaginée, mais peu lui importait. Elle ne souhaitait plus qu'être la mère du fils de l'homme aimé, bien qu'elle sût qu'elle ne serait jamais son épouse.

LA COLLINE DU DERNIER ADIEU

Kellen et Liana ne l'excluaient pas des rituels malgré son état et c'était pour elle un très grand réconfort. Voir la Haute Prêtresse s'affaiblir chaque jour la tourmentait et l'attristait néanmoins beaucoup. Combien de temps resterait-elle encore en vie et qui lui succéderait ? Kellen serait écartée par les prêtres. Meline était trop réservée et toujours marquée par la mort de son enfant. Quant à Elide, elle était trop vulnérable et timide. Restait Dieda, peut-être...

Quand vint le temps de la pleine lune, Liana parut un bref instant se rétablir, mais bientôt, au fur et à mesure que se déroulaient les cérémonies, sa voix s'amenuisa au point de devenir parfois presque inaudible. De toute évidence, la Haute Prêtresse déclinait et un matin, ne pouvant maîtriser ses souffrances, il lui fallut garder le lit.

XVI

ARDANOS aurait tiré une certaine satisfaction de son entre-vue avec Macellius s'il n'avait trouvé en lui quelqu'un qui se considérait pour le moins son égal. Toujours est-il que le Préfet le reçut avec une grande courtoisie et, l'ayant écouté, lui apprit très calmement que Gaius était parti pour Londinium afin de s'y marier.

Aussi, à peine le Haut Druide eut-il le dos tourné, que le Romain se prit à examiner sérieusement ce qu'il avait présenté au druide comme un fait accompli. Certes, Macellius n'avait pas mis un seul instant la parole d'Ardanos en doute, mais, en revanche, il s'en voulait d'avoir sous-estimé la passion folle de son fils pour cette jeune femme de sang celtique. Avec un cheval fougueux ou un esclave rebelle, il aurait su prendre les mesures nécessaires. Mais comment dompter son propre fils ? Décidément, le marier le plus rapidement possible avec une jeune Romaine de bonne famille devenait une nécessité impérative. Estimant qu'il n'y avait pas un instant à perdre, il fit donc mander son fils sur-le-champ.

Valerius venant de lui apprendre qu'il était attendu chez son père séance tenante, Gaius chercha à en savoir davantage.

211

– Pourquoi cette hâte ? Que se passe-t-il ?

– Je n'en sais rien. Ce que je sais, c'est qu'il a l'air furieux. Il a eu tout à l'heure la visite du druide Ardanos. Après son départ, j'ai vu qu'il avait son visage des mauvais jours.

– Vraiment ? Que pouvait lui vouloir le vieil homme ?

Mais, sans chercher à en savoir davantage, il suivit le secrétaire, se demandant avec anxiété si sa convocation n'avait pas Elane pour objet.

Sans même lui adresser un mot d'accueil, son père le reçut de manière glaciale.

– Tu pars immédiatement pour Londinium, se contenta-t-il de dire péremptoire.

Gaius le regarda, stupéfait ; il ouvrait la bouche avec l'intention d'obtenir quelques explications quand il se rendit compte que son père était blême de rage.

– Je t'avais pourtant dit de laisser cette fille tranquille !

– Père, sans vous offenser, je ne pense pas...

– Non, tu ne penses pas ! Tu ne penses pas assez ! Voilà où le bât blesse ! explosa Macellius. Ne comprends-tu donc pas la gravité de ton acte ? Avoir violé la Haute Prêtresse en plein jour sur le Grand Autel, ou abattre l'Arbre Sacré n'aurait guère eu plus de conséquences ! Veux-tu donc nous faire tous massacrer ? Le moindre incident peut provoquer une émeute, poursuivit le Préfet sans donner à son fils le temps de lui répondre. Non, pas un mot ! D'un geste, il le fit taire. Je t'ai fait confiance une fois, mais c'est bien la dernière. Je sais que tu n'as pas violé la fille, mais, si j'ai bien compris, et c'est pire, tu lui as fait un enfant. Je ne doute pas un instant de ses mérites, et suis certain qu'elle vaut mieux que ce que tu lui as fait. Une prêtresse qui a prononcé ses vœux et dont, qui plus est, le Haut Druide est le grand-père !

Gaius resta sans voix. Elane était enceinte ! De lui ! Submergé par ses souvenirs, il se rappela la douceur de sa bouche, la chaleur de son corps sous le sien. C'est à peine s'il entendit la suite du discours de son père.

LA COLLINE DU DERNIER ADIEU

– Tu es impardonnable ! Dans les circonstances présentes, il n'est même plus envisageable de te la faire épouser !

– Mais je veux…, commença Gaius.

– Le sud exploserait comme il y a vingt ans s'il venait à apprendre ta conduite ! Ardanos en est parfaitement conscient. Il m'a déjà soutiré certaines concessions au sujet des réquisitions, et ce ne seront pas les seules. En échange de quoi il s'est engagé à ne pas se servir de toi contre moi. Je lui ai donc dit que tu étais à Londinium et c'est là que tu pars immédiatement. Tu remettras à Licinius une missive de ma part et, avec un peu de chance, tu reviendras légalement marié.

– Marié ? C'est impossible ! s'insurgea Gaius, abasourdi.

– Nous y veillerons, trancha son père catégorique, il n'y a pas d'autre moyen de pallier ta folie. Ardanos m'a promis qu'ils épargneraient leur prêtresse à condition que tu ne la revoies plus. Ton mariage est dans ces conditions le seul rempart qui t'obligera à respecter cet engagement. Licinius et moi avons déjà réglé les problèmes matériels. Si elle veut donc encore de toi, tu épouseras cette fille.

Assommé par cette perspective, Gaius chercha en vain les mots susceptibles de fléchir son père, qui avait bien du mal à maîtriser sa fureur.

– Tu l'épouseras ! répéta-t-il une fois encore, frappant la table de son poing. Puis, d'une voix sourde, il ajouta : Je t'avais pourtant mis en garde contre les dangers d'une telle mésalliance. Tu ne m'as pas écouté, mais je t'empêcherai, malgré toi, de détruire ta vie. Si tu refuses, tu livres cette fille à la vindicte de son peuple. Pour une fois, pense donc aussi un peu à elle !

Imaginant le pire, Gaius accablé baissa la tête.

Macellius apposa sa signature sur un parchemin, le roula, le scella et le tendit à son fils, le priant de le remettre en main propre à Licinius.

– Capellus, mon ordonnance, t'accompagnera, dit-il enfin. Il a déjà reçu les ordres pour le départ.

LA COLLINE DU DERNIER ADIEU

Une heure plus tard, Gaius se retrouvait chevauchant sur la route de Londinium, flanqué d'un légionnaire imperturbable, dont la stature impressionnante et le visage fermé n'incitaient guère au bavardage. Aussi, lors d'un arrêt, quand le jeune homme tenta d'avoir malgré tout des nouvelles d'Elane, n'obtint-il du vieux soldat qu'un grognement évasif.

– Je ne suis pour rien dans cette affaire, finit-il par lâcher. Votre père m'a fait part d'ordres stricts. Je m'y conforme, c'est tout. Mes instructions sont de vous emmener directement à Londinium. Pour le reste, j'ignore tout. Je n'ai qu'une mission : vous escorter et obéir !

Il faisait presque nuit lorsqu'ils franchirent un soir les portes de la capitale, découvrant, au fur et à mesure qu'ils s'avançaient dans la cité, de somptueuses villas comme ils n'en avaient jamais vu dans l'ouest sauvage du pays.

Gouvernée par Agricola, la ville dispensait une lumière douce dans le crépuscule estival et un vent frais montait du fleuve chassant la chaleur lourde du jour. On distinguait à peine les vestiges de l'incendie de Boadicée, et déjà les voies nouvelles qu'on ouvrait çà et là préfiguraient les nobles proportions de la ville future.

Parvenu, suivi de son ange gardien, devant la demeure du Procurateur située près du Forum, Gaius tendit la lettre de son père à l'affranchi qui les accueillit au seuil du portique. Il donnait sur une cour centrale décorée de fleurs et d'arbustes fraîchement arrosés qui dispensaient entre les murs leurs senteurs entêtantes. Un peu plus loin, le clapotis d'une fontaine se mêlait aux rires d'une jeune fille.

Les deux hommes n'attendirent pas longtemps. Apparaissant derrière une colonne, un homme d'un certain âge à la forte carrure, drapé dans une toge de cérémonie, s'avançait vers eux.

Gaius s'inclina, après avoir discrètement congédié son cerbère.

– Tu es Gaius Macellius Severus ? dit le nouveau venu d'un air affable. Tu ressembles vraiment à ton père. Je suis moi-même Licinius, ton hôte. Macellius et moi sommes amis depuis toujours. Je suis ravi d'accueillir son fils. Comment se porte-t-il ?

— Très bien, du moins la dernière fois que je l'ai vu.

— Je m'en réjouis. Eh bien, jeune homme, tu es le bienvenu chez moi. Tu connais nos projets et tu te doutes sûrement de l'impatience que j'avais à faire ta connaissance.

Bien qu'il se fût juré de ne pas se laisser entraîner dans un mariage aussi hâtif, Gaius, ne pouvant compromettre d'emblée un si courtois accueil, se sentit incapable de protester. Il avait accepté cette entrevue en pensant au péril que courait Elane, et ne pouvait se faire un ennemi supplémentaire en la personne d'un homme apparemment si bien attentionné à son égard.

— En effet, répondit-il donc, essayant de gagner du temps. Père a évoqué devant moi la possibilité...

— La possibilité ? l'interrompit Licinius d'un ton goguenard. Notre projet date de nombreuses années, en fait depuis ta naissance. Par Mithra, mon garçon, ne me dis pas que Macellius ne t'en a pas parlé !

Malgré sa brusquerie peut-être un peu forcée, la voix était loyale et chaleureuse. Bizarrement, Gaius s'en trouva réconforté. Le Procurateur, de toute évidence, ne marchandait pas sa bienveillance, et lui offrait spontanément son amitié en tant que beau-père potentiel. Or, Gaius n'avait pas eu depuis longtemps la sensation d'appartenir à une famille. Pas depuis, en tout cas, se dit-il avec un serrement de cœur, qu'il avait été reçu chez Benedig. Du coup, le visage d'Elane fut de nouveau devant ses yeux, vision plus douloureuse encore sur la voie où il se sentait maintenant entraîné.

— Allons, mon fils, reprit Licinius, l'arrachant à sa désespérance, trêve de discours ! Tu dois être impatient de rencontrer ta fiancée.

« Parle-lui ! cria une voix en lui. Après il sera trop tard. » Mais, voyant briller de joie les yeux du vieil homme, il ne put s'y résoudre et se contenta d'apaiser sa conscience en se répé-

215

tant sans grande conviction : « Elane sera châtiée si j'essaie de la revoir. Pour l'amour d'elle, il vaut mieux renoncer et accepter l'alliance qu'on m'impose. »

Déjà, d'ailleurs, Licinius avait fait signe à un serviteur et ordonné qu'on aille chercher Dame Julia, entérinant une décision qu'il ne pouvait plus contester.

– Elle sera là dans un instant, dit le Procurateur ne dissimulant pas sa jubilation. Je vous laisse tous deux faire connaissance.

Julia Licinia dirigeait la maison depuis la mort de sa mère, trois ans auparavant. Fille unique, elle avait su depuis toujours qu'elle épouserait l'homme désigné par son père, n'ignorant pas qu'il avait arrangé son mariage avec le fils de Macellius. Reconnaissant volontiers qu'elle aurait pu tomber beaucoup plus mal, et épouser, comme nombre de ses amies, un barbon deux fois plus âgé qu'elle, elle acceptait son sort sans état d'âme particulier. Elle avait même envie, n'y pouvant rien changer, que le mariage maintenant eût lieu le plus rapidement possible. Impatiente en effet de gouverner son ménage, elle tenait en plus pour certain qu'elle compterait encore davantage aux yeux du jeune légionnaire quand elle lui donnerait un fils, à quoi elle s'emploierait au plus vite, ayant appris l'aventure de son futur époux avec une fille du pays.

C'est donc sans illusions, et complètement informée par son père qui lui parlait toujours avec une totale franchise, que la jeune fille aborda l'officier qui l'attendait près du portique.

Gaius qui l'avait vue venir comme dans un rêve, l'accueillit avec un sourire de circonstance. Menue et gracieuse, elle avait un joli port de tête, des cheveux bruns nattés sur la nuque, un air décidé, des yeux marron qui affrontaient courageusement les siens. Sans doute venait-elle de manger des fraises ou des framboises, car sa tunique de laine fine et ses lèvres étaient tachées de rouge.

LA COLLINE DU DERNIER ADIEU

– Est-ce bien la fille du Procurateur que j'ai l'honneur de saluer ? s'enquit-il cérémonieusement.

– Vous ne vous trompez pas, je suis Julia, fit-elle, le considérant crânement. Puis, adoptant un ton volontairement détaché, elle ajouta : Oui, vous avez devant vous celle que son père a destinée depuis toujours à un Romain dont la mère, je crois, était une barbare. Est-ce bien là la vérité ?

Décontenancé par l'ironie corrosive de la question, Gaius s'efforça de rester impassible et répondit sans ciller :

– C'est tout à fait exact. Je suis celui que vous attendiez, ce barbare à moitié romain dont on vous a parlé.

Abandonnant alors le petit jeu moqueur des présentations auquel elle venait de se livrer, Julia laissa éclater sa bonne humeur.

– J'avoue que vous avez beaucoup plus l'air d'un Romain que d'un barbare, dit-elle avec un joli rire. J'attendais un géant hirsute aux cheveux blonds. Vous êtes vraiment beaucoup mieux !

– Merci du compliment. Je suis heureux de me tirer à si bon compte de votre examen. Souhaitons donc, continua-t-il, mi-figue, mi-raisin, ne voulant pas être de reste, que nos éventuels enfants se montreront dignes de nos ascendances respectives.

Ensemble ils se mirent à rire. Au même moment Licinius, n'y tenant plus, réapparut, heureux de les trouver en si joyeuses dispositions.

– Eh bien, mes enfants, s'exclama-t-il, j'arrive à point nommé et déclare le marché conclu !

Écrasé par l'irréversibilité de sa destinée, Gaius laissa son futur beau-père lui saisir les mains et les broyer d'une poigne enthousiaste. Il était pris dans un guet-apens auquel il ne pouvait désormais échapper. Julia, à ses côtés, apparemment inoffensive et innocente comme une enfant, souriait béatement.

– Bien entendu, s'empressa d'ajouter le Procurateur, comme s'il voulait rayer d'un trait les termes pour le moins terre à terre de son propos, un mariage comme celui-ci ne peut être célébré trop vite. On croirait que Julia a quelque chose à se reprocher. Mariée sans préavis à un inconnu... Mes amis de Londinium et ma famille doivent d'abord, mon ami, apprendre à te connaître et à t'apprécier.

Brandissant alors la lettre que lui avait adressée Macellius, Licinius adopta un ton plus grave :

– Officiellement, ce document te place sous mes ordres. Même s'il t'arrive un jour de commander une légion, tu dois d'abord t'intéresser aux finances, connaître le système grâce auquel tu pourras nourrir et chausser tes hommes ! Les choses, tu verras, te sembleront faciles comparées aux expéditions auxquelles tu as participé, mais elles n'en sont pas moins indispensables à ton instruction. Certes, Londinium n'est pas Rome, mais la ville prend chaque jour plus d'importance et d'extension. Les femmes enfin feront grand cas de toi, j'en suis sûr, car la plupart des jeunes officiers de l'état-major du Gouverneur ont été envoyés dans le nord.

Fixant Gaius d'un œil sévère, il précisa cependant :

– Il va de soi que je compte sur une attitude irréprochable de ta part. Tu vivras sous mon toit en considérant Julia comme une sœur. De mon côté, je ferai savoir que ton père et moi vous avions fiancés depuis l'enfance. Mais tant que la cérémonie n'aura pas été célébrée...

– Père, protesta Julia, croyez-vous vraiment utile cette mise en garde ?

Licinius eut un regard attendri pour sa fille.

– Mais non, mon enfant, je vous fais entièrement confiance. Je tenais simplement à ce que tout fût bien clair entre nous.

En tant qu'officier appartenant au service du Procurateur, Gaius fut donc chargé d'un certain nombre de tâches qui s'avéraient parfois plus fastidieuses et accaparantes qu'il ne l'avait imaginé. Devant accompagner souvent des personnalités militaires ou civiles de passage dans la capitale, il eut toutefois l'occasion de se familiariser rapidement avec les us et coutumes de la vie citadine. Gnaeus Julius Agricola, le Gouverneur, avait

218

lancé un vaste programme de construction dont la partie centrale de la ville était la première bénéficiaire mais qui ne défavorisait pas pour autant les faubourgs. Ainsi, un pont reliait maintenant la cité aux régions du sud, et des routes rejoignaient le nord et l'ouest, voies de communication indispensables pour acheminer les marchandises en provenance de toutes les provinces, les navires quant à eux déversant régulièrement dans le port leurs cargaisons venant des quatre coins de l'Empire.

– Comme tu le sais, lui glissait de temps à autre Licinius, je n'ai pas de fils et Julia est ma fille unique. Si tout se passe bien, elle devrait pouvoir me succéder et même atteindre à la charge de sénateur. Mais à Rome, si capable soit-elle, une femme ne peut que transmettre ses titres à son mari. C'est pourquoi j'attache tant d'importance à vos progrès. Continue dans cette voie et je n'aurai qu'à me féliciter davantage de la voir épouser le fils de mon plus vieil ami.

Ces confidences régulières eurent tôt fait d'éclairer Gaius sur les véritables intentions de son père le concernant. En épousant Julia, il pourrait légitimement prétendre à la position que le Préfet de Deva n'avait pu atteindre en raison d'un mariage inconsidéré. Aussi ne put-il s'empêcher de lui en savoir gré quoi qu'il lui en coûtât. La vie à Londinium avait d'ailleurs déjà modifié quelque peu ses vues, et force lui était d'admettre qu'un mariage avec Elane l'aurait inévitablement coupé de ces perspectives. Bien sûr, ces constatations réalistes ne l'empêchaient pas de penser à elle. Que devenait-elle à Vernemeton ? Quelles représailles lui avait-on fait subir ? Savait-elle au moins qu'il ne l'aurait jamais abandonnée sans la volonté absolue de son père, et la terreur de la voir supporter par sa faute un châtiment inexorable ?

Se refusant cependant – par lâcheté ? par fatalisme ? par ambition ? – à s'appesantir trop longtemps sur un passé qu'il ne maîtrisait plus, Gaius se laissait emporter par ses occupations, s'abrutissait volontairement de travail, acceptait toutes les invitations qu'il recevait de la bonne

219

société locale. Au fond, c'était une expérience inespérée pour un jeune homme de sang mêlé tel que lui qui n'avait jamais refusé l'idée de faire carrière et de dédaigner les honneurs.

– Teniez-vous vraiment à épouser cette barbare ? lui demanda un jour Julia en lui souriant gentiment, observant, elle aussi, l'évolution psychologique et mondaine du jeune homme.

– Oui, je pense que j'ai été réellement amoureux. Mais je ne vous avais pas encore rencontrée, répondit-il vivement, comme s'il désirait clore une conversation qui ne lui plaisait pas.

– Cher, vous devriez la revoir avant notre mariage, répliqua-t-elle insidieusement. Ainsi seriez-vous sûr de ne jamais la regretter quand nous serons unis.

– Je serai un fidèle époux, ne craignez rien.

Mais Julia semblait ailleurs. Elle le fixait de ses yeux noisette qu'il ne pouvait déchiffrer, si différents de ceux d'Elane, aussi limpides que l'eau vive d'une source.

– Gaius, poursuivit-elle sans détour, je ne veux pas d'un homme qui préférerait finalement être marié à une autre. Croyez-moi, vous devriez la revoir et décider, une fois pour toutes, de ce que vous souhaitez faire de votre vie. Si vous me revenez, alors seulement je serai sûre de notre avenir.

« Elle parle comme mon père lorsqu'il négocie un contrat, pensa Gaius, irrité par le tour que prenaient les choses. Elle considère le mariage de la même façon qu'elle envisage une carrière. » Bien sûr ! Que pouvait-elle savoir du feu qui courait dans les veines quand battaient les tambours de Beltane ? Que connaissait-elle des désirs qui rongeaient les cœurs quand la musique des cornemuses retentissait dans les collines ? Son père lui avait interdit de revoir Elane, et il était préférable que Julia ignore toujours que celle qu'il avait aimée était dans son sanctuaire l'égale d'une Vestale.

Mais, déjà, ne perdant pas une occasion, la fille de Licinius le pressait de partir.

LA COLLINE DU DERNIER ADIEU

— Père va vous dépêcher dans le nord auprès d'Agricola, lui dit-elle un matin, le bravant du regard. Prenez donc le temps de revoir cette fille. Ainsi serez-vous sûr, lorsque vous reviendrez, de vouloir vraiment devenir mon époux.

XVII

LES fêtes de Lughnasad approchaient et la santé de Liana déclinait un peu plus chaque jour. Elle se plaignait désormais d'une constante et immense fatigue. Il lui arrivait même que son cœur la fît souffrir. Ardanos lui rendait visite tous les soirs. Ils s'entretenaient un moment, puis, rapidement épuisée, la Haute Prêtresse rentrait en elle-même sans révéler l'objet de ses méditations. Alors le Haut Druide s'asseyait en silence non loin d'elle et se livrait sans doute à quelque intervention obscure et magique.

Elane demeurait frappée par cet affaiblissement continu du corps de Liana qui, très étrangement, semblait inéluctablement correspondre au propre épanouissement du sien, vivifié par la venue prochaine de son enfant. Ainsi Liana s'apprêtait à quitter la terre, mais dans quel monde son esprit allait-il continuer de vivre ? Renaîtrait-il ailleurs, alors qu'elle-même sentait la vie s'animer dans son corps, au moment même où son bébé verrait le jour ?

Autour d'elle, les prêtresses étaient trop préoccupées par la maladie de la Haute Prêtresse pour remarquer son propre état. Mais qu'adviendrait-il lorsque ses robes ne dissimule-

223

raient plus la rondeur de son ventre ? Une sentence de mort la menaçait toujours, elle ne l'oubliait pas. Seule Kellen heureusement lui restait fidèle, mais n'avait-elle pas toujours édicté ses propres lois et pourrait-elle encore dans l'avenir intervenir en sa faveur ? Et Gaius ? Que lui était-il advenu ? Le reverrait-elle un jour ? Il n'avait pas reparu, mais elle se refusait à croire Ardanos qui lui avait annoncé son mariage précipité. Même chez les Romains, c'était une cérémonie solennelle qui demandait du temps et de nombreux préliminaires.

Un mois passa, et Kellen présida aux cérémonies de la pleine lune, car Liana, en dépit de tous les soins prodigués, se mourait. Kellen l'assistait de toute sa tendresse, telle une fille dévouée au chevet de sa mère. Liana était atteinte d'hydropisie dans sa phase finale, et Kellen tentait l'impossible pour apaiser ses souffrances. Elle préparait pour elle les remèdes les plus élaborés, des breuvages à base de plantes très rares, des potions soigneusement dosées à partir des fleurs pourpres de la digitale pour soulager son cœur.

– Kellen !...

Les ombres du soir envahissaient la cellule, quand Liana, d'une voix plus ténue qu'un soupir, appela la prêtresse. Kellen se pencha au-dessus de sa couche et vit la mourante qui lui souriait. La maladie avait amaigri son visage au point que les os semblaient devoir transpercer sa peau. « C'est la fin », pensa-t-elle.

– Avez-vous soif ? J'ai de l'eau fraîche ; je peux raviver le feu et vous préparer une infusion.

– Oui, une boisson chaude me ferait du bien... Tu es si bonne, Kellen. Certaines pensent que tu agis ainsi pour me succéder, mais je sais que ce n'est pas vrai... Les femmes cloîtrées deviennent parfois si mesquines... Kellen, je sais aussi que tu es plus grande que toutes les prêtresses réunies. Mais pourtant tu sais ce qui t'attend, n'est-ce pas ?

– Je le sais, répondit Kellen résignée. Je suis destinée à vivre dans l'ombre des autres et à subir celle qui commandera. Qu'il plaise à la Déesse de vous garder longtemps encore. « Qui peut dire d'ailleurs combien de temps je vous survivrai ? » pensa-t-elle sans le lui dire, une grande lassitude envahissant de plus en plus souvent ses membres.

– Tu le sais, mais tu ne sais sans doute pas tout, mon enfant. Contrairement à ce que l'on pense, mes visions ne se produisent pas toujours sous la pression des druides. Je t'ai vue revêtue de la robe d'une Haute Prêtresse... tu étais entourée par une brume qui n'appartenait pas à notre monde. Le sentier de la vie a d'étranges détours et nous n'allons pas toujours là où nous le voudrions... La Déesse m'est témoin cependant que j'ai toujours agi de mon mieux... Quand nous étions jeunes, Ardanos et moi, nous avons été proches et avons fait ensemble certains rêves... Mais, contrairement à moi, lui avait de l'ambition... Oh ! Kellen, si tu savais ! Je n'en peux plus... Je suis si fatiguée et j'ai si peur...

– Mère ! Je suis là près de vous et vous êtes entourée par celles qui vous aiment. N'ayez aucune crainte. Buvez un peu. Cette tisane vous soulagera.

Avec difficulté Liana absorba une gorgée du breuvage aigre-doux et soupira longuement, avant de poursuivre d'une voix encore plus faible :

– J'ai promis à Ardanos de choisir celle qui me succédera. Il attend... comme un vautour à l'affût d'une brebis malade... J'avais fixé mon choix sur Elane, mais elle va devoir nous quitter bientôt. Le Haut Druide tient à ce que Dieda la remplace... Je m'y oppose sachant d'ailleurs que, de son côté, elle n'acceptera pas, à moins que la Déesse...

Un accès de toux l'interrompit et Kellen, doucement, rehaussa sa tête pour l'empêcher d'étouffer.

Alors, faisant un effort suprême pour achever, elle parvint à chuchoter dans un souffle :

– À moins... à moins que la Déesse vous fasse connaître Sa volonté...

Le lendemain, en fin de journée, Kellen, sentant la fin de Liana proche, demanda à Elane de la remplacer auprès d'elle un instant. La chaleur du jour s'atténuait dans la cellule éclairée par une petite lampe à huile.

– Où est Kellen ? murmura soudain Liana, entrouvrant les paupières.

– Elle est partie vous préparer une tisane, Mère. Voulez-vous que je l'appelle ?

– Non, parvint à dire la Haute Prêtresse entre deux quintes de toux. Approche-toi. Qui es-tu ? Dieda ?

– Non, je suis Elane. Dieda est dans le jardin. Voulez-vous la voir ?

– Dire que je n'aurai jamais su vous distinguer l'une de l'autre, s'efforça-t-elle de plaisanter. N'y vois-tu pas la main des dieux ? Vite, mon enfant, appelle Dieda... vite ! Il ne me reste plus beaucoup de temps à vivre...

On courut chercher Dieda et lorsqu'elles furent toutes deux contre le lit de la mourante, un pâle sourire éclaira son visage.

– N'ayez crainte l'une et l'autre, balbutia-t-elle d'une voix rauque, je meurs mais suis lucide. Dieda, tu témoigneras pour moi. Elane, fille de Rhys, prends le torque posé près de moi – prends-le !

Elle respirait maintenant avec une difficulté accrue. D'une main tremblante, Elane saisit l'anneau d'or.

– Prends les bracelets aussi... Mets-les...

– Mais seule la Haute Prêtresse..., voulut protester Elane, cependant que la vieille femme la fixait d'un œil impératif.

Alors, elle ouvrit le collier et le passa à son cou. Un moment, elle ressentit une impression de froid glacial, puis le torque se réchauffa au contact de son cou mince, comme heureux d'orner de nouveau une peau douce et fraîche.

Le râle de Liana se fit plus fort :

– Ainsi soit-il ! parvint-elle encore à articuler lentement avant de prononcer, dans un dernier souffle : Vierge et Mère, la Déesse est en toi maintenant... Dis à Kellen que je l'aime... Je sais maintenant ce que voulait Ardanos quand il m'a priée de te choisir... Les dieux m'ont joué le tour de te substituer Dieda. Lui s'est trompé, et pourtant il a accompli la volonté de la Dame !... Rappelle-toi, c'est important : La Déesse Elle-même est peut-être abusée par votre ressemblance... les Romains aussi... Je comprends tout maintenant...

Ce furent ses dernières paroles. Au même moment Kellen réapparut.

— Elle semble reposer, dit-elle, et peut-être vivra-t-elle encore une lune...

Elle s'approcha sur la pointe des pieds, se pencha sur Liana et vit qu'elle était morte. Alors, comme si elle-même était frappée au cœur, elle poussa un cri étouffé et d'une voix brisée murmura :

— Elle ne dormira plus jamais...

Puis, s'agenouillant près du lit, elle déposa un long baiser sur le front de la Haute Prêtresse dont elle ferma tendrement les yeux. Déjà son visage figé avait pris l'aspect d'une statue de pierre. Elle n'était plus là et renaissait dans un autre monde.

Elane se sentit défaillir. Elle porta les mains à son collier et tressaillit à son contact. Kellen, sentant la présence de la jeune femme derrière elle, se retourna et, les yeux agrandis de surprise, la contempla parée des ornements de la défunte.

— Dame de Vernemeton, dit-elle se ressaisissant aussitôt, je vous salue au nom de la Mère Suprême !

Ardanos, qui venait d'entrer, s'inclina à son tour devant la morte. Après s'être recueilli un instant, il s'apprêtait à se retirer lorsqu'il découvrit, lui aussi, Elane portant les insignes sacrés.

Sa réaction fut totalement neutre. Il se contenta de baisser la tête doucement, puis jetant un regard circulaire dans la cellule qui s'emplissait de femmes éplorées, il sortit à pas lents sans mot dire.

— Liana — que la Déesse lui accorde le repos ! — nous a quittés à un moment crucial, déclara Ardanos d'une voix solennelle à ses auditrices. Il nous faut une Prêtresse de

LA COLLINE DU DERNIER ADIEU

l'Oracle pour les fêtes de Lughnasad et, de toute évidence, Elane ne peut en assumer la responsabilité.

Après les trois jours de deuil rituels, Liana reposait enfin dans sa tombe et le Haut Druide, à sa grande surprise, constatait le vide que sa disparition causait. Sans doute lui manquerait-elle longtemps, mais il lui était impossible d'extérioriser son chagrin. Kellen, le visage calme, fermé, l'observait sans aucune compassion ; quant à Elane, immobile sur son siège, elle le fixait intensément de ses grands yeux au regard indéchiffrable.

Comme un silence prolongé s'installait, Kellen, soudain, prit la parole :

— Selon nos croyances, en effet, seule une vierge a le pouvoir de mener ces cérémonies. Or, vous le savez comme moi, c'est là pure superstition. Cependant, en ce qui concerne Elane, je reconnais qu'il serait dangereux pour elle et son enfant d'assumer en cette occasion le pouvoir de la Déesse.

Ainsi parla Kellen. Certes, l'abstinence sexuelle était indispensable pour accomplir les grands rites magiques, mais il fallait surtout un total abandon du corps et de l'esprit pour permettre à la Mère Éternelle de s'exprimer par la bouche d'une simple mortelle. Pour que pût se transmettre librement la puissance divine, l'esprit devait se détacher des sens.

— Je m'étonne que Liana n'y ait pas pensé lorsqu'elle a désigné Elane, remarqua le Haut Druide, l'air préoccupé. Comment allons-nous maintenant nous en sortir ? La seule présence ici de ma petite-fille est sacrilège.

— Je peux y remédier en prenant sa place au cours des cérémonies, proposa Kellen.

— C'est insensé ! trancha d'une voix sans réplique Ardanos. Comment expliquerions-nous la chose au peuple ? Une substitution temporaire aurait à la rigueur pu s'envisager en prétextant la maladie de Liana, mais sa mort est maintenant connue de tous. On attend donc de savoir si la nouvelle Haute Prêtresse va être capable de transmettre la parole divine et si elle surmontera l'épreuve.

LA COLLINE DU DERNIER ADIEU

Visiblement embarrassé et irrité, le Haut Druide enchaîna :

– Sachez-le bien, je ne permettrai pas que la défaillance terrible d'une mourante détruise tout ce que nous avons si difficilement bâti ensemble, mais je ne vous cacherai pas non plus l'extrême gravité de la situation. Je ne vois qu'une issue : désigner une nouvelle Prêtresse pour remplacer Elane. Il y a d'ailleurs eu jadis un précédent, lorsqu'une femme au trop fragile équilibre mental a dû finalement être écartée.

– Ce ne serait pas pour vous déplaire ! intervint Kellen, et je crois...

Mais Elane, qui jusqu'alors s'était tue, se leva brusquement, interrompant sa compagne.

– Vous n'entreprendrez rien avant de me mettre à l'épreuve ! dit-elle d'une voix forte. Liana m'a choisie, tout le monde le sait. Que croyez-vous que l'on dira si l'on ne me permet même pas d'essayer d'assumer ma fonction ?

– Elane, c'est très dangereux dans ton état ! s'écria Kellen.

– Mais pensez-vous donc tous que la Déesse ait l'intention de me donner la mort ? Si j'ai commis une faute qui la mérite, alors je suis tout à fait prête à mourir. Si, en revanche, je survis, vous saurez avec certitude qu'Elle m'a vraiment choisie !

– Et que ferons-nous de toi si tu vis ? grinça Ardanos excédé. Tu ne pourras bientôt plus dissimuler ta grossesse ! Imagine la colère des Romains s'ils viennent à la découvrir ?

– Liana, quelques instants avant sa mort, a eu une révélation, reprit fermement Elane, négligeant de répondre. Dieda me ressemble comme une sœur. Une fois les rites accomplis, elle prendra ma place. Faites dès à présent courir le bruit que vous l'avez exilée.

Furieux, mais ne pouvant s'opposer à ce stratagème qui avait le mérite de sauver les apparences sans nuire à la réputation du Sanctuaire de la Forêt, Ardanos sentit qu'il lui fallait céder. La petite misérable avait trouvé la solution, mais elle mourrait peut-être au cours des cérémonies, ou bien en couches, ce qui lui laisserait alors toute latitude pour lui trouver une remplaçante. Dieda, dans cette perspective, serait toute désignée.

— Mais Dieda va-t-elle nous donner son accord ? grommela-t-il, dans un dernier accès de mauvaise humeur.

— Laissez-moi faire, répondit Kellen avec assurance. Je parlerai à Dieda et saurai la convaincre.

Ignorant la raison pour laquelle elle était convoquée, Dieda entra sans méfiance dans la cellule de Kellen.

— Ardanos, lui déclara sans ambages cette dernière, consent à ce que tu remplaces Elane après l'épreuve de l'Oracle. Je pense que tu es fière de cette distinction.

— Dois-je réellement me réjouir de la décision d'un père qui ne se préoccupe jamais de moi ? Quant à Elane, il lui revient d'assumer la responsabilité de ses actes. Je ne me prêterai pas à cette mascarade ! Vous pouvez l'annoncer au Haut Druide !

— Allons, Dieda, ne te gargarise pas de phrases toutes faites ! Ardanos est le maître, n'oublie pas ! D'ailleurs, si j'avais prétendu qu'il s'opposait à nos projets, tu les aurais aussitôt acceptés, n'est-il pas vrai ?

L'air buté, Dieda ne broncha pas.

— Ne crois surtout pas que l'idée lui plaise, ajouta la prêtresse sans la quitter des yeux. Il préférerait mille fois refuser Elane et te nommer Haute Prêtresse à sa place. À tel point que je le soupçonne d'avoir accepté notre proposition uniquement parce qu'il avait prévu ta réaction.

— Haute Prêtresse ? s'exclama Dieda. Demeurerai-je ainsi toujours prisonnière ici ?

— Tu ne le seras que temporairement, s'empressa de la rassurer Kellen. Dès qu'Elane aura eu son bébé, elle reprendra ses fonctions et tu pourras partir.

— Serai-je libre d'aller retrouver Kerig dans le nord ? demanda-t-elle l'air méfiant.

— Si tel est ton désir, pourquoi pas ? Nous avions pensé t'envoyer en Erin afin que tu puisses suivre l'enseignement des bardes.

– Vous savez parfaitement que c'est ce dont j'ai le plus envie au monde ! l'interrompit Dieda.

– Ainsi donc, je peux encore te refuser ou t'accorder ce que tu souhaites, rétorqua Kellen toujours aussi pressante. Si tu acceptes notre proposition pour Elane – et pour moi –, je veillerai à ce que tu aies comme maîtres les plus grands poètes et les plus grands harpistes. Mais, si tu refuses, tu demeureras prêtresse à vie et je m'assurerai que tu ne quittes jamais ces murs.

– Vous ne le feriez pas ! s'exclama Dieda frissonnante, tout en tentant de la braver.

– Tu as tort d'en douter, mon enfant, je te le jure. Tu n'as donc pas le choix. Tel a été le dernier souhait de Liana, et je ferai en sorte qu'il soit respecté.

Ne pouvant se dérober, Dieda soupira.

– Qu'il en soit ainsi, finit-elle par dire. Je remplacerai Elane jusqu'à sa délivrance puisque telle est votre volonté, à condition que vous me promettiez solennellement d'accéder à mon plus cher désir.

– Je te le promets, affirma Kellen levant une main. Que la Déesse m'en soit témoin. Personne au monde, tu le sais, ne peut prétendre que j'aie jamais violé un serment.

Une demi-lune avait passé depuis la mort de Liana et les fêtes de Lughnasad étaient imminentes. Elane, en compagnie de Kellen, se livrait aux derniers préparatifs dans la salle où la Haute Prêtresse défunte s'était si souvent isolée avant les cérémonies. L'oreille affinée par son inquiétude, elle entendit un bruit furtif de sandales sur le sol. Puis la porte s'ouvrit brusquement et apparut sur le seuil l'impressionnante sil-houette encapuchonnée d'Ardanos, qui paraissait incroyable-ment grande dans la pénombre, suivie de quelques druides.

– Elane, fille de Rhys, la Voix de la Déesse t'a choisie ! Es-tu prête à te donner à Elle ?

La voix d'Ardanos roulait comme le tonnerre et la jeune femme sentit sa gorge se serrer. Tout ce qu'elle avait entendu dans la Maison des Vierges lui revenait en mémoire et lui enlevait brutalement toute capacité de raisonnement. Transpercée par le regard de braise de son grand-père, elle se résigna à l'inévitable. Seul un miracle était désormais susceptible de fléchir la Déesse. D'avance elle acceptait l'accomplissement de Sa volonté – pour elle-même et pour Gaius, pourvu qu'Elle consentît à sauver son enfant.

Ardanos attendait sa réponse.

Elle parvint enfin à se maîtriser, prit une profonde inspiration et déclara faiblement :

– Je suis prête.

– Te juges-tu apte à recevoir Son pouvoir ?

Le Haut Druide l'observait comme un aigle à l'affût guettant avec jubilation sa proie.

Elane ne s'y trompa pas. Persuadée qu'elle devait fièrement assumer le choix de Liana et le don suprême qu'elle avait fait à Gaius, elle répondit crânement :

– Oui, je suis apte.

Répondre négativement eût été admettre qu'elle avait péché en accomplissant l'acte d'amour. Son corps, qui donnerait bientôt la vie, était simplement devenu avant l'heure le vaisseau sacré.

– Que la terre se soulève et m'entraîne dans la tombe, que le ciel m'écrase, et que les dieux par lesquels je jure m'abandonnent si je mens ! clama-t-elle d'une voix claire et ferme.

– L'appelée a répondu à la question et a juré, constata Ardanos comme à regret en s'adressant aux druides qui l'assistaient.

Puis il se tourna à nouveau vers la prêtresse :

– L'heure est venue pour toi d'accomplir les rites de purification et de te préparer pour les cérémonies. Que la Mère Éternelle t'assiste de toute sa puissance et te montre la voie de ta mission sacrée !

L'enveloppant alors d'un long regard ambigu, il se retira sans dire un mot de plus, la laissant seule avec les femmes.

LA COLLINE DU DERNIER ADIEU

– Elane, ne tremble pas ainsi, chuchota dans l'ombre Kellen d'une voix douce. Ne laisse pas cette vieille buse te faire peur, tu n'as rien à craindre. La Déesse est miséricordieuse. Elle est notre Mère à toutes, la Mère de toutes les femmes, et elle donne la vie à ce qui est mortel, ne l'oublie jamais.

Sentant son cœur battre très vite, Elane acquiesça d'un mouvement de tête. Si elle devait mourir, elle ne mourrait pas par la main de la Déesse. Toute crainte était donc inutile.

Le rideau qui l'isolait ondula légèrement et quatre prêtresses apparurent portant des seaux d'eau puisée à la Source Sacrée. Elles entreprirent alors de la déshabiller avec déférence et l'aidèrent à se laver. Frissonnant dans la fraîcheur de la pièce, Elane ressentit sur sa peau le contact de l'eau ruisselante comme une pluie purificatrice, comme si se dissolvaient sur son corps toutes les impuretés de sa vie passée et les dernières empreintes de l'amour de Gaius.

Aussi ce fut une Elane nouvelle, régénérée, que les prêtresses revêtirent des ornements rituels ; et quand elles fixèrent sur son front la guirlande traditionnelle, elle éprouva un léger vertige qu'elle interpréta aussitôt comme une première manifestation de la présence divine. C'était une impression bizarre, subtile, comme une sensation de faim et de soif excluant cependant tout élément de frustration. Mais déjà on lui apportait la coupe en or ciselé contenant le breuvage magique indispensable à la Vision. Elle savait qu'il contenait des baies de gui et des champignons que les gens du peuple évitaient de manger, non seulement parce qu'ils les considéraient comme sacrés, mais aussi parce qu'ils étaient vénéneux. Les prêtresses, elles, savaient qu'en très petite quantité, ils n'étaient pas nocifs et développaient fortement les facultés de seconde vue.

Très anxieuse toutefois, Elane prit la coupe des mains d'Elide et la porta à ses lèvres, songeant aux paroles de Kellen. Elle qui lui avait souvent dit que Liana avait sans doute succombé à la suite d'absorptions trop répétées de ces dangereuses libations.

LA COLLINE DU DERNIER ADIEU

Fermant les yeux, elle vida la coupe d'un seul trait selon le rituel et éprouva l'intense amertume du breuvage, se demandant si, finalement, ce n'était pas effectivement du poison secrètement versé par Ardanos pour se débarrasser d'elle, idée aussi vite rejetée puisque Kellen l'avait préparé elle-même et que personne n'avait donc pu s'en approcher.

La tête cependant lui tournait et elle craignit un instant de ne pouvoir réprimer sa nausée, première manifestation peut-être de sa punition à venir. Elle demanda donc à s'asseoir, but quelques gorgées d'eau, et parvint à se maîtriser.

Autour d'elle les jeunes prêtresses s'écartèrent et Ardanos, soudain, fut de nouveau devant elle. Elane souleva ses paupières alourdies par la drogue et croisa l'impénétrable regard de son grand-père.

– Elane, commença-t-il, sans élever la voix, te voici prête maintenant. Viens, le peuple t'attend ! A travers toi, la Déesse va lui apparaître !

Pour Elane, plus rien n'avait d'importance. L'esprit embrumé, elle flottait dans les airs et la réalité des choses s'estompait peu à peu.

– L'effet de la coupe sacrée a été rapide, marmonna Ardanos tout en faisant signe aux prêtresses de se tenir à l'écart. Écoute, mon enfant, je sais que tu peux encore m'entendre, poursuivit-il en donnant maintenant à sa voix le ton incantatoire du rituel.

Elane devinait l'importance de ses paroles, tentait de s'en pénétrer, savait qu'elle devait s'en souvenir... mais en vain. Le temps passait, tout autour d'elle s'obscurcissait, Ardanos lui-même s'effaçait de sa vue. Elle flottait maintenant dans des ténèbres vertes, loin, très loin de la cime des arbres. On l'emportait dans une litière, doucement, longtemps, puis on l'aidait enfin à se lever. Kellen était à côté d'elle et d'autres femmes qu'elle ne connaissait pas. On lui prenait la main, on la menait vers des torches disposées en cercle au pied de la colline sacrée, on l'entraînait enfin, à demi inconsciente, vers le trépied où elle devait s'asseoir.

LA COLLINE DU DERNIER ADIEU

Le sacrifice du taureau sacré ayant déjà eu lieu et sa viande distribuée à toute l'assistance, l'heure des présages était venue. A l'est montait la lune des moissons, plus dorée que les robes brillantes des prêtresses.

– Jette les yeux sur moi, ô Déesse ! Accorde-moi ta protection ! parvint à murmurer Elane, tandis que ses assistantes plaçaient entre ses mains la petite dague courbe rituelle. D'un geste vif, elle la leva alors et incisa l'extrémité de l'un de ses doigts, d'où jaillirent aussitôt plusieurs gouttes de sang qui tombèrent dans la coupe avant de se mêler à l'eau de la Source Sacrée. A sa surface flottaient des feuilles de gui qui, poussant entre ciel et terre, n'avait été planté par nulle main humaine.

L'offrande de son sang accomplie, elle sentit qu'on la soulevait à nouveau et qu'elle était portée sur la colline.

Comme les druides se mettaient à chanter, Elane eut l'impression réelle de tomber, de flotter puis de s'élever, emportée par la mélopée vers des régions lointaines. Pourquoi avoir eu peur ? se demanda-t-elle étonnée. Elle planait maintenant dans un océan sans frontières, immense, immatériel, détachée de toutes les contingences humaines.

Le flamboiement des torches la força cependant à quitter ces béatitudes. Elle dut soulever les paupières et regarda la foule assemblée à ses pieds. Elle avait un visage unique et ses yeux rivés aux siens exerçaient sur elle une pression physique qui l'obligea à revenir dans le monde des hommes.

C'est alors que lui parvint, sourde et lointaine, la voix du Haut Druide.

– Enfants de Dôn, pourquoi êtes-vous venus ici ?

– Nous sommes venus chercher la bénédiction de la Déesse, répondit distinctement un prêtre.

– Alors, appelez-La parmi nous !

Les narines d'Elane humèrent au même moment les lourdes senteurs des herbes sacrées qui envahissaient l'atmosphère autour d'elle. À chaque aspiration, dans un tourbillon de fumée, la terre semblait tourner plus vite et elle dut lutter pour garder l'équilibre, tout en percevant une rumeur grandissante de voix, parmi lesquelles elle reconnut avec stupeur la sienne :

– Noire Chasseresse... Mère Suprême... Dame des Fleurs, entends-nous ! Viens à nous, Dame de la Roue d'Argent, je suis Elane... Elane...

Tant bien que mal elle essayait de se raccrocher à sa propre identité, cherchant par ses cris à dominer le chœur des voix qui l'agressait douloureusement, accumulant sur son esprit et sur son corps une pression intolérable. Comme elle tentait désespérément de s'en libérer, elle fut secouée de spasmes, enserrée dans un étau, étouffée par des forces invincibles. Elle voulut appeler à l'aide, se débattre, en vain ! Aucune parole ne put s'échapper de ses lèvres et soudain, voyant l'eau miroiter devant elle, elle s'effondra tandis que s'élevait en elle, couvrant toutes les autres, une voix venant des profondeurs :

« Ma fille, je suis et reste avec toi. Penche-toi pour Me voir sur la Fontaine Sacrée. »

– Regarde dans l'eau, Dame, répéta une femme qui se tenait près d'Elane. Regarde dans la coupe et vois !

Une image incertaine apparut à la surface mouvante de l'onde, image qui s'éclaircit bientôt, une fois l'eau redevenue calme. Elane réprima un cri : le visage qui la regardait n'était pas le sien !

« Ma fille, aie confiance. Je veille sur ton esprit... » entendit-elle encore.

Alors une vague d'amour la submergea et, avec la même ferveur avec laquelle elle s'était donnée à Gaius, elle se laissa glisser dans les bras de la Dame d'Éternité.

Tout en ayant quitté son corps, elle le savait, elle éprouvait physiquement un bouleversant réconfort, évoluait dans un monde suave et éthéré, baigné par la douce lueur de la lune. En dessous d'elle son enveloppe charnelle était restée sur terre. Infiniment surprise, émerveillée, elle la voyait se mouvoir calmement, sans contraintes. La rumeur assourdie de la foule lui parvenait aussi feutrée que le lointain fracas des vagues qu'on entend se briser sur la grève, et l'immense ovation dont elle était l'objet n'était perceptible que par la houle silencieuse des mille bras qui se croisaient frénétiquement au-dessus des têtes.

Comme retombaient les acclamations, elle vit distinctement son double s'affaisser sur son siège. Alors, le Haut Druide s'adressa à lui dans l'antique langage des Devins.

– Mère Éternelle, daigne écouter les questions de ton peuple et lui répondre !

La Déesse, qui était en elle, releva la tête et parla dans la même langue obscure. Au fur et à mesure que lui parvenaient ses paroles, Ardanos se tournait vers l'assistance et les traduisait au grand étonnement d'Elane, car ses déclarations ne correspondaient pas au message de la Déesse. Mais, planant si loin de lui, entendait-elle bien tout ce qu'il pouvait dire ?

Un peu de temps passa encore et ses perceptions s'amenuisèrent jusqu'à disparaître complètement. Ardanos s'en aperçut et s'approcha d'elle.

– Dame, soyez louée pour toutes vos réponses. Je vous en remercie au nom de tous et vous salue. Le moment est venu maintenant d'abandonner ce corps à travers lequel Vous avez bien voulu nous parler. Adieu !

Du bout des doigts, il saisit alors dans la coupe les brindilles de gui qui restaient et aspergea d'eau sacrée tout le corps de la Haute Prêtresse.

Comme si elle s'abîmait dans un gouffre sans fond, Elane sentit douloureusement son cœur cesser de battre un court instant. Puis, happée dans une vertigineuse spirale qui tournoyait dans les ténèbres, elle perdit connaissance dans un carillonnement effréné de grelots.

Lorsqu'elle revint à elle, elle entendit les prêtresses chanter. La mélodie lui était familière, mais elle était trop faible encore, trop étourdie pour se joindre à elles. On lui avait ôté les guirlandes qui lui enserraient la tête et quelqu'un, d'une main délicate, passait un linge humide et frais sur ses tempes. On lui donna à boire, et un murmure parvint à ses oreilles :

LA COLLINE DU DERNIER ADIEU

– *Salut à Toi !* chantaient les femmes.
– *Pur joyau de la nuit !* ajoutaient les druides.
– *Beauté du ciel... Mère des étoiles... Fille adoptive du Soleil...* reprenaient en chœur les prêtresses.

Puis gestes et sons s'estompèrent et elle sentit qu'on l'emportait avec une infinie douceur.

Combien de temps après se retrouva-t-elle éveillée dans son lit ? Elane n'aurait pas su le dire. Ce qu'elle entrevit aussitôt, c'est qu'il faisait nuit. La lumière des torches ne lui blessait plus les yeux et les effets du breuvage sacré se dissipaient enfin. Curieusement les bribes d'une ancienne ballade chantaient dans sa mémoire :

« *Quand ils l'eurent dépouillée de ses ornements, ils brûlèrent les fleurs sacrées...* »

D'où venaient-elles ? Elle était incapable de s'en souvenir. Ce dont elle était sûre, c'est que ses guirlandes avaient été jetées dans le feu et qu'en se consumant, elles avaient embaumé l'air d'un parfum exaltant. Seule lui revenait sans cesse une image : celle de la lune d'argent qui brillait dans le firmament. Quant aux questions qu'on lui avait posées, elle n'en avait pas la moindre souvenance, bien qu'elle fût certaine que le peuple avait été satisfait.

« Et la Déesse ? se dit-elle alors avec reconnaissance. Elle ne m'a pas foudroyée ! » Puisse-t-elle ne jamais le regretter ! Légèrement écœurée, courbatue, elle savait que demain elle se sentirait sans doute mal en point. Mais c'était sans importance car elle avait surmonté l'épreuve, survécu en dépit des dangers et des pièges, et surtout réussi à garder son enfant.

– Bonne nuit, Dame, murmura Elide sur le pas de la porte. Que les dieux veillent sur vous jour et nuit !

« Dame ?... se dit-elle avant de sombrer dans un sommeil réparateur, Dame ! Ce n'est donc pas un rêve. Désormais je suis la Dame du Sanctuaire de la Forêt. »

Trois jours plus tard, Kellen fit venir Dieda dans la chambre de la Haute Prêtresse. Elane, pâle, les traits tirés, était assise près du feu.

— Dieda, dit-elle gravement, le moment est venu d'honorer ta parole. Tu vas prendre la place d'Elane que nous tiendrons cachée jusqu'à son accouchement.

— Je sais, vous en avez décidé ainsi. Mais croyez-vous que personne ne constatera la substitution ?

— C'est mon affaire. Depuis son accession à la dignité de Haute Prêtresse, Elane s'est présentée voilée aux femmes de la Maison. Bien peu verront la différence, et si elles la perçoivent elles la mettront sur le compte des rites de Lughnasad. Ton père et moi te remercions de ton concours.

— Dieda, dit alors Elane prenant la parole à son tour, nous avons été élevées comme des sœurs. Par le sang que nous partageons et aussi et surtout parce que tu sais ce que c'est que d'aimer, je te remercie de tout cœur de ton aide.

— Tu le peux, dit-elle d'une voix âpre avant d'ajouter perfidement : Au moins ai-je la satisfaction de n'être pas abandonnée par celui que j'aime. Et puis Kellen s'est engagée à m'envoyer ensuite étudier en Erin. Et toi, ma sœur, que vas-tu me promettre ?

Supportant bravement le coup qu'elle lui portait, Elane voulut rester avant tout calme et digne.

— Si je demeure Haute Prêtresse, je vous aiderai de mon mieux Kerig et toi, se contenta-t-elle de répondre. Et si je n'y parviens pas, tu en sais assez long pour m'anéantir. N'est-ce pas suffisant ?

— C'est assez, en effet. Elle eut un étrange sourire et ajouta : Kellen est témoin de ton engagement. Tâche de t'en souvenir. Je te donne en échange ma parole. Tu peux compter sur moi.

XVIII

S E rendre dans le nord de l'Ile de Bretagne ne fut pas pour Gaius une équipée aussi désagréable qu'on le lui avait prédit à Londinium. Certes, en cette fin d'été, le ciel était parfois couvert mais la pluie était rare et l'air embaumait le foin séché. A la tête de sa colonne, il traversa des terres de plus en plus sauvages, des forêts et des collines, sans rencontrer âme qui vive.

Ayant dépassé les terrains de chasse des Brigantes, il s'enfonça dans une région encore plus retirée où les rares habitants rencontrés parlaient un dialecte inconnu. Rome, se dit-il tout en chevauchant à travers les landes arides, n'aurait pas grand mal à assujettir le pays, mais lui serait-il possible de le gouverner ? Seule la nécessité d'empêcher Calédoniens et Hiberniens * d'envahir ces terres et de détruire champs et récoltes justifiait finalement une intervention armée.

Le long crépuscule septentrional teintait le ciel de violet quand Gaius, un soir, au terme de son voyage, entra dans Pinnata Castra, la forteresse que la Vingtième Légion avait

---

* Écossais et Irlandais.

construite à l'embouchure de la Tava, site où la flotte s'était distinguée l'été précédent, semant la terreur chez les Calédoniens. Une puissante muraille fortifiée se dressait derrière une énorme palissade circulaire. Elle protégeait de nombreuses huttes solidement édifiées en remplacement des traditionnelles tentes de cuir trop légères pour résister aux tempêtes et aux rigueurs de l'hiver.

Le campement semblant désert, Gaius, après s'être brièvement présenté, en demanda la cause à l'officier de garde qui s'était avancé à la rencontre de la petite troupe.

– Les Légions sont là-bas, répondit l'homme en désignant le nord d'un geste vague. Aussi sommes-nous obligés de sortir chaque jour pour contenir le harcèlement des tribus calédoniennes réunies sous la bannière de leur chef Calgacus. Mais ce soir vous allez pouvoir manger un repas chaud et prendre du repos sous un vrai toit. Vous devez en avoir besoin après une si longue route. Toutes les peuplades ont fini par s'unir et il faut reconnaître que nous avons affaire à de redoutables guerriers. S'ils avaient réussi à faire bloc plus tôt, nul doute que les frontières de l'Empire ne dépasseraient pas aujourd'hui les côtes de la Gaule. Vous en ferez vous-même l'expérience demain.

Il bruinait sur le camp quand Gaius, le lendemain, se rendit à la convocation d'Agricola.

– Quelles nouvelles de Martius Julius Licinius ? lui demanda sans préambule le Gouverneur de l'Ile de Bretagne. Comment va-t-il ?

L'homme qui l'accueillait devant sa vaste tente en cuir était de taille moyenne. Sans son armure, sous sa cape rouge, il paraissait svelte et presque jeune malgré ses cheveux gris et des cernes légers sous les yeux qui trahissaient les fatigues imposées par une campagne difficile.

– Le Procurateur se porte bien et vous adresse ses salutations, répondit le jeune homme, figé au garde-à-vous. Voici les messages qu'il m'a chargé de vous remettre.

LA COLLINE DU DERNIER ADIEU

Agricola tendit la main vers le paquet de lettres et invita Gaius à entrer dans sa tente.

— Je serai mieux à l'intérieur pour les lire, sinon elles seront vite trempées. Vous devez être vous-même éreinté après une pareille chevauchée. Tacite que voici va s'occuper de vous et vous indiquer vos quartiers.

Il avait désigné un grand jeune homme à l'air taciturne dont Gaius apprit plus tard qu'il était son gendre.

Saluant le Général, Gaius prit congé et suivit Tacite qui le conduisit près d'un feu où se réchauffaient des officiers. Leur ayant été présenté, il s'installa à leur côté et prit part à une collation offerte en son honneur. À croire ses nouveaux compagnons, la situation était sérieuse mais non désespérée, et le moral des troupes excellent.

— À votre avis, le Général obligera-t-il Calgacus à se battre ? demanda-t-il.

— À moins que ce ne soit l'inverse qui se produise, s'exclama l'un de ses interlocuteurs. Vous ne les entendez pas ? Ils sont là tapis non loin dans les brumes qui nous cernent, peinturlurés en bleu, prêts à bondir en hurlant vers nos lignes. Les éclaireurs estiment qu'ils sont une trentaine de mille sur le mont Graupius. Calgacus va passer à l'attaque, c'est certain. D'ailleurs, il a tout intérêt à le faire avant que ne se réveillent les vieilles querelles entre tribus qui contribueraient forcément à affaiblir ses rangs.

— Combien sommes-nous pour leur faire face ? demanda Gaius, vaguement inquiet.

— Quinze mille hommes appartenant à la Vingtième, la Seconde et ce qui reste de la Neuvième Légion, précisa l'un de ses camarades, sans compter les huit mille fantassins auxiliaires, pour la plupart des Batavi et des Tungri, quelques Brigantes dissidents et quatre escadrons de cavalerie. Nos forces sont à peu près égales, mais les leurs, prêtes à déferler des hauteurs, détiennent sur nous un avantage considérable.

LA COLLINE DU DERNIER ADIEU

Sur le mont Graupius qu'on appelait aussi la Vieille Femme, la Pourvoyeuse, ou encore la Sorcière de l'Hiver, soufflait un vent de mer très froid charriant des rafales de pluie mêlée de neige fondue.

Mais les Calédoniens et leurs alliés ne s'en souciaient guère. Assis autour des feux, ils buvaient de la cervoise à la victoire du lendemain, et seul Kerig, emmitouflé dans sa cape à carreaux, ne parvenait pas à se réchauffer. Benedig, resté jusque-là en retrait, s'approcha des flammes et glissa à l'oreille de son fils adoptif :

– Le chasseur qui se vante à l'aube se retrouve souvent la marmite vide au crépuscule.

Kerig eut un mouvement de tête et répondit à voix basse :

– Nos guerriers aussi plastronnent toujours un peu avant la bataille. C'est leur façon à eux de tromper leur peur. Laissons-les s'échauffer, ils n'en combattront que mieux demain. La cervoise a du bon pour réunir des frères ennemis. Regardez ! Les hommes du clan du Cheval Blanc pactisent avec leurs adversaires héréditaires du sud. Ils ont raison ! Calgacus a réussi à les persuader tous de lutter côte à côte. Comment pourrions-nous donc échouer ?

Comme Benedig gardait le silence, Kerig insista :

– Qu'y a-t-il, père ? Avez-vous eu un mauvais présage ?

– Non, aucun. Nos forces sont égales et notre position est la meilleure. Mais Agricola est un formidable adversaire et la seule chose que je crains, c'est que Calgacus le sous-estime.

Ébranlé par le doute qui semblait habiter son père, Kerig soupira. Il avait tant lutté lui-même pour que les hommes des tribus l'admettent dans leurs rangs, lui, le fils d'un peuple vaincu, qu'il n'avait plus rien à dissimuler.

– Père, j'entends les chants mais je ne peux me joindre aux chanteurs ; je bois et je ne me réchauffe pas. Pensez-vous néanmoins que je manquerai de courage demain, lorsque nous affronterons les Romains ?

– Non, tu nous feras honneur, reprit le druide, farouchement. Rappelle-toi que tu es un Corbeau, Kerig, et que tu

244

rencontreras demain non la gloire mais le chemin de la vengeance.

Cette nuit-là, Gaius eut du mal à trouver le sommeil. Son lit pourtant était confortable et il avait déjà vécu, sans état d'âme, des veillées d'armes. Il ne trouvait pas le repos car son esprit était ailleurs. En dépit de l'omniprésence de Julia dans ses pensées, il était dans la forêt de Vernemeton où se trouvait Elane.

Vaincu par la fatigue, ses paupières se fermèrent enfin et il se retrouva en rêve avec elle dans une cabane au milieu des bois. La tenant étroitement serrée, il se rendait compte alors, en l'embrassant, que son corps s'était arrondi. Elle lui souriait et découvrait sa robe sur son ventre pour qu'il pût voir. Lui, tout ému, posait la main sur la courbe fraîche de sa peau, et sentait l'enfant bouger en elle. Jamais Elane n'avait été aussi belle, aussi douce, aussi tendre. Elle ouvrait les bras et l'attirait vers elle, lui chuchotant des mots d'amour.

Quand il s'éveilla à l'aube, tout le monde s'agitait autour de lui. Ayant mis leur tunique, les soldats s'employaient déjà à lacer leur armure dans la lumière grise avant de gagner en hâte les lieux de rassemblement.

En peu de temps Gaius fut prêt à son tour, et se sentant plus seul et abandonné que jamais, rejoignit l'état-major du Général où il avait été affecté.

– Pourquoi Agricola ne met-il pas les Légions en ordre de bataille ? demanda-t-il discrètement à Tacite, quand ils furent à pied d'œuvre sur une petite colline, alors que l'infanterie légère se mouvait sous leurs yeux en une longue file au pied de la montagne, encadrée par la cavalerie.

La lumière pâle du matin faisait briller les casques de bronze et la pointe des lances, miroitement mouvant où étincelaient fugitivement les armures. Derrière la troupe, sur les pentes les plus basses, verdoyaient des pâturages, cernés çà et là par de vastes étendues de fougères et de bruyère mauve.

LA COLLINE DU DERNIER ADIEU

– Nos effectifs sont insuffisants, lui confia Tacite. L'Empereur en a prélevé sur toutes les Légions pour sa campagne en Germanie. Résultat, trois mille de nos meilleurs soldats se morfondent là-bas, perdus dans des ravins sauvages, forcés de jouer avec l'ennemi comme le chat avec la souris. Pendant ce temps, Agricola doit faire face avec ses unités amputées. Il a donc placé au mieux les Légions devant les retranchements d'où elles peuvent nous soutenir si nous nous replions. Espérons cependant que nous n'en arriverons pas là !

– Mais n'est-ce pas l'Empereur lui-même qui a donné l'ordre au Gouverneur d'élever des fortifications dans le nord de la Calédonie ? Domitien est un soldat, il devrait savoir...

Tacite sourit.

– Certains disent qu'il en sait plutôt trop. Titus a accordé à notre Gouverneur les honneurs dus à un héros pour les succès remportés dans l'Ile de Bretagne. Mais lorsqu'il n'aura plus besoin de lui ici, il le remerciera. L'Empereur, dit-on, estime qu'il n'y a pas de place à Rome pour deux généraux victorieux.

Gaius tourna alors les yeux vers le commandant en chef. Il surveillait le déploiement de ses troupes avec une gravité attentive, reconnaissable à son armure scintillante et au cimier de son casque ondulant dans la brise matinale avec sa cape pourpre.

Dès que chacun fut à son poste, Agricola harangua les légions :

– Soldats de Rome, clama-t-il d'une voix de stentor, sachez qu'une mort honorable est préférable à une vie honteuse ! Même au bout de la terre, là où nous nous trouvons, mieux vaut tomber au combat que survivre sans gloire. Quant aux Calédoniens que Calgacus appelle les derniers hommes libres sur l'Ile de Bretagne, ils ne sont plus que des fugitifs se dérobant devant nous par couardise et faiblesse. S'ils se trouvent aujourd'hui à votre portée, ce n'est pas parce qu'ils défendent leur sol, mais parce que nous les avons gagnés de vitesse !

LA COLLINE DU DERNIER ADIEU

Écoutât cette voix métallique et hautaine tourner en dérision ses adversaires, Gaius sentit un bref instant sa fibre maternelle se réveiller en lui, bien obligé pourtant de reconnaître qu'une victoire romaine mettrait fin à une lutte qui durait depuis un demi-siècle.

Mais les cris des hommes des tribus qui s'étageaient à flanc de montagne et venaient de se découvrir, répondant à leur manière au discours du conquérant, l'empêchèrent de poursuivre plus avant ses réflexions. Des chars, escortés par la cavalerie, dévalaient les pentes ; ballottés dans des nacelles en osier, cochers et cavaliers, menant à bride abattue de petits chevaux nerveux, étaient entourés d'une innombrable piétaille hurlant d'incompréhensibles invectives tout en brandissant lances et boucliers.

Du côté des Romains, la réaction fut immédiate. Galvanisée par les paroles de son chef qui maintenant, l'épée haute, désignait menaçant l'ennemi à abattre, l'armée, d'une seule voix, clama sa détermination et s'apprêta à encaisser le choc. Le spectacle de ce raz de marée tout à la fois grandiose et terrifiant laissait dès lors présager une mêlée furieuse, lorsque soudainement, presque arrivés au contact des légions, les barbares firent virevolter en sens inverse leurs chars après avoir lancé une pluie de javelots sur les boucliers romains. Ceux qui étaient à pied, gesticulant et hurlant comme des diables, peints sous leurs tuniques bariolées ou nus pour ainsi dire, parés seulement de torques et de bracelets rutilants, hésitèrent un instant, faisant mine de se préparer à l'assaut imminent. Alors, Agricola, mettant à profit l'accalmie, mit pied à terre, abandonna son cheval à l'un de ses hommes, et impavide, donna ses ordres qui furent rapidement transmis.

Aussitôt les premières lignes romaines s'ébranlèrent et, au son des trompettes, chargèrent l'adversaire, lances au poing. Décontenancés par une si brusque riposte, les Calédoniens décrochèrent légèrement puis se ressaisirent. Brandissant leurs épées effilées au tranchant redoutable, ils se ruèrent sur l'ennemi.

LA COLLINE DU DERNIER ADIEU

Gaius, sachant que sa place n'était pas parmi les fantassins, prit soudain la décision de rejoindre la cavalerie. Il éperonna sa monture et, par-delà les rangs des auxiliaires, observa la première phase de la bataille. L'engagement convenait parfaitement aux forces d'Agricola, qui, en dépit des corps qui vacillaient de part et d'autre, continuaient d'avancer inébranlablement, transperçant l'ennemi de leurs glaives ou écrasant les visages de la pointe de leurs boucliers.

Bientôt, un grand cri monta des rangs romains. Culbutées par leur irrésistible poussée, les hordes barbares se disloquaient, pourchassées sur leurs ailes jusqu'aux premiers contreforts de la montagne.

C'est alors que les chars calédoniens qui s'étaient rassemblés plus haut, voyant les leurs en difficulté, passèrent à l'attaque. Dévalant la colline à une vitesse incroyable, ils plongèrent sur les Romains comme des loups dans une bergerie provoquant une inextricable et sanglante mêlée.

Tout s'était si rapidement déroulé qu'il fallait réagir sans tarder. Gaius, à la tête d'un détachement de cavalerie, ne fut pas long à se précipiter à la rescousse. Un char fondit sur lui. Pour l'éviter, il fit manœuvrer son cheval si brutalement qu'il heurta douloureusement le troussequin de sa selle, et sentit qu'on lui arrachait son glaive pour le retourner contre lui. L'arme frappa son casque, mais se prenant dans le cimier elle dévia et tomba plus loin. Tout étourdi, Gaius fit demi-tour, sauta à terre, parvint à la récupérer, puis, se remettant promptement en selle, réussit à échapper au feu croisé des traits qui fendaient l'air autour de lui et à gagner en quelques instants une zone de combat un peu moins exposée.

Reprenant haleine, il chercha alors à faire le point de la situation. Les cavaliers romains semblaient reprendre l'initiative et encerclaient déjà les chars qui avaient enfoncé les lignes. Pris au piège, plusieurs d'entre eux s'étaient heurtés rendant presque impossible pour les autres toute manœuvre pour se dégager. Des conducteurs coupaient les traits pour libérer les chevaux qui, avec des hennissements sauvages,

248

rejoignaient d'autres bêtes affolées, semant la panique autour d'eux, renversant soldats, amis ou ennemis.

Désormais, la mêlée était générale et toutes les forces en présence semblaient participer au combat. Les pentes du mont Graupius fourmillaient d'hommes qui s'affrontaient avec acharnement, formant une tapisserie mouvante dont les nœuds se faisaient et se défaisaient constamment. Au moment où Gaius se rendait compte que son camp néanmoins prenait nettement l'avantage, une lance sembla soudain jaillir du sol devant lui. Son cheval se cabra, mais il put malgré tout détourner l'arme avec son épée, frappa à son tour, et transperça l'assaillant qui l'avait surpris, stupéfait de découvrir tant de haine sur le visage d'un mourant.

Cependant les ultimes réserves de Calgacus se précipitaient dans la bataille, dans l'espoir d'inverser en sa faveur une victoire qui lui échappait. Mais les quatre escadrons de cavalerie qu'Agricola avait lui aussi tenus à l'écart entraient simultanément en action. Ils débordèrent rapidement les barbares qu'ils martelèrent sur l'enclume de l'infanterie.

Alors commença le massacre. Les forces de Calgacus perdaient de plus en plus toute cohésion. Certains continuaient de se battre, d'autres cherchaient à fuir, mais les Romains étaient partout. Ils tuaient ou faisaient des prisonniers qu'ils abattaient ensuite, débordés par le nombre. Gaius frappait de tous côtés autour de lui. Les fougères, à ses pieds, étaient teintées d'un rouge sombre et le champ de bataille couvert de cadavres et d'armes abandonnées. Des gémissements et des râles retentissaient un peu partout, tandis que s'enfuyaient vers la lisière de la forêt les survivants éperdus tentant d'échapper à la mort.

Le jour déclinait quand les combats cessèrent enfin. Épuisé, Gaius mit pied à terre près d'un petit bosquet, libérant son cheval aussi fourbu que lui pour qu'il puisse brouter quelques touffes d'herbe éparses. Comme il retirait son casque, un homme dissimulé dans un buisson sauta sur lui et le jeta à terre. Gaius tira sa dague pour se défendre, mais son

249

agresseur, plaqué sur lui, saisit son bras d'une main rouge de sang. Ne s'étant jamais complètement remis de la blessure faite à son épaule par le piège à sangliers, il grimaça de douleur, et parvint pourtant dans un dernier sursaut d'énergie à saisir à la gorge son adversaire. C'est alors que ses yeux rencontrèrent le regard de Kerig.

— Kerig ! Tu veux donc ma mort ? souffla-t-il, ayant du mal à revenir de sa surprise. Moi, je t'offre la vie, si tu le veux.

Visiblement à bout de forces, Kerig cracha sa haine et sa fureur :

— Romain, j'aurais dû te laisser pourrir dans la fosse ! Ainsi rien ne serait arrivé à Elane.

— Mais toi aussi, tu as du sang romain ! hurla Gaius fou de rage, se voulant d'autant plus cruel qu'il se sentait coupable.

— Ta mère a vendu son honneur ! Moi, la mienne est morte !

Gaius allait resserrer son étreinte quand il comprit que Kerig souhaitait la mort de toute son âme.

— Kerig, tu m'as sauvé la vie, murmura-t-il en le libérant. Je t'offre la tienne. Que les Enfers fassent de toi et de ton orgueil ce qu'ils veulent. Rends-toi et nous aurons ainsi encore l'occasion de nous battre !

C'était de la folie mais rien d'autre n'était possible. Il devait le sauver, ne fût-ce que pour Elane.

La tête de Kerig, qui n'avait pas bougé, retomba sur le sol et Gaius se releva, contemplant son adversaire qui baignait dans son sang. Leurs regards se croisèrent encore.

— Un jour, tu me le paieras, menaça le fils de Benedig avant de fermer les yeux, tandis que s'avançait vers eux le chariot cahotant qui ramassait les blessés.

Dix mille morts chez les Calédoniens, plusieurs centaines chez les Romains, tel fut le lourd bilan de cette sanglante journée. Pour Calgacus et les siens, l'Ile de Bretagne avait perdu pour longtemps tout espoir de liberté.

XIX

E N dépit de l'écrasante victoire des Romains sur les Calédoniens, tout le nord ne fut pas pacifié pour autant, tant
s'en faut ! Aussi fêta-t-on à Rome l'événement tout en sachant
que des foyers de rébellion pouvaient encore renaître.

Gaius, remis de ses blessures, se rendit dans le camp où
étaient regroupés les prisonniers notoires. Il y retrouva Kerig,
balafré et aigri mais vivant, heureux que Calgacus n'eût pas
subi le même sort que lui. Il avait disparu et se terrait sans
doute dans quelque cache sûre, de même que Benedig, si l'on
en croyait la rumeur.

— J'ai été pris les armes à la main, reconnut son fils adoptif
et n'attends des Romains nulle clémence. Tâche pourtant
d'obtenir d'Agricola, si tu peux, le pardon pour mon père. Je
t'ai sorti de la fosse, lui t'a sauvé la vie. Prouve-nous ta reconnaissance.

Gaius acquiesça sans réserve. Sa dette était encore plus
grande que Kerig ne pouvait l'imaginer. Il plaida donc la
cause du druide que personne n'avait vu prendre part aux
combats et qui put de la sorte rejoindre les şiens sans
encombre.

251

LA COLLINE DU DERNIER ADIEU

Pour sa part, Gaius prit la route du sud vers la fin de l'hiver, résolu à passer par Deva pour embrasser son père, avant de suivre les recommandations de Julia qui l'avait engagé, quelques mois plus tôt, à revoir Elane.

Comme il approchait de la ville, une brise marine qui soufflait de l'estuaire lui confirma que son voyage arrivait à son terme. A travers les arbres apparaissait déjà la haute et puissante palissade qui ceinturait la cité, et bientôt il franchit l'une de ses portes principales. Parvenu dans la cour pavée devant la villa de son père, il mit pied à terre et monta rapidement les quelques marches qui le séparaient de la galerie menant au bureau du Préfet qui l'accueillit à bras ouverts.

– Ah, te voilà enfin, mon fils ! dit-il le serrant contre lui. Je commençais à désespérer de te revoir. Décidément le Gouverneur t'accapare, mais je ne m'en plains pas ! Vas-tu au moins rester ici quelques jours avant de repartir pour Londinium ?

– Oui, Père, j'ai une permission de plusieurs semaines.

Gaius se força à sourire :

– Il est doux de se retrouver chez soi après une si longue absence !

– Eh bien, invite qui tu veux sous mon toit. Tous tes amis, sans exception, seront les bienvenus.

Étonné que son père n'ait pas fait allusion à son mariage avec Julia, Gaius, en reprenant possession de sa chambre, se demanda si l'ambition qu'il sentait germer en lui sous l'aile protectrice d'Agricola, ne rendait pas l'événement inéluctable. Le Gouverneur avait besoin à ses côtés de quelqu'un connaissant bien les Brittons et leur île. Les anciennes tribus n'allaient-elles pas peu à peu disparaître et se fondre dans un peuple romanisé que seul un chef issu des deux races mêlées pourrait comprendre ? Pourquoi donc alors ce chef, capable de faire de l'Ile de Bretagne la perle de l'Empire, ne serait-ce pas lui-même, si toutefois il savait saisir sa chance et s'engager sur une voie qu'on préparait d'avance pour lui ?

LA COLLINE DU DERNIER ADIEU

★
★ ★

Les Hautes Prêtresses, après les grandes fêtes rituelles, se remettaient de l'épuisement occasionné par le don qu'elles faisaient d'elles-mêmes en restant quelque temps cloîtrées en marge du monde. On ne s'étonna donc pas au Sanctuaire de la Forêt de l'absence prolongée d'Elane.

Une fois qu'elle eut repris des forces, les femmes la virent réapparaître de loin en loin, aller et venir sous ses voiles, sans qu'on la distinguât vraiment, comme Liana d'ailleurs qui, dans les dernières années de sa vie, gardait le plus souvent la chambre et ne participait guère aux activités de la communauté, assistée seulement par Kellen et deux ou trois prêtresses de son choix.

En revanche, l'étrange disparition de Dieda alimentait toutes les conversations. Certaines de ses compagnes pensaient qu'elle les avait quittées volontairement, par dépit de ne pas avoir été choisie à la place d'Elane. D'autres laissaient entendre qu'elle s'était enfuie pour rejoindre Kerig, entr'aperçu un jour aux abords du Sanctuaire en compagnie de Benedig.

Mais lorsqu'on apprit de la bouche d'un bûcheron qu'une femme enceinte vivait solitaire dans une hutte de la forêt, la clé de l'énigme parut évidente. Dieda attendait un enfant, et on l'avait reléguée dans les bois pour y cacher sa honte en attendant sa délivrance.

Qui aurait pu, dans ces conditions, soupçonner l'incroyable vérité ? De plus, la contribution de Dieda à la supercherie n'était guère astreignante, car le Gouverneur avait interdit tout rassemblement d'importance depuis la bataille du mont Graupius de peur d'un nouveau soulèvement. On se préparait donc présentement pour les prochaines fêtes de Samain à se réunir seulement en famille et l'on se contenterait de la divination des pommes et des noix autour d'un feu dans l'âtre, sans que l'Oracle ne fût rendu.

253

LA COLLINE DU DERNIER ADIEU

Ainsi Elane, et non Dieda qui avait pris sa place à Verne-meton, passa l'hiver bien au chaud dans sa petite cabane forestière, servie par une vieille femme qui ne connaissait même pas son nom. Elle recevait de temps à autre la visite de Kellen et avait élevé un petit autel à la Déesse Mère près de la cheminée. Voyant s'arrondir son ventre et s'animer la vie qu'elle portait en elle, elle hésitait entre la joie de sentir son enfant bouger et la crainte de ne plus jamais revoir le père.

Un matin, Elane, assise au seuil de sa porte, vit Kellen venir à elle sur le sentier.

— J'ai cuit ce matin du pain d'avoine, parvint à dire Elane, les larmes aux yeux, tant sa sensibilité à l'approche de la nais-sance était exacerbée. Venez donc vous asseoir à l'intérieur et partageons mon repas à moins que vous ne redoutiez ma pré-sence impure ?

— Enfant ! s'écria Kellen en éclatant de rire, il me tardait tant de te voir. S'il n'avait pas tellement neigé, je serais venue bien plus tôt.

— Je suis heureuse de vous voir. Donnez-moi des nouvelles de Vernemeton. Comment se porte Dieda ? Se tire-t-elle d'affaire ? Dites-moi tout. Je me languis tellement ici en pen-sant à vous toutes !

— Petite fille, répliqua Kellen avec un sourire tendre. Tu me fais l'effet d'un fruit mûr tout près de s'épanouir. Rassure-toi, tout va bien à Vernemeton. Dieda remplit ses devoirs avec une grande conscience, bien qu'avec moins de conviction que toi. Quand tu seras sur le point d'accoucher, fais-moi prévenir par la vieille femme qui te sert. J'accourrai aussitôt.

— Mais comment le saurai-je ?

— Tu as assisté à l'accouchement de ta sœur, répondit Kellen avec bienveillance. Ne te souviens-tu pas des symp-tômes annonciateurs ?

— Je me souviens surtout des forbans qui nous ont atta-quées et de la façon dont vous les avez mis en fuite, répondit Elane, l'air désemparé.

LA COLLINE DU DERNIER ADIEU

– Allons, confiance, mon enfant ! A mon avis, cela ne va pas tarder. Peut-être sera-ce le jour de la Fête de la Vierge. Regarde tes mains. Elles s'activent sans cesse, c'est un phénomène courant lorsque l'enfant est tout près de venir. Ah, j'oubliais ! Je t'ai apporté un cadeau. Vois cette guirlande de brindilles de bouleau blanc, fit-elle, la tirant de son sac. Elle est consacrée à la Mère Éternelle. Je vais la suspendre au-dessus de ton lit pour te recommander à Sa haute bienveillance. Il arrive parfois que les dieux des hommes semblent nous éviter, mais la Déesse, elle, prend toujours soin de toutes Ses filles. Je sens que je serai de retour bientôt après la fête. Sache bien que je préférerais mille fois te voir officier à la place de Dieda.

– Je suis heureuse de vous l'entendre dire ! s'exclama une voix qui les firent se retourner ensemble. Sur le pas de la porte s'encadrait la silhouette voilée de Dieda. Si vous ne m'appréciez pas dans ce rôle, poursuivit-elle, élevant à peine le ton, pourquoi donc m'avoir choisie ?

Indignée par cette inopportune intrusion, Kellen s'interposa cinglante :

– Que faites-vous ici ? Ce n'est pas votre place !

– Et pourquoi non ? répliqua Dieda calmement en écartant son voile. N'est-ce pas au contraire fort aimable à la Haute Prêtresse de rendre visite à celle qui a péché ? Nos sœurs savent bien que l'une de nous vit ici, et elles sont persuadées qu'il s'agit de moi. C'est ma réputation qui est en cause. Qu'adviendra-t-il lors de mon « retour » ?

– N'es-tu venue, Dieda, que pour m'humilier et te repaître de mon isolement forcé ? demanda Elane d'une voix tremblante.

– Non ! Malgré ce qui s'est passé entre nous, je ne te veux aucun mal. Ne sommes-nous pas, après tout, deux femmes solitaires ? Je suis moi-même sans nouvelles de Kerig depuis son départ. Seuls les Corbeaux comptent pour lui ! Faudra-t-il à mon tour, quand j'aurai surmonté ma peine, que j'aille dans le nord servir la déesse de la guerre plutôt que de me rendre en Erin comme je le souhaitais tant ?

- Ce serait folie, intervint Kellen sèchement. Vous feriez une bien mauvaise guerrière, alors que l'enseignement des bardes guidera votre destin.

Dieda éleva ses mains dans un geste d'impuissance.

- Peut-être ! Ce que je veux surtout, c'est trouver un moyen de me racheter. Jamais je n'aurais dû me rendre complice de la perfidie qu'on m'a imposée.

- Tu n'as commis aucune faute, Dieda, objecta Elane d'une voix assurée. J'ai eu beaucoup de temps pour réfléchir depuis que je suis ici, et je crois fermement que la Dame, au contraire, a voulu que Sa servante sur terre connaisse la situation que je vis pour lui faire mieux aimer et protéger tous les enfants de ce pays. C'est pour la paix, non pour la guerre, que je travaillerai de toutes mes forces dès que j'aurai regagné le Sanctuaire de la Forêt.

- Tu as peut-être raison. Jamais je n'ai souhaité pour ma part avoir un enfant de Kerig ou d'un autre, répondit Dieda sans quitter des yeux la jeune femme. Pourtant, si malgré tout je portais un enfant de Kerig, je crois que j'éprouverais les mêmes sentiments que toi.

En prononçant ces mots, ses yeux s'étaient remplis de larmes qu'elle essuya non sans irritation, comme une enfant prise en défaut.

Souhaitant visiblement écourter sa visite, elle embrassa alors Elane furtivement, prétextant qu'il lui fallait sans tarder regagner Vernemeton, avant qu'on ne remarque son absence.

- J'étais venue pour te souhaiter bonne chance, dit-elle en s'esquivant, mais, même ici, Kellen m'a devancée.

Les jours s'allongeaient insensiblement et la sève qui montait faisait éclater les bourgeons. Les cygnes des marais commençaient leurs ébats amoureux, les laboureurs remettaient en état leurs socs, les pêcheurs calfataient leurs embarcations, et sur les collines les bergers qui passaient de nouveau les nuits à la belle étoile, se préparaient à assister les brebis sur le point de mettre bas.

LA COLLINE DU DERNIER ADIEU

Gaius, le cœur lourd, battait sans but la campagne à cheval, écoutant les mille bruissements de cette vie nouvelle et comptant les jours. Neuf lunes s'étaient écoulées depuis qu'Elane et lui avaient fait l'amour et la pensée de son proche accouchement l'obsédait malgré lui. Comme passait dans le ciel un vol de canards qui fuyaient vers le sud, il eut la brusque certitude qu'il devait, lui aussi, même s'il épousait Julia, suivre cette direction et revoir une fois encore Elane ainsi que le souhaitait sa future épouse.

Son rang à venir dans la société romaine lui permettrait d'ailleurs de l'aider mieux, ainsi que son enfant. Et puis, essaya-t-il de se persuader, si elle mettait au monde un fils, peut-être accepterait-elle de le lui confier ? Un garçon ne pourrait, de toute façon, être gardé longtemps dans le Sanctuaire de la Forêt. La famille silure de sa propre mère n'avait-elle pas consenti à le mettre lui-même sous la protection de son père Macellius, le Préfet de Deva ?

Ruminant ainsi excuses et arguments justifiant sa conduite et les engagements qu'il allait prendre, il se demanda, en revenant vers Deva, comment il annoncerait à Elane qu'il ne pouvait l'épouser, du moins pour l'instant. Si Julia ne lui donnait pas de fils, il pourrait alors la répudier. Les couples divorcés n'étaient-ils pas plus nombreux à Rome que les couples mariés ? Une fois sa situation établie et son avenir assuré, tout deviendrait envisageable et, quoi qu'il arrive, il pourrait aider son enfant à prendre un bon départ dans la vie. Mais Elane le croirait-elle ? Pourrait-elle seulement lui pardonner ?

Une chose, en tout cas, était sûre. Il ne pouvait se dérober. Il devait la revoir, s'assurer que son accouchement s'était normalement passé. Pour le reste, mieux valait s'en remettre aux dieux.

Prétextant donc une partie de chasse qui devait durer plusieurs jours, il prit, dès le matin suivant, la route de Vernemeton.

Les cérémonies préparatoires dédiées à la déesse Brigantia battaient leur plein quand Gaius dépassa la Colline des

Vierges, sachant que la Voix de la Déesse retentirait bientôt pour proclamer le retour du printemps. Avant d'arriver au village, il s'arrêta dans un bois pour se changer et ayant abandonné ses vêtements romains, il put se mêler tranquillement à la foule qui attendait dans la liesse le déroulement des festivités.

— La vieille Prêtresse est morte à l'automne dernier, lui apprit une femme. Et l'on dit que celle qui la remplace est toute jeune et très belle.

— Qui est-ce ? demanda Gaius intrigué.

— La petite-fille du Haut Druide. Qui d'autre pourrait mieux qu'elle perpétuer les vieilles coutumes et traditions de ses aïeux ?

« Elane ! Est-ce possible ? se dit-il, le cœur battant, en s'éloignant pour se reprendre. A-t-elle perdu son enfant ? Elane, Haute Prêtresse ! » Comment pourrait-il la revoir désormais ? Dans une agitation extrême, il attendit la nuit, vit enfin s'écarter la foule à l'approche de la procession des vierges marchant à pas feutrés vers lui dans leurs robes toutes blanches. A leur tête s'avançait une femme mince drapée dans une cape pourpre dissimulant aux regards sa robe immaculée, sa chevelure blonde étincelant sur ses épaules. Couronnée de lumière, elle allait, impénétrable et droite sous la voûte céleste accompagnée par le chant d'une harpe.

« Elane », voulut-il crier.

Mais au même moment, le jeune homme entendit psalmodier la Prêtresse, d'une voix plus douce et mélodieuse encore que la musique elle-même :

— Rejetant les ténèbres de l'hiver, je viens vers vous...

« Cette voix n'est pas la sienne », pensa Gaius, interloqué. Il s'approcha, chercha à distinguer les traits de la femme dissimulée sous les voiles.

— Je porte la lumière et les bénédictions, continua-t-elle. Le printemps vient, bientôt de nouvelles feuilles habilleront les bois et s'ouvrira la fleur de l'arc-en-ciel. Puissent vos troupeaux être féconds, vos labours fertiles ! Que la lumière, source de vie, se répande en vous et dans chaque fibre de la terre, auréolée de ma toute-puissante protection.

Bénissant la foule, la Haute Prêtresse se pencha alors légèrement et les vierges élevèrent leur couronne de chandelles au-dessus de sa tête, permettant à Gaius d'apercevoir pour la première fois le visage caché. C'était bien celui dont il avait rêvé et pourtant, il eut la brusque intuition qu'il ne s'agissait pas d'Elane, mais de Dieda dont il se rappelait maintenant parfaitement la voix.

Il s'écarta, frappé de stupeur. La femme s'était-elle trompée ou bien Elane avait-elle été victime d'une impensable supercherie ?

— Nous Te saluons, Dame, clamait le peuple, et Toi aussi, Vierge sacrée !

Son trouble augmentait, lorsque soudain il distingua dans l'ombre le visage de Kellen passant à quelques pas de lui. Bondissant vers elle, négligeant toute précaution, il l'apostropha à mi-voix :

— Je vous en prie, il faut que je vous parle ! Par pitié, dites-moi où se trouve Elane.

— Eloignons-nous. Nous ne pouvons parler ici, chuchota-t-elle à son oreille.

Il obéit sans hésiter, sachant que même s'il devait mourir ce soir, il n'aurait finalement que ce qu'il méritait. Quand ils se furent suffisamment enfoncés dans les bois, il s'arrêta et se tourna vers la prêtresse.

— Kellen, je sais combien Elane vous aimait. Au nom des dieux que vous honorez, dites-moi où elle se trouve maintenant.

Kellen désigna la direction d'où ils venaient, vers l'estrade où la femme voilée devait commencer à présider la cérémonie.

— Non ! Appelez, trahissez-moi si vous voulez, mais ne me mentez pas ! Tous, vous pourriez jurer qu'Elane est devant moi, je ne le croirais pas. Dites-moi la vérité. Dites-moi qu'elle est vivante !

LA COLLINE DU DERNIER ADIEU

Kellen, alors, posa un long regard sur lui et lut dans ses yeux la stupeur, la colère, la détermination. Elle poussa un soupir et, à regret, parla :

— Je devrais vous dénoncer et les laisser vous tuer. Mais, j'aime Elane moi aussi, et elle a trop souffert.

— Alors, elle est vivante ?

— Ce n'est pas grâce à vous ! rétorqua Kellen vivement. Il s'en est fallu de bien peu qu'Ardanos ne la condamne à mort. Mais on l'a persuadé de l'épargner. Pourquoi ne vous êtes-vous jamais manifesté ? Est-il vrai aussi que vous en avez épousé une autre ?

— Non, mon père m'a éloigné contre ma volonté et je ne suis pas marié.

— Le Haut Druide a-t-il une fois de plus menti ? Vous n'êtes pas marié à une Romaine ?

— Pas encore, avoua-t-il. J'ai combattu dans le nord. Voilà pourquoi je n'ai pu venir avant. Mais expliquez-moi. Si Elane n'a pas été inquiétée, pourquoi n'est-elle pas ici ?

Kellen le considéra avec un mépris tel qu'il en ressentit une brûlure intense.

— Voudriez-vous qu'elle participe à nos réjouissances alors qu'elle vient de mettre au monde votre fils ?

— Elle vit ? Et l'enfant ? demanda Gaius, le souffle court.

Kellen, à sa question, parut se radoucir.

— Oui, Elane vit, mais elle est faible car l'accouchement a été difficile. J'ai eu très peur. Je n'aurais pas voulu qu'elle meure pour vous car vous n'en valez pas la peine, mais je suis sûre néanmoins que vous serez pour elle le meilleur des remèdes. Les dieux savent sans doute que je suis mauvais juge, et je me moque de ce qu'Ardanos pourra dire. Je vais vous conduire à elle.

La distinguant à peine dans l'obscurité, Gaius la suivit sur des sentes désertes loin du Sanctuaire de la Forêt et de la Colline des Vierges. Comme ils cheminaient depuis long-temps, il se décida enfin à l'interroger.

— Où se trouve-t-elle donc ?

– Nous approchons. Elle a trouvé refuge dans une petite hutte au plus profond des bois. On l'a éloignée de ses compagnes dès que sa grossesse a été visible. Et Kellen d'ajouter avec hésitation : Je me fais beaucoup de soucis pour elle. Comme de nombreuses mères, Elane subit le contrecoup de la naissance et a, plus que toute autre, des raisons de se désespérer. Je souhaite de toute mon âme que votre visite lui apporte réconfort et soutien.

– On m'a pourtant laissé entendre, protesta le jeune homme avec amertume, que la seule façon de l'épargner était de ne plus jamais la revoir.

– Ardanos, bien sûr, a été furieux, mais ce n'est qu'un despote sans cœur ! La prêtresse eut un rire bref. Selon lui, poursuivit-elle railleuse, le seul fait d'être considérées par les vôtres comme des Vestales suffit à nous protéger. Mais la Déesse a désigné Elane et il n'a pu s'opposer à Son choix. Voilà pourquoi il a été contraint d'accepter la substitution suggérée par Liana sur son lit de mort.

Comme ils venaient de traverser une clairière et s'engageaient sur un étroit sentier, une petite lumière tremblota devant eux tout au bout du chemin.

– Nous y sommes, annonça Kellen. Ne vous approchez pas tant que je ne me serai pas débarrassée de la vieille femme qui la garde. Je vais l'autoriser à se rendre quelques heures à notre fête rituelle. Dissimulez-vous dans les fourrés et venez me rejoindre dès qu'elle se sera éloignée.

Comme prévu, la vieille femme sortit bientôt de la cabane, passa devant Gaius, caché derrière un arbre, et se fondit dans l'ombre.

Étreint par une émotion sourde, il marcha alors vers le seuil de la porte où l'attendait Kellen.

– Elane, je t'ai amené une visite, fit-elle d'une voix douce se tournant vers la lumière dorée qui brillait derrière elle.

Et elle sortit à son tour, les laissant seul à seul.

Gaius, la gorge serrée, resta un moment sans rien voir. Puis ses yeux s'habituant à la lumière, il aperçut Elane étendue sur un lit étroit, et, près d'elle, une petite forme emmitouflée qui devait être l'enfant.

La jeune femme ouvrit péniblement les yeux, ravie de la venue de Kellen mais contrariée qu'elle ne fût pas seule. Distinguant une silhouette masculine qui se dressait dans la pénombre, elle prit peur et serra l'enfant contre elle dans un geste instinctif de défense.

L'homme fit alors un pas en avant et la lumière éclaira son visage.

Elane poussa un cri avant de fondre en larmes.

– Gaius ! balbutia-t-elle, éperdue, Gaius, est-ce bien toi ?

Résistant à l'envie de se précipiter vers elle, mal à l'aise et heureux à la fois, Gaius resta cloué sur place et ne put que répondre :

– J'ai reçu l'ordre de rejoindre le Gouverneur Agricola à Londinium. Pardonne-moi... Je n'avais pas le choix.

– Je comprends, dit-elle, sans trop savoir pourquoi, et ses larmes redoublèrent. Excuse-moi, Gaius, je pleure beaucoup ces temps-ci.

– Est-ce mon fils ? demanda-t-il désignant le nouveau-né qui poussait des petits gémissements.

– C'est lui, à moins que tu t'imagines que j'aie pu me donner à un autre que toi.

Elle voulut poursuivre mais un sanglot l'étouffa.

– Elane ! je t'en supplie, ne m'accable pas ainsi. Laisse-moi au moins un instant prendre mon fils dans mes bras.

Il s'agenouilla auprès d'elle, prit l'enfant qu'elle lui tendait, incapable de s'opposer à sa demande.

– Mon fils... murmura-t-il, bouleversé, contemplant le minuscule visage fripé. Mon petit homme, mon premier-né...

Tout aussi chavirée que lui, Elane regarda l'homme à genoux devant elle, tenant comme un trésor son fils entre ses bras musclés, et elle sut que cette vision resterait gravée en elle, quoi qu'il arrive, jusqu'à son dernier jour.

Les yeux bleu clair du bébé fixaient ceux de son père qui, d'un geste protecteur, l'étreignit avec encore plus de ferveur.

— Que va te réserver l'existence, mon tout petit ? murmura Gaius. Comment pourrai-je te protéger, t'offrir un toit sous lequel tu grandiras à l'abri du danger ?

Un long moment, il le contempla encore, puis gravement le rendit à sa mère.

Leurs regards alors se croisèrent.

— Comment le trouves-tu ? dit-elle, baissant les yeux. Je l'ai appelé Gavain, en souvenir de toi et du nom que ta mère t'avait donné.

— Elane, il est merveilleux, au-delà de tout ce que je pouvais espérer. Il est maintenant à la fois toi et moi pour toujours. Comment pourrais-je te remercier de l'immense cadeau que tu viens de me faire ?

— En lui garantissant sa sécurité, répondit-elle sans hésiter, se souvenant de sa vision avec une acuité sans précédent : « en cet enfant – leur enfant – , le sang du Dragon et celui de l'Aigle s'étaient unis à l'antique lignée des Sages et les sauveurs de l'Ile de Bretagne seraient issus de sa race ».

Mais pour cela, le nouveau-né devait atteindre l'âge d'homme.

Gaius lui prit la main.

— Jamais je n'aimerai une femme aussi profondément que toi, je te le jure. Toi seule resteras celle qui a su me donner mon premier fils. Mais, ajouta-t-il d'une voix brisée, je ne peux pour l'instant t'épouser et le reconnaître ! Tu me demandes de lui offrir la sécurité, je m'y engage. Mais je ne vois qu'un seul moyen, et il te faudrait tant de courage et d'abnégation.

— Arrête, ne parle pas, dit-elle, posant ses doigts sur sa bouche. Je sais. Tu essaies de m'annoncer que tu vas épouser une Romaine.

Et elle se remit à pleurer.

— Il le faut ! s'écria Gaius. Ne comprends-tu pas ? La bataille du mont Graupius marque la fin de l'indépendance des tribus. Leur seul espoir réside désormais dans des chefs issus, comme moi, de nos deux races. Mais pour y parvenir,

263

je dois m'allier à une famille romaine connue. Il n'existe pas d'autre solution. Ne pleure pas, je t'en prie ! ma douce, pensons seulement à lui, ajouta-t-il, désignant l'enfant endormi. Nous devons, toi et moi, tout accepter pour l'amour de Gavain. Je ne t'abandonnerai jamais, mon amour, je te le jure. Je te reviendrai un jour, tu verras, dès que je le pourrai. Tu le sais, dans notre monde, les mariages ne sont pas indissolubles.

— Oui, on me l'a dit, répondit-elle d'une pauvre voix, en ravalant ses larmes.

« Pourquoi se bercer d'illusions ? pensa-t-elle. Si Gaius épouse la fille d'une famille noble, son union sera aussi solide que le voudront leurs parents. »

— Dis-moi, à quoi ressemble-t-elle, cette Romaine ? reprit-elle, le cœur brisé, mais trop déchirée et trop fière pour le laisser paraître. Est-elle belle au moins ?

— Ne me torture pas, je t'en prie ! Elle n'est rien à côté de toi. Une ombre, une pâle et insignifiante personne, qui a pourtant le caractère d'un fauve, c'est tout. Tu vois, j'ai souvent l'impression d'avoir été jeté dans l'arène comme à Rome, pour affronter ses griffes.

« Alors, elle ne le laissera jamais partir... » pensa Elane, se forçant à sourire bravement.

— Si son père n'était pas Procurateur, continua Gaius avec une inconscience désarmante, je n'aurais même jamais levé les yeux sur elle. Grâce à lui, tu comprends, je peux devenir sénateur, et même, un jour peut-être, Gouverneur de toute l'Ile de Bretagne ! Pense à ce que je pourrai faire alors pour toi et le petit !

« Kellen avait raison, songea Elane, découvrant peu à peu le vrai visage du jeune Romain. Son ambition est démesurée et il est tombé amoureux d'une illusion, persuadé qu'elle est réalité. Tous les hommes se ressemblent ! » Ainsi allait-elle avoir moins de mal à lui dire ce qu'elle voulait lui faire comprendre.

— Gaius, tu sais combien je t'aime, commença-t-elle, tâchant de maîtriser sa peine et son émotion, mais, même si tu étais libre de m'épouser, je ne pourrais devenir ta femme. Je suis Haute Prêtresse de Vernemeton, la Voix de la Déesse. Ce que tu espères être un jour, je le suis déjà pour mon peuple. J'ai risqué ma vie pour m'en prouver digne et l'épreuve que j'ai subie était, crois-moi, aussi dangereuse que tes propres combats. Rejeter les honneurs que tu as conquis te semble impossible ; je ne peux moi-même renoncer à ma victoire ! Les humains alimentent ton ambition ; mon devoir, ma seule raison d'être est d'honorer la volonté des dieux.

Préférant finalement ignorer si ce discours était vraiment sincère, Gaius, mortifié de se sentir rabaissé au vil rang des intrigants et des opportunistes, ne put cependant s'empêcher d'admirer la dignité et la grandeur de la jeune femme qui assumait si noblement sa destinée et sa mission. Sans le lui dire vraiment, elle le laissait en somme, très loin en dessous d'elle, se démener dans le misérable lacis de ses propres faiblesses et de ses renoncements, prisonnier à jamais de son impardonnable trahison.

XX

GAIUS regagna Londinium rongé par le remords, mais, paradoxalement, plus décidé encore à atteindre le but qu'il s'était fixé. Aussi, lorsqu'il gravit la dernière colline et aperçut les toits de tuile de la cité sous le soleil déclinant, essaya-t-il de se persuader qu'il agissait finalement au mieux des intérêts des deux êtres qu'il chérissait le plus, Elane et son fils.

La nuit tombait quand il atteignit la villa de Licinius. Le Procurateur était absent, mais Julia se trouvait dans l'atrium des femmes. En la voyant venir à lui, avec un grand sourire, Gaius ne put s'empêcher de se dire, trompé peut-être par les ombres du soir, qu'elle possédait aussi un charme incontestable sans avoir, et de loin, l'envoûtante beauté d'Elane. Mais Julia allait avoir pour allié le temps, ce temps qui peu à peu efface tout, ternit l'éclat des plus beaux souvenirs, détruit tous les serments.

— Ainsi, vous voici revenu des régions de l'ouest, Gaius, lui dit-elle, l'air grave.

— Me croiriez-vous si je vous disais que j'y suis encore ?

— Cher Gaius, ne dit-on pas que l'esprit des morts apparaît

parfois aux vivants ? minauda-t-elle, coquette. Jurez-moi, mon ami, que vous êtes là près de moi, vivant et bien réel.

Pour la rassurer, il la prit dans ses bras.

— Oui, vous êtes bien vivant, soupira-t-elle plus calme.

Puis, changeant brusquement de ton, elle demanda :

— Avez-vous vu, comme je vous l'avais demandé, la dame qui, avant moi, occupait votre esprit ?

— Je l'ai vue...

Comme il cherchait les mots qui convenaient pour lui répondre, le pas de Licinius retentit derrière lui sur le dallage, le dispensant de s'exprimer.

— Je viens d'apprendre ton retour, s'exclama joyeusement le Procurateur. Bienvenue à toi dans ma maison ! Nous allons donc bientôt célébrer un mariage, n'est-ce pas ?

— Si tel est votre vœu, c'est aussi le mien, approuva-t-il, marquant à peine une hésitation. J'espère que Julia partage aussi ce sentiment.

Radieuse, la jeune fille lui prit les mains.

— Venez voir mon voile de mariée ; je le brode depuis des mois. Si vous le voulez bien, Père, évidemment ?

— Allez, mes enfants, je me réjouis de ces préparatifs.

Ils s'éloignèrent un instant pour le voir. Il était magnifique, coupé dans une soie très fine, brodé de fruits et de fleurs au fil d'or. Puis ils revinrent, commentant sa splendeur.

Licinius alors embrassa sa fille qui se retirait pour la nuit et retint un instant Gaius.

— J'ai arrêté la date de vos fiançailles officielles, dit-il quand ils furent seuls. Elles auront lieu à la fin du mois. Ton père ne pourra malheureusement y assister, mais le Légat a accepté de se passer de lui en avril, époque choisie par mes augures pour le mariage. Le délai est court, mais suffisant. Sinon nous serions obligés d'attendre la deuxième quinzaine de juin pour retrouver un moment favorable. Mon cher Gaius, tu le comprends, pendant que tu te couvrais de gloire en Calédonie, une année a passé. Elle a paru bien longue à ma fille qui brûle de t'épouser. Je pense qu'il en est de même pour toi, ajouta-t-il avec un petit sourire complice.

– Oh oui, bien sûr, s'entendit-il répondre, comme si un autre parlait à sa place. Les dates me paraissent convenables. Je m'en remets à vous pour toutes les dispositions à prendre.

★
★ ★

Un timide rayon de soleil pénétrait par la porte de la hutte. Il venait de pleuvoir et Elane vaquait à ses occupations, attentive aux moindres variations de souffle du bébé endormi. Elle avait en partie recouvré ses forces depuis la venue de Gaius ; mais souffrant encore d'un léger tiraillement causé par une déchirure au cours de l'accouchement, elle se fatiguait vite.

L'enfant dormait paisiblement dans sa corbeille, enveloppé dans un vieux châle. S'interrompant un instant pour l'admirer, comme elle le faisait cent fois par jour, Elane se dit en le contemplant qu'il ressemblait de plus en plus à son père.

Ne pouvant résister au désir de le regarder de plus près, elle s'assit près de lui, et se pencha vers son visage.

– Gavain... mon petit roi ! chuchota-t-elle, éperdue de tendresse, mourant d'envie de le presser sur son cœur.

Mais il dormait si tranquillement et Ardanos allait venir. Il fallait s'apprêter pour l'accueillir.

S'arrachant à sa contemplation, elle se leva donc et commença à s'habiller lentement. Puis elle entreprit de peigner ses longs cheveux et de les natter. D'habitude, Annis l'aidait, mais elle l'avait envoyée au village renouveler leurs provisions, pensant qu'il valait mieux qu'elle ne fût pas présente lors de la visite de son grand-père.

Instinctivement, elle remonta sa natte et l'enroula autour de la tête comme elle ne l'avait jamais fait jusqu'alors. Ainsi coiffée, elle se sentait plus digne et grave pour affronter le Haut Druide.

LA COLLINE DU DERNIER ADIEU

Que lui voulait-il donc ? Sans doute la ramener au Sanctuaire de la Forêt, mais la crainte qu'il en fût autrement la tenaillait. Et si, au contraire, il venait lui annoncer qu'elle en était chassée ?

Des pensées folles alors traversèrent son esprit : aller rejoindre Gaius s'il n'était pas marié, ou bien demander asile à Miara, si Benedig ne s'y opposait pas. Kellen lui avait appris qu'il était revenu aussi maigre qu'un loup et aigri par la défaite. Non, le mieux serait, quand elle aurait recouvré la santé, d'essayer de trouver un travail dans une ferme. Elle savait tenir une maison, filer et tisser, traire et baratter. Oui, elle serait capable de subvenir à ses besoins et à ceux de son fils.

Comme, tout en achevant de se préparer, tourbillonnaient dans sa tête ces projets illusoires et confus, l'ombre d'Ardanos se profila sur le seuil.

Se retournant pour l'accueillir, Elane s'inclina avec déférence.

— Je suis heureux de constater que tu vas mieux, dit le druide d'un ton neutre, à peine entré dans la maison.

— Oui, Grand-Père, je me sens maintenant tout à fait bien.

— Grand-Père ?... Oui, c'est vrai, je suis ton aïeul, et suis ravi que tu t'en souviennes, bougonna-t-il, à contrecœur.

Il s'avança vers la corbeille, fixa l'enfant un instant, puis le prit dans ses bras.

— Mon enfant, tout ceci n'a que trop duré, dit-il à l'adresse d'Elane. Tu as trois jours pour faire passer ton lait. Ensuite, reviens-nous. On prépare les fêtes du printemps à Vernemeton. Quant à ce bébé, nous allons le mettre en nourrice.

Il se dirigea vers la porte.

— Arrêtez ! cria Elane, en lui barrant la route. Où emmenez-vous mon fils ?

L'angoisse lui serrait la gorge.

— Crois-moi, répondit Ardanos sans ciller, mieux vaut que tu ne le saches pas. Je te donne seulement ma parole qu'il sera bien traité et que, si tu te conformes strictement à nos vœux, nous te le laisserons voir de temps à autre.

— Vous n'avez pas le droit, je refuse ! s'écria de plus belle la jeune femme. Je veux l'élever moi-même ! Vous ne me le prendrez pas. Non. Je vous en prie, je vous en supplie !

Les sourcils broussailleux du vieillard se froncèrent davantage.

— Pourquoi tous ces cris inutiles ? demanda-t-il d'un ton acerbe. T'imaginais-tu nourrissant ton enfant devant toutes les prêtresses réunies ? Il faut être raisonnable !

— Rendez-le-moi, hurla Elane. Vous ne pouvez pas me le prendre ! Il est à moi, à moi seule !

Elle tenta alors de lui arracher le bébé, mais il la repoussa brutalement.

— Allons, deviens-tu folle, petite idiote ? Ne m'oblige pas à te frapper.

L'enfant s'était mis à pleurer et Elane, à genoux, s'accrocha avec désespoir aux jambes d'Ardanos.

— Grand-Père, je vous en supplie, je vous en supplie ! balbutia-t-elle, vous ne pouvez m'enlever mon enfant !

— Je le peux et je le dois, répliqua farouchement le Haut Druide. Laisse-moi passer ou crains le pire !

Bousculant la jeune femme, il se dégagea avec violence et gagna à grands pas la porte, emportant l'enfant qui pleurait cette fois de toute la force de ses petits poumons.

Anéantie par la douleur, Elane s'effondra sur le sol et perdit connaissance.

— Quelle glorieuse revanche ! Vous pouvez être fier !

Kellen claqua la porte derrière elle et entra comme un ouragan dans la demeure citadine du Haut Druide qui occupait, selon les coutumes romaines, une petite maison sobre aux murs rectilignes, enduits de plâtre.

Abasourdi, Ardanos leva les yeux vers l'intruse qui l'accabla aussitôt d'un flot ininterrompu de sarcasmes accumulés tout au long de sa chevauchée depuis qu'elle avait quitté Vernemeton.

— Vieillard cruel et malfaisant ! J'ai promis à Liana sur son lit de mort de vous venir en aide. Mais n'allez pas imaginer que vous ferez de moi votre esclave !

Ardanos voulut intervenir, mais elle reprit sa diatribe avec encore plus de véhémence.

– Comment avez-vous eu le cœur de traiter ainsi votre petite-fille ? Ne comptez pas sur moi pour être votre complice ! Rendez-lui son enfant ou bien – elle reprit haleine – j'en appellerai directement au peuple et demanderai à la Déesse son arbitrage.

– Tu n'oseras jamais, parvint à répliquer le druide. Et si tu t'avisais...

– Mettez-moi au défi ! coupa Kellen, implacable, et vous serez fixé. Mais revenons à Elane. Je suppose que vous avez l'intention de vous servir d'elle, car sinon vous auriez fait disparaître l'enfant. Puis, baissant la voix, elle ajouta : Sachez bien que si vous ne rendez pas son bébé à Elane, vous la condamnez à mort.

– Kellen, ton comportement me sidère ! Je connaissais ton attachement à Elane, mais de là à adopter à mon égard une telle attitude est inadmissible. Et puis ne dramatise pas. Les femmes, tu le sais, ne meurent pas aussi facilement que ça !

– Vous en parlez à votre aise ! Quand j'ai revu Elane, elle s'était remise à saigner. Vous avez bien failli la perdre, Ardanos. Imaginez alors ce que seraient devenus tous vos plans. Dieda n'aurait jamais été aussi docile qu'elle !

– Il suffit ! Kellen, au nom de la Déesse, que veux-tu de moi ?

– Vous osez invoquer Son nom alors que vous m'avez montré à maintes reprises que vous ne saviez rien d'Elle ? reprit Kellen, s'emportant à nouveau. Pour l'amour de Liana qui vous a aimé et vous a cru, je vous ai apporté mon aide. Mais vous n'aurez jamais sur moi le pouvoir que vous aviez sur elle. Je n'ai rien à perdre et vous ne me faites pas peur. S'il le faut, je n'hésiterai pas à aller trouver les prêtres pour qu'ils vous jugent. Pactiser avec les Romains et influencer les

LA COLLINE DU DERNIER ADIEU

Oracles sont des agissements d'une extrême gravité. Je doute fort que beaucoup d'entre eux les cautionnent !

– Kellen, je ne te comprends pas. Pourquoi tant d'acharnement et de hargne contre moi ? Tu aimes bien Elane, soit ! Mais elle n'est rien pour toi.

Kellen soupira. Elle avait aimé Liana comme une mère ; mais Elane était sans doute pour elle encore plus proche, plus chère. Elle était une sœur, ou plutôt la fille qu'elle n'avait pas eue et qu'elle n'aurait jamais. Que pouvait-il comprendre à tout cela ? Elle lui répondit donc avec encore plus d'assurance :

– Ardanos, vous ne pourrez pas m'arrêter. Vous avez plus à perdre que moi, vous le savez, en restant inflexible. Rendez à Elane son enfant. De toute façon, les prêtresses de l'Oracle resteront en votre pouvoir.

Ebranlé par ces arguments et craignant de se voir condamné par les prêtres, Ardanos se fit plus conciliant.

– Peut-être ai-je agi trop précipitamment, finit-il par reconnaître. Mais je maintiens tout ce que j'ai dit à Elane. Si elle avoue sa maternité, elle proclame sa honte à la face du monde. Il faut donc continuer à maintenir les apparences et trouver un moyen pour qu'elle puisse garder son fils auprès d'elle.

Epuisée par le combat qu'elle venait de mener victorieusement, Kellen sourit et déclara calmement :

– J'ai une idée, je crois, à vous suggérer.

★
★ ★

Le matin de son mariage, Gaius fut réveillé par un rayon de soleil printanier qui frappait d'une lumière aveuglante la toge disposée sur une chaise pour la cérémonie. Il se leva machinalement et considéra un long moment le vêtement d'apparat qui avalisait sans retour sa trahison envers Elane.

273

LA COLLINE DU DERNIER ADIEU

Mais il était trop tard pour reculer. Il avait accepté de feindre un sentiment qu'il n'éprouvait pas et n'avait d'autre solution que d'aller jusqu'au bout de ses engagements. Il ne lui restait donc qu'à se composer, malgré lui, un visage de circonstance.

La vue de l'haruspice mandé dans la matinée pour tirer les auspices ne lui rendit en rien sa sérénité. Quels que fussent les signes que le prêtre allait trouver dans les entrailles des volailles, ils augureraient bien sûr d'un mariage heureux. De fait, le sacrificateur estima sans tarder que le jour était particulièrement bien choisi et présenta ses félicitations. Gaius écouta sans l'entendre le compliment, les yeux fixés sur sa fiancée qui s'avançait vers lui dans l'atrium, droite et resplendissante au bras de son père. S'étant tous les deux arrêtés à quelques pas de lui, Licinius fit signe que l'on procède à la lecture du contrat de mariage. L'acte avait été mis au point lors des fiançailles ; il stipulait les dispositions prises de part et d'autre, et notamment que la somme apportée par Julia serait « confiée » à son père et demeurerait un « bien familial ». Il n'y avait pas lieu pour Gaius de s'en offusquer, car la clause était tout à fait courante à l'époque. Un article laissait également entendre qu'il ne pouvait divorcer de Julia, sauf en cas d'« inconduite notoire », dûment constatée au moins par deux matrones.

– Gaius Macellius Severus Siluricus, acceptes-tu les termes de ce contrat et consens-tu à prendre Julia Licinia pour épouse ? demanda son père, la lecture de l'acte achevée.

Les regards de l'assemblée tout entière convergèrent vers lui et, curieusement, il lui sembla qu'il mettait une éternité à répondre.

– J'y consens, dit-il enfin.

– Et toi, Julia Licinia, y consens-tu également ? demanda le père de la jeune fille.

Cette fois, le consentement fut beaucoup plus rapide et l'on passa sans transition à la signature des documents, formalités qui furent exécutées promptement. Puis on roula les parchemins qui disparurent pour être ultérieurement enregistrés et classés dans les archives officielles. C'en était fait de la liberté de Gaius.

La sœur d'Agricola s'approcha alors de Julia, la prit par la main et la mena vers son époux qui éprouva un trouble très ambigu en sentant les petits doigts étreindre les siens avec ferveur.

Vinrent ensuite de très nombreuses prières, invoquant Junon et Jupiter, Vesta et d'autres divinités censées préserver la pérennité du foyer. Puis on apporta à Gaius et Julia un bol de grains de blé et un flacon d'huile, offrandes destinées à l'autel. Les jeunes gens accomplirent scrupuleusement tous les rites prescrits et l'on passa à table dans une salle voisine où allait être servi avec magnificence le banquet. Julia rejeta son voile en arrière et se prêta avec grâce à la dernière coutume qui scellait leur union. Elle entrouvrit les lèvres et reçut des mains de Gaius une petite parcelle du gâteau de blé rustique qu'il venait de briser à son intention.

Dès lors les convives prirent place et les agapes commencèrent à la satisfaction générale. Les tables croulaient sous l'infinie variété des mets les plus délicats et le vin coulait déjà à flots, quand musiciens et baladins firent leur entrée. Rires et conversations s'enflèrent, devinrent un joyeux brouhaha. Les parents des mariés jubilaient. Julia riait de plus en plus fort. Gaius, à l'unisson, feignait de participer pleinement à la liesse, bien forcé, malgré lui, d'admettre qu'il lui serait difficile de résister longtemps aux charmes que déployait inconsciemment sa jeune femme.

Vint l'heure pour tous de prendre congé. Etourdie par les libations et les allusions grivoises dont elle était l'objet, la mariée semblait d'ailleurs de plus en plus gagnée par la fatigue. Le maître de cérémonie annonça qu'il était temps de former la procession nuptiale. Il tendit à Gaius un sac rempli de noix dorées et de petites pièces de cuivre et lui indiqua qu'il devait en faire don aux pauvres qui se pressaient aux portes. Quant à Julia, elle reçut une bourse assortie à son voile qu'elle dut également vider pour eux. Installés dans une litière, les jeunes mariés quittèrent ensuite la demeure du Procurateur, descendirent l'avenue qui menait au Forum, passèrent devant le palais du Gouverneur et le tabularium, précédés par des joueurs de flûte et des chanteurs, entourés par des porteurs de torches, puis, faisant demi-tour, ils revinrent prendre possession de l'appartement que Licinius leur avait préparé. Gagné par le sentiment qu'il participait à une farce dans laquelle il ne tenait qu'un simple rôle d'acteur, Gaius se sentait partagé entre une folle hilarité et la tristesse que procure tout événement irréparable. Ils s'arrêtèrent au seuil d'une pièce éclairée seulement par la lumière vacillante d'une torche, reléguant les esprits maléfiques dans l'ombre environnante, effaçant peut-être aussi du même coup tous les souvenirs. On tendit à Julia le bol d'huile qui devait servir à oindre les montants de la porte et les fils de laine blanche qui les orneraient. Puis, parents et douairières l'embrassèrent en lui murmurant des vœux de bonheur avant de s'en prendre à Gaius qu'ils étouffèrent sous une véritable tornade de baisers et de félicitations.

Parvenant enfin à s'extraire de ce déferlement subit d'affection, Gaius alors souleva son épouse, étonné de la trouver si légère dans ses bras, lui fit franchir le seuil de l'appartement et repoussa la porte derrière lui.

Julia, à l'instant même, se retrouva debout devant lui. Une odeur de peinture fraîche se mêlait à celle de l'encens et au parfum des fleurs dont on avait orné la chambre. Prenant son mari par la main, elle l'emmena vers l'atrium tout proche auquel ils accédèrent en se glissant sous une petite porte.

Gaius alors s'approcha des petites statues de terre cuite représentant les dieux lares.

– Par le feu et l'eau, dit-il, je t'accueille, Julia, dans ma maison en tant qu'épouse et prêtresse de mon foyer.

Puis il versa un peu d'eau sur les mains de sa jeune épouse et lui tendit une serviette pour les sécher. Enfin, il lui présenta la chandelle qui lui servirait à allumer le feu.

– Que les dieux bénissent notre couche et notre table, et

qu'ils m'accordent de te donner de nombreux fils, prononça à son tour la jeune femme à voix basse.

Ils revinrent à pas lents vers leur chambre.

Le lit nuptial avait été dressé contre le mur. Il l'y conduisit et entreprit de détacher le nœud compliqué de sa robe, avant de la dévêtir entièrement, gagné par le désir de posséder son jeune corps.

Comme il se débarrassait à son tour de sa toge, Julia se coucha vite dans le grand lit, remontant pudiquement les draps jusqu'au menton.

Bientôt il fut près d'elle, mais Julia, inexpérimentée, ne put savoir si ses assauts fougueux relevaient davantage de l'usage efficace d'une science amoureuse ou de l'élan incontrôlé d'une passion naissante.

XXI

Elane ne regagna Vernemeton qu'au mois de mars car, malgré la promesse de Kellen, on ne lui rendit pas son fils avant. Le choc de l'avoir cru perdu pour elle l'avait d'ailleurs profondément ébranlée et elle s'en remettait à peine. De plus, ses seins ayant cessé de la faire souffrir, elle savait que désormais les choses ne seraient plus les mêmes, qu'une autre femme allaiterait son enfant, qu'une autre veillerait la nuit sur son sommeil, se pencherait sur son berceau et lui chanterait les berceuses qu'elle lui avait apprises, qu'une autre le cajolerait, le consolerait de ses premiers chagrins. Ce sacrifice pourtant était inévitable. Sa mission l'y obligeait. Sinon, tout ce qui avait été accompli jusqu'alors l'aurait été en pure perte.

Pour ménager toutes les apparences, Dieda, feignant un soir un léger malaise, disparut comme par enchantement en direction d'Erin, ce qui permit à Elane de se substituer à elle à la faveur de la nuit sans éveiller le moindre soupçon. Au matin, on apprit seulement l'existence d'un bébé, ce qui n'était pas une nouveauté au Sanctuaire de la Forêt où l'on avait déjà accueilli dans le passé des enfants, comme Senara, qu'il fallait secourir.

279

LA COLLINE DU DERNIER ADIEU

En l'occurrence, le Haut Druide avait choisi pour nourrice la jeune Lia qu'on avait installée dans un petit pavillon à l'écart, où résidaient en général les visiteurs. Quoi d'étonnant à ce qu'on l'ait montré par la suite à la Haute Prêtresse qui s'était prise aussitôt d'affection pour lui ?

Elane, on l'imagine, éprouva un immense bonheur à le retrouver, bien que le fait qu'il fût nourri par une autre qu'elle-même teintât sa joie de mélancolie. Mais il fallait s'y habituer et se féliciter d'abord, comme lui avait appris Kellen, qu'Ardanos ait tenu parole. Comment s'y était-elle donc prise pour le convaincre ? Mais cela, elle n'avait pas encore osé le lui demander.

Bien entendu, l'intérêt de la Haute Prêtresse pour l'enfant prêta bientôt à bavardages. Kellen, heureusement, avait pris la précaution de confier à la vieille Latis – sous le sceau du secret – que l'enfant était le fils de Miara, né de père inconnu, et que le Sanctuaire de la Forêt l'avait recueilli parce que la jeune femme comptait se remarier. Moins d'une semaine plus tard, tout le monde fut donc au courant et, si certaines femmes pensèrent que Gavain était le fils de Dieda, personne ne soupçonna qu'il s'agissait de celui d'Elane. Aussi cette dernière en conçut-elle un réel sentiment de culpabilité vis-à-vis de sa sœur dont elle avait terni la réputation, tout en reconnaissant cependant qu'un aveu de maternité de sa part s'avérait désormais inconcevable.

C'est alors qu'un matin Ardanos fit irruption chez elle, et annonça, exultant presque, que le fils de Macellius, le Préfet de Deva, avait épousé la fille du Procurateur de Londinium.

Elane, qui pourtant savait ce mariage inéluctable, en éprouva un grand bouleversement. Elle congédia sans rien dire le Haut Druide et fondit en larmes dans sa cellule. Gaius était marié ! Une autre femme était entrée dans sa vie. Était-elle belle ? Lui disait-elle des mots d'amour ? Et lui, que lui répondait-il ? Pensait-il seulement encore à elle ? Avait-il déjà oublié son enfant et sa mère ?

280

LA COLLINE DU DERNIER ADIEU

Se sentant défaillir, elle sortit un instant respirer un peu d'air frais. Comme elle se sentait seule, abandonnée ! Dans le grand silence du matin, elle n'entendait plus que les rapides battements de son cœur et la flûte moqueuse du vent jouant sur la cime des arbres.

Le temps de Beltane était revenu. Se préparant aux rites de purification, il apparut à Elane que la cérémonie du bol en or serait encore plus envoûtante si elle se déroulait en présence du public. Elle décida donc de s'en ouvrir à Ardanos, qui accepta l'innovation avec empressement, étonné et heureux de cette initiative.

Cette fois, Elane prépara elle-même le mélange des plantes qu'elle allait boire et le modifia de façon à augmenter ses capacités de perception et sa résistance aux forces qui annihilaient sa volonté. Elle fut donc, le jour venu, totalement consciente du silence respectueux qui envahissait l'assemblée, de sa fascination et de son attente, le peuple n'ayant jamais été aussi sensible, lui semblait-il, à la solennité du moment ; et la beauté rayonnante qu'elle dispensait sur son passage, sa jeunesse lui rappelant sans doute celles qu'avait perdues Liana au fil des temps.

Parvenue à l'emplacement choisi, elle commença à boire le breuvage et se sentit aussitôt saisie par la transe. Se laissant alors tomber sur sa chaise, elle ferma les yeux à demi pour qu'Ardanos ne surprît pas la vivacité de son regard, et put saisir ainsi, au cours de l'incantation du Haut Druide, les instructions qui y étaient mêlées. Elle l'avait souvent entendu parler des bienfaits que pourraient apporter les Romains aux peuples de l'Ile de Bretagne et de leur influence civilisatrice ; mais elle comprenait maintenant à quel point il se servait de toutes les circonstances pour consolider et étendre son influence.

Avait-il raison ? Utilisé intelligemment, l'Oracle pouvait puissamment contribuer au rétablissement de la paix, la politique du Haut Druide représentant pour beaucoup la voie de

281

la sagesse et de la nécessaire temporisation. Mais elle ne voulait pas pour autant devenir uniquement l'instrument de la volonté de son grand-père, sa docilité apparente n'ayant de raison d'être qu'au service de la cause et du bonheur de son peuple.

« Déesse, viens à mon secours ! supplia Elane, n'écoutant que son cœur. Si tu es réellement ici, Mère Eternelle, montre-moi le chemin, inspire-moi la façon d'accomplir Ta volonté ! »

Comme elle formulait cette prière, Ardanos achevait son invocation, tous deux cernés par une foule recueillie et fervente, elle-même noyée dans la fumée des herbes sacrées qui se consumaient lentement.

C'est alors qu'Elane sentit une Présence auprès d'elle.

« Dame, je Vous appartiens », murmura la jeune femme dans un soupir, s'abandonnant aux mains de la Déesse qui prenait insensiblement possession d'elle. Consentante, elle était maintenant soutenue et avait en même temps l'impression de s'élever doucement, d'être à la fois elle-même et une autre.

« Grand-Père, pensa fortement Elane, prends garde ! Ne vois-tu pas Qui vient à ta rencontre ? » Mais le Druide s'était tourné vers la foule et ne pouvait rien voir. Alors, la conscience d'Elane quitta le monde des vivants. « Déesse, aie pitié ! s'exclama son esprit. Ardanos œuvre pour le bien de nos peuples ! Confère-lui la sagesse ! Qu'il agisse maintenant et toujours dans l'intérêt de tous ! »

Dans le silence sidéral tout était clair, lumineux et une voix ineffable lui parvenait de l'infini :

« Ma fille, le sort de tous mes enfants m'importe, même lorsqu'ils se querellent, et cela, depuis le commencement des temps. Ma lumière peut te paraître obscure et ton hiver sera peut-être le prélude à Mon printemps. L'acceptes-tu, ma fille, pour qu'un bonheur plus grand te vienne ensuite ?

— Oui, Mère, j'y consens de toute mon âme, mais ne m'abandonnez pas car Vous êtes mon seul recours !

— T'abandonner est impossible. Je t'aime encore plus fort que tu n'aimes ton enfant. »

LA COLLINE DU DERNIER ADIEU

Ces mots si doux ruisselaient sur Elane comme une pluie d'amour, la submergeaient tout entière ; et elle tendit les bras dans l'espoir fou de s'en saisir. De très loin lui parvenaient curieusement les questions d'Ardanos, et elle y répondait d'une voix qui n'était pas la sienne, mais qui exprimait, mot à mot, tout ce qu'elle voulait dire.

La notion du temps n'existant plus pour elle, le retour sur terre n'en fut que plus pénible. En vain elle chercha à retenir le monde qu'elle quittait, mais le rêve idyllique se dissipa inexorablement pour faire place à la réalité. Un peu d'air frais et quelques gouttes d'eau sur son visage mirent définitivement fin à son voyage et l'obligèrent à ouvrir les yeux.

Le souffle court, elle frissonna et sentit son corps lui obéir à nouveau.

Autour d'elle la foule semblait pétrifiée, et Ardanos, seul, affichait un sourire béat.

« Il croit être le grand ordonnateur de tout ce qui vient d'arriver, se dit Elane, radieuse. Ô Déesse, merci ! Je sais maintenant que tu veilles sur nous tous. Accepte, en gage de ma reconnaissance, l'offrande de ma destinée ! »

★
★ ★

Gaius passa les premiers mois de son mariage à repousser l'idée qu'il était uniquement fondé sur un mensonge. Certes, Julia était sans doute plus amoureuse de son état d'épouse que de lui-même, mais elle était gaie et affectueuse, et répondait docilement à tous ses vœux. Pourquoi donc s'embarrasser de doutes et de remords superflus ?

Licinius, persuadé qu'un jeune couple ne devait pas être séparé durant la première année du mariage, avait fait le nécessaire pour que Gaius restât à Londinium en tant qu'édile chargé des bâtiments officiels, l'expérience acquise dans un service public pouvant plus tard favoriser son avancement.

LA COLLINE DU DERNIER ADIEU

– Profite du temps présent et des instants passés auprès de Julia, mon garçon, lui répétait souvent son beau-père, car vous serez bientôt séparés plus souvent qu'à votre tour, surtout si l'on t'envoie en Dacie ou dans quelque lointaine contrée. Il faut monter en grade, et un poste de Préfet de Camp ou de Procurateur n'est attribué qu'en fin de carrière.

Une année passa ainsi, beaucoup plus vite que Gaius ne l'avait imaginé. De temps à autre, des nouvelles arrivaient de Rome. L'Empereur s'était fait élire Consul pour dix ans et Censeur à vie, pouvoirs qui s'ajoutaient à ceux qu'il possédait déjà. Les patriciens estimaient qu'il s'agissait d'une manœuvre pour avoir la haute main sur le Sénat. Mais l'armée se montrait satisfaite, car l'Empereur avait augmenté la solde d'un tiers. En tant qu'officier, Gaius n'y voyait donc pour sa part rien à redire, tout en ne se faisant guère d'illusions pour l'avenir qu'il jugeait incertain, Domitien tenant pour périmées les institutions démocratiques de Rome, ou du moins ce qu'il en restait.

Sur ces entrefaites, à la fin de l'été, Julia lui apprit qu'elle était enceinte et commença à être prise de nausées incoercibles, malaises qui persistèrent jusqu'au printemps suivant où ils s'atténuèrent enfin. Toujours languissante, elle ne protesta donc pas lorsque son père proposa à Gaius de participer à une chasse au sanglier dans la forêt au nord de Londinium, organisée en l'honneur d'un riche sénateur, bien placé dans le commerce des vins, qui affirmait n'avoir entrepris un si long voyage que pour se livrer à sa passion favorite. Licinius ne se faisait guère d'illusions sur son adresse mais lui concédait néanmoins une réelle influence politique, ce qui pouvait être utile pour la carrière de son gendre.

Mettant à profit l'absence de son mari, Julia, le matin même du départ de Gaius, se rendit à pied au temple de Junon, persuadée que le balancement d'un chariot ou d'une litière risquait de lui donner mal au cœur, ce qu'elle voulait éviter à tout prix, quitte à mécontenter Charis, sa servante, qui la suivait en bougonnant.

LA COLLINE DU DERNIER ADIEU

Priées par l'eunuque qui gardait la porte de l'édifice d'attendre la prêtresse à l'intérieur du temple, les deux femmes ne se le firent pas répéter deux fois, fort satisfaites de pouvoir, l'une et l'autre, goûter la fraîcheur et la demi-obscurité des lieux, réconfortantes après la chaleur et la poussière de la rue. Julia s'assit donc, le regard fixé sur la statue qui personnifiait la déesse.

« Domina Dea... commença-t-elle, je croyais que ce serait si simple ! Mes esclaves ne parlent que de femmes mortes en couches quand elles croient que je ne les entends pas. Déesse, je n'ai pas peur de ma propre mort, mais je crains pour la vie de l'enfant à venir. Faites que je ne sois pas comme ma mère qui n'a mené à terme qu'une seule grossesse. Mon père est puissant et Gaius est un officier prometteur. Faites que je leur donne un héritier dont ils soient fiers ! Elle se cacha le visage sous son voile pour pleurer. Je vous en prie, Déesse, je vous en supplie... aidez-moi à accoucher d'un beau garçon ! »

L'eunuque, interrompant sa prière, posa la main sur son épaule, et elle le suivit dans la pénombre du temple, les yeux rougis de larmes, sans tenir compte de la douleur qu'elle ressentait dans les lombes.

La grande prêtresse de Junon était une femme dans la force de l'âge, le visage minutieusement fardé pour atténuer l'apparition de quelques rides, les yeux faits sous de longs cils, jaugeant d'un seul regard ceux qui venaient la consulter. Ayant évalué rapidement l'opulence des vêtements et des bijoux de Julia, elle l'accueillit chaleureusement et s'empressa de la rassurer.

— Cette naissance vous tracasse, dit-elle, et c'est bien naturel. C'est un premier enfant. Les jeunes mères ont toujours une appréhension.

Écœurée par la vague de parfum que lui prodiguait la prêtresse en se penchant vers elle, Julia, instinctivement, esquissa un mouvement de recul tout en formulant son souhait :

LA COLLINE DU DERNIER ADIEU

– Je voudrais tant avoir un fils ! Que me conseillez-vous de faire ? Quel animal dois-je acheter pour le sacrifice ?

– Aucun, nous en avons suffisamment. En revanche, ajouta-t-elle en jetant un regard appuyé sur les bagues de la jeune Romaine, la Déesse sera sûrement très sensible à une offrande généreuse de votre part. Nous construisons actuellement un nouveau temple en l'honneur de Junon. Puisse-t-il être à la hauteur de sa magnificence et de sa grandeur ! Elle vous accordera certainement ses bienfaits si vous participez concrètement à sa splendeur.

Julia, qui venait de comprendre, se leva lourdement et remercia brièvement la prêtresse de ses bons conseils.

– Je dois partir maintenant, dit-elle, mal à l'aise. Croyez que je penserai à votre judicieuse suggestion.

Tournant le dos, Julia sortit alors majestueusement, laissant manifestement son interlocutrice perplexe sur ses intentions. Comme elle franchissait le seuil, elle ressentit dans le dos une violente douleur qui lui coupa le souffle.

Charis vint aussitôt à son aide.

– Trouve-moi une litière, lui souffla-t-elle en s'adossant à une colonne pour ne pas défaillir. Vite ! Je ne peux pas rentrer à pied.

Gaius regagna Londinium tard dans la soirée, après avoir pris soin de remettre à son invité le trophée de chasse qu'il souhaitait tant. Chez lui, tout était sens dessus dessous. Julia venait de mettre au monde prématurément une fille après un accouchement difficile et reposait pour l'instant.

– Fêtons la naissance de ce premier enfant ! s'exclama Licinius qui, pour la énième fois, lui relatait l'événement. Gaius, buvons ensemble ! Ah, mon fils, je ne sais comment te remercier pour ce magnifique cadeau ! Et de lui tendre une fiasque poussiéreuse d'un vin grec de grand prix qu'il avait, de toute évidence, déjà entamée. Je suis heureux, répétait-il ! J'avais hâte d'être grand-père et c'est chose faite ! Bien sûr, ce n'est qu'une fille, mais Julia a été une enfant merveilleuse, plus douce pour moi que quarante fils ! La prochaine fois, ce sera un garçon !

Levant à son tour sa coupe, Gaius approuva.

— Je souhaite de tout cœur que vous ayez raison, dit-il, ne pouvant s'empêcher de penser à celui qu'il avait déjà engendré.

— A ta fille ! reprit avec emphase son beau-père gagné par l'effet euphorique de ses libations. Qu'elle se montre aussi bonne pour toi que ta femme l'a été pour moi ! N'oublie jamais d'ailleurs que c'est elle qui t'a mené vers ma famille !

Sur sa lancée, Licinius engagea alors son gendre à boire en l'honneur de son fils.

Et comme Gaius manquait de s'étrangler, le Procurateur précisa :

— Je parle évidemment de celui que tu auras de Julia à coup sûr l'an prochain !

Lointain, Gaius acquiesça de nouveau. Son fils ! Où était-il en cet instant ? Et Elane ? Que devenait-elle depuis un an ?

Mais déjà, il fallait boire à la santé de la jeune accouchée. Heureusement, une servante vint le chercher : la jeune femme le réclamait. Il s'excusa auprès de son beau-père maintenant tout à fait éméché et suivit l'esclave.

Pénétrant dans la chambre, il fut frappé par l'aspect de son épouse ; elle lui parut minuscule et toute pâle, tenant l'enfant emmailloté dans ses bras. Le voyant apparaître, elle fondit en larmes.

— Oh, Gaius, pardon, pardon ! J'aurais tant voulu te donner un fils.

Soutenu par la pensée de celui qui, à l'ouest, là-bas, marchait déjà peut-être, il sourit et se pencha pour l'embrasser.

— Ne pleure pas. Nous aurons un fils plus tard, si les dieux nous l'accordent.

— Ainsi, tu veux bien l'accepter ?

L'esclave, sur l'ordre de sa maîtresse, lui tendit alors l'enfant. Gauchement, Gaius le prit dans ses bras. Examinant le visage fripé, il attendit en vain la vague de tendresse qui l'avait submergé l'année passée dans la petite hutte de la forêt. Mais, en fait de trouble, il ne ressentit qu'un grand étonnement devant cet éternel miracle de la vie, sentiment qu'il essaya de faire passer pour de l'émotion.

– Au nom de mes ancêtres, déclara-t-il, bienvenue à toi, ma fille, première-née de ma famille. Tu te nommeras Macellia Severina.

★
★ ★

Les fêtes de Beltane aussitôt achevées, Benedig demanda audience à la Dame de Vernemeton. Elane, qui assumait de nouveau son rôle de Haute Prêtresse, trouva néanmoins étrange que son père, un druide de son rang, sollicitât une entrevue. Elle lui envoya donc une réponse tout aussi formelle, l'avisant qu'elle serait heureuse de le recevoir.

Quand il se présenta devant elle le jour fixé, bien que préparée à lui faire bon accueil, elle ne put honnêtement se défendre d'un ressentiment voilé à son égard. N'était-il pas en effet responsable de sa situation présente, certes honorifique, mais affectivement frustrante puisqu'elle ne pouvait avouer sa maternité ? N'était-ce pas lui aussi qui lui avait refusé Gaius ?

– Eh bien, Père, que puis-je faire pour vous ? lui dit-elle en se rasseyant, après avoir manifesté des marques d'effusion courtoises mais réservées.

Puis, elle écarta légèrement le voile qui encadrait son visage et regarda son père avec déférence mais sans la moindre indulgence.

Déconcerté par cet accueil, Benedig, sur la défensive, répondit prudemment :

– Je voulais seulement t'exprimer mon respect, ma fille mais peut-être préfères-tu que je t'appelle ma Dame ? Nous sommes restés bien longtemps sans nous voir. Je tenais avant tout à m'assurer que tu te portais bien.

Benedig accepta la coupe en bois cerclée d'argent qu'Elane lui tendait et s'assit à son tour.

— C'est très aimable à vous, mon Père, et je vous en remercie. Mais ce n'est certainement pas l'unique raison de votre visite. Dites-moi donc votre pensée.

— Ma fille, puisque tu m'autorises encore à t'appeler ainsi, voici pourquoi je désirais te voir. Tu le sais, Liana était âgée. Je comprends parfaitement qu'elle n'ait pas souhaité la guerre, confortée en cela par la Déesse qui lui conseillait de préserver la paix. Mais, maintenant, tu es notre Haute Prêtresse. Tu es jeune et les circonstances sont différentes. As-tu entendu parler de la bataille que les Romains appellent la victoire du Mont Graupius ? Sais-tu que les terres qu'ils ont dévastées ne sont plus qu'un désert et quelques malheureux survivants le foulent encore en quête de la subsistance prodiguée naguère si généreusement par la nature ?

Elane détourna les yeux. Oui, elle savait. Gaius lui avait raconté la détresse de ceux qui venaient mendier aux portes de la forteresse. Mais elle savait aussi que les vaincus avaient, de désespoir, incendié eux-mêmes leurs villages et abattu leurs animaux afin de les soustraire à la rapacité de l'occupant.

— Ma fille, tu es la Voix de la Déesse. Les larmes des captives coulent comme des ruisseaux, le sang des blessés et des morts crie vengeance ! Pourquoi notre Mère Éternelle ne les entend-Elle pas ? Pourquoi n'a-t-Elle pas répondu à nos prières ? Pourquoi l'Oracle nous recommande-t-il de préser ver cette paix misérable ?

— Mon Père, je rends les Oracles au nom de la Déesse. Elle seule décide ce qui est bien ou non pour nous.

Benedig se leva et se mit à arpenter la pièce d'un pas nerveux.

— Elane, je te supplie de demander vengeance à la Déesse. Pour ce que les Romains ont fait à Graupius, et pour ce que jadis ils ont fait à Mona.

— Est-ce Kerig qui vous a incité à me parler ainsi ?

LA COLLINE DU DERNIER ADIEU

Elle savait que Gaius l'avait fait prisonnier et qu'il lui avait sauvé la vie en le prenant comme otage, mais elle ignorait ce qu'il était devenu après ces événements.

— Kerig a été capturé par les Romains. Ils allaient l'envoyer à Rome pour amuser l'Empereur quand il a réussi à s'échapper après avoir tué ses gardiens, gronda Benedig.

— Où se trouve-t-il maintenant ? demanda Elane, laissant percer son inquiétude.

— Je l'ignore, répondit le druide évasivement. Ce que je sais en revanche, c'est que la colère embrase tout le nord. Les Romains hésitent. Tous les Corbeaux ne sont pas morts. Pour l'instant, ils pansent leurs blessures, et si la Déesse ne soulève pas le pays contre l'envahisseur, sois sûre qu'ils se joindront à Kerig pour le faire eux-mêmes. Elane, insista avec force Benedig, mesures-tu bien le pouvoir dont tu disposes ? Les Romains ont pris nos terres, destitué nos chefs, interdit la plupart de nos rites. L'Oracle de Vernemeton demeure notre seul et dernier espoir !

« Mon père n'a pas la preuve qu'Ardanos influence l'Oracle, mais il s'en doute, pensa Elane. Feignons l'ignorance sur ce point. Ainsi ne pourra-t-il me demander de soutenir ouvertement une insurrection. »

— Je vis dans un grand isolement, finit-elle donc par répondre d'une voix conciliante, mais serai toujours prête à soutenir les justes aspirations du peuple. Envoyez vos émissaires prier chaque mois à la nouvelle lune, et si les circonstances l'exigent, qu'ils transmettent leur message à la prêtresse voilée qui les assistera en mon nom en évoquant le vol des corbeaux.

— Ah, ma fille ! Je savais bien que tu ne trahirais pas ta race ! s'écria Benedig, le regard brillant. Je dirai à Kerig...

— Dites-lui que je ne promets rien, l'interrompit Elane doucement. Et si vous souhaitez que je demande Son aide à la Déesse, il faut d'abord me faire savoir clairement ce que je dois Lui demander sans pour autant vous assurer de Sa réponse favorable. Ce que je puis simplement vous promettre, c'est d'accomplir mon devoir en respectant tous les préceptes que m'impose ma mission.

★

★ ★

Les mois passèrent, et la fille de Julia au terme de sa première année demeura le petit être fragile qu'elle était à sa naissance. Gaius ne ressentait toujours pas pour l'enfant qu'on appelait « Cella » l'attachement qui l'avait uni dès le premier regard à son fils, sans doute parce que ce lien ne pouvait exister qu'entre un homme et son premier-né, et puis aussi parce qu'il n'éprouvait pour Julia qu'un sentiment très éloigné de l'amour qu'il portait chevillé au cœur à Elane.

Julia cependant n'attachait guère d'importance à ce désintérêt qu'elle se refusait à croire définitif. Cella promettait d'être belle. Elle faisait sa joie et celle de son grand-père. Ce bonheur partagé lui suffisait. Se rendant compte alors qu'elle attendait de nouveau un enfant, son optimisme redoubla. Persuadée cette fois qu'elle mettrait au monde un garçon, elle consulta un devin qui confirma son intuition.

Sur ces entrefaites, la Deuxième Légion reçut l'ordre de quitter Deva pour la Germanie. Macellius, s'estimant trop vieux pour parcourir l'Empire, décida qu'il lui faudrait bientôt prendre sa retraite et obtint l'avancement qu'il souhaitait pour son fils.

Aussi Gaius eut-il la surprise d'être nommé à l'état-major du nouveau commandant qui se préparait au départ. Il fit rapidement ses bagages, prit congé de ses proches et courut embrasser sa femme, se félicitant en lui-même de n'avoir pas ainsi à assister à la naissance prochaine de son second enfant.

XXII

Dieda regagna le Sanctuaire de la Forêt au mois de mai, un peu plus de quatre ans après son départ en exil. C'était le matin et il faisait beau. Aussi Elane la reçut-elle dans le jardin, en présence de Kellen, espérant rendre leurs retrouvailles plus chaleureuses dans un cadre champêtre.

– Dieda, quelle joie de te revoir ! s'exclama la Haute Prêtresse en l'étreignant. Il y a si longtemps... Comme tu nous as manqué !

La fille d'Ardanos portait une longue robe blanche à la mode d'Erin et la cape bleu ciel des bardes fermée par une fibule d'or. Ses cheveux, retenus par un bandeau brodé, tombaient en boucles vaporeuses sur ses épaules et atténuaient la raideur de sa silhouette, Dieda étant visiblement en proie à une extrême tension intérieure.

Remerciant d'un sourire contraint, la jeune femme s'arracha aux embrassements de Kellen et d'Elane et s'absorba ostensiblement dans la contemplation de la nature.

– Ah ! j'avais oublié la paix qui règne ici ! s'écria-t-elle, vantant le vert lustré de la menthe et le feuillage argenté de la lavande encombré d'abeilles tourbillonnantes.

293

– C'est le grand calme, en effet. Ne va-t-il pas trop te peser après la compagnie des rois et des princesses d'Erin ? demanda Elane, d'une voix posée.

– Mais non ! Chaque contrée a ses charmes. S'il est vrai que je viens d'un très beau pays où poètes et musiciens sont à l'honneur, il est doux de rentrer chez soi après une longue absence. Rien ne peut remplacer la terre de ses ancêtres.

– Ta voix m'apporte l'accent chantant d'Erin, observa Kellen avec émotion. Comme je suis heureuse de le retrouver ! Impossible à t'entendre de te confondre désormais avec Elane. Ta voix était harmonieuse avant ton départ. Plus grave et mieux timbrée, elle est maintenant aussi bien accordée qu'une harpe.

Remplie d'aise par le compliment, Dieda se fit modeste :

– J'ai eu le temps de la travailler. Quatre ans, c'est long ! J'ai l'impression d'être partie depuis un siècle.

Elane acquiesça. Pour elle aussi le temps avait passé et elle se sentait tellement plus âgée que la toute jeune fille choisie par Liana cinq ans plus tôt. En surprenant une légère crispation de sa bouche, elle se demanda si Dieda lui en voulait toujours.

– Depuis ton départ, plusieurs jeunes filles sont venues se joindre à nous et la plupart d'entre elles, je pense, prononceront leurs vœux.

– Quelle bonne nouvelle ! Puis, changeant de ton, elle ajouta : Dis-moi, Elane, et moi ? Qu'envisages-tu en ce qui me concerne ?

– Pourquoi ne pas enseigner à ces filles ton savoir ? Qu'en penses-tu ? Je ne parle pas seulement des hymnes qui accompagnent nos rites, mais de notre histoire, de nos traditions, des dieux et des héros.

– Les prêtres ne m'y autoriseront pas.

– Leur accord n'est pas nécessaire, trancha la Haute Prêtresse sereinement. De nos jours, les chefs de tribu font apprendre le latin à leurs fils. On leur enseigne aussi des poèmes de Virgile et à apprécier le bon vin comme à Rome.

Mais les femmes sont laissées de côté. Pallions cette carence. Le dernier sanctuaire de l'antique sagesse est ici, à Verne-meton, et je ne voudrais pas le voir disparaître.

— Les choses auraient-elles changé depuis mon départ ?

Pour la première fois, Dieda souriait.

Comme Elane allait lui répondre, Gavain, son fils, arriva en courant, suivi par sa nourrice.

— Déesse de la Lune ! Déesse de la Lune ! s'écria l'enfant apercevant Dieda. Mais, l'ayant attentivement examinée, il exprima presque aussitôt sa déception : Non, tu n'es sûrement pas la Déesse de la Lune, tu as l'air beaucoup moins sévère.

Dieda eut un sourire ambigu :

— Tu as raison, dit-elle, je ne la suis pas, puisque tu le crois.

— Gavain, cette dame est notre parente ; elle se nomme Dieda, et chante encore mieux qu'un oiseau. Dis-lui bonjour, demanda Elane.

L'enfant considéra un moment les deux femmes. Il avait les yeux noisette de sa mère et les cheveux noirs et bouclés de son père.

Ce fut au tour de Lia, la nourrice, d'intervenir.

— Dame, excusez-le. Le galopin m'a échappé !

Elane, se retenant de prendre l'enfant dans ses bras, eut un geste d'apaisement et s'adressa doucement à son fils :

— Eh bien, mon cœur, tu voulais me voir ? Je ne peux pas jouer avec toi maintenant, mais si tu viens ce soir, nous irons tous les deux nourrir le saumon dans la Mare Sacrée. Qu'en penses-tu ?

Ravi, le petit garçon approuva de la tête avec un grand sourire ; et Elane, lui caressant la joue, s'attendrit en voyant apparaître sur son visage la petite fossette identique à celle de Gaius, vision fugitive qui disparut lorsque l'enfant détala à la poursuite d'un papillon, suivi tout aussitôt par sa nourrice.

— Est-ce lui ? demanda aigrement Dieda dans le silence qui suivit.

Comme Elane acquiesçait, les yeux de la fille d'Ardanos lancèrent des éclairs.

– Tu es folle de le garder ici ! Imagine qu'on le découvre et nous sommes perdues ! Je n'ai pas enduré quatre années d'exil pour te retrouver maintenant jouissant béatement tout à la fois de ton état de mère et des honneurs dévolus à ta charge !

– Il ne sait pas que je suis sa mère, dit Elane d'une voix brisée.

– Mais tu le vois tous les jours, tu le cajoles ! C'est grâce à moi, ne l'oublie pas, que tu vis et qu'il n'est pas mort !

– Dieda ! intervint Kellen froidement. Modère-toi et réfléchis ! Songe que cet enfant devra nous quitter l'année qui vient ou l'autre et que tout le monde ignore ce secret.

– Ah oui, je sais ! On pense que l'enfant est celui de la pauvre Miara, ou bien le mien peut-être. J'ai compris, je dois me taire. Après l'exil, la honte... Mais prenez garde ! Ce mensonge ne pourra durer quand on constatera mon peu d'attirance pour lui.

– Si tu restes, nous ne voulons que ton silence. Es-tu prête à l'observer ? demanda sans détour Kellen.

– Oui, répondit Dieda après un long instant, oui, pour l'amour de Vernemeton et de nos sœurs. Mais je vous avertis l'une et l'autre : si jamais Elane s'avise de trahir notre peuple, soyez certaines que je serai alors l'instrument de sa perte !

La lune nouvelle, déjà haut dans le ciel, nimbait la Mare Sacrée de ses rayons d'argent. Elane, masquant son visage sous son voile, marchait à pas feutrés sur le sentier qui menait à sa source, là où, elle venait de l'apprendre, l'attendait l'envoyé de Benedig.

La fraîcheur de la nuit la fit frissonner et elle serra plus étroitement sa cape autour d'elle, rassurée malgré tout par l'apaisant bruissement de l'eau jaillissant de la roche.

« Source de vie... Eau Sacrée, source intarissable, emplis-moi de ta sérénité », murmura-t-elle en elle-même, apercevant la silhouette massive de l'homme qui se tenait immobile sous la statue de la Dame taillée à même le roc.

LA COLLINE DU DERNIER ADIEU

– Paix à toi, messager de mon peuple, et que la Dame Éternelle te garde sous sa protection, dit la Haute Prêtresse quand elle arriva près de lui.

Prenant de l'eau dans le creux de sa main, elle l'approcha des lèvres de l'émissaire qui s'inclina et s'agenouilla devant elle pour la boire.

Puis il leva les yeux et déclara :

– Les corbeaux volent sur le champ de bataille.

– Ils volent aussi à minuit, ajouta-t-elle. Qu'as-tu à me dire ?

– Le soulèvement a été fixé pour le milieu de l'été. Les Capes Rouges l'ont appris, et ils nous ont attaqués il y a deux jours. Beaucoup des nôtres sont morts ou ont pris la fuite.

– Où est Kerig ? demanda Elane à voix basse et que veut-il de nous ?

– Kerig ? Il a disparu dans la bataille et on ne sait rien de lui.

Très alarmée par ces nouvelles et le sort incertain de son frère adoptif, la Haute Prêtresse inclina la tête sans mot dire. Longuement elle regarda l'homme et s'aperçut alors qu'il paraissait épuisé.

Le relevant, elle le réconforta de quelques mots et lui proposa de se restaurer et de dormir avant de repartir. Puis elle ajouta :

– Dis aux tiens que je les ai entendus et que je compatis à leurs souffrances. Dis-leur aussi que la Déesse veille sur leur destin.

★

★ ★

A l'abri des murailles de la forteresse de la Colonia Agrippinensis, en Germanie inférieure, Gaius, éclairé par une torchère, écrivait à Julia. Ce jour-là, il lui semblait avoir quitté sa famille depuis des siècles :

297

LA COLLINE DU DERNIER ADIEU

« ... *Les derniers légionnaires qui s'étaient rebellés contre Saturnius ont été jugés. Ils ont été séparés et répartis dans d'autres légions. L'ordre récemment donné par l'Empereur de n'admettre qu'une légion par camp n'est pas sans inconvénient et donne un surcroît de travail à nos ingénieurs. Je ne sais si ces mesures décourageront les complots, mais je considère comme positive la répartition plus équitable de nos forces le long de la frontière. Cet ordre a-t-il aussi été exécuté dans l'Ile de Bretagne ?* »

Il s'arrêta un instant pour écouter tomber la pluie, puis poursuivit :

« *J'entraîne mon escadron de cavalerie avec plaisir. Les Brigantes dont je dispose sont de remarquables cavaliers et ils apprécient d'avoir un commandant qui parle leur propre langue. Les pauvres diables ont, tout comme moi, le mal du pays. Je pense à toi et aux enfants de toute mon affection. Cella doit être maintenant une grande fille, et je ne peux croire que sa sœur, la petite Secunda, ait déjà plus d'un an.*

Je pense aussi souvent à notre île. Elle est un havre de paix en comparaison de la frontière de Germanie. Mais je me fais peut-être des illusions... »

Il s'en faisait, en effet. Quelques jours seulement après l'envoi de sa missive, il fut convoqué par son commandant.

— Gaius, lui annonça ce dernier, tu nous quittes, je viens d'en recevoir l'ordre. Je t'avoue que ton départ me chagrine, car je m'étais bien habitué à toi.

— L'escadron est-il lui aussi transféré ?

— Non, mon garçon, mes instructions ne concernent que toi et je le déplore. Tu pars rejoindre l'état-major du Gouverneur de l'Ile de Bretagne. Sans doute y a-t-il quelques ennuis là-bas avec les gens du pays, et ta présence doit paraître souhaitable, car tu les connais bien.

« Les Corbeaux... », pensa Gaius. Et le visage haineux de Kerig, lors de leur dernière entrevue, lui revint en mémoire. Celui de son beau-père Licinius aussi, qui ne devait pas être étranger à son rappel. Qui, sinon lui, aurait en effet pensé à l'arracher à cette contrée perdue ?

LA COLLINE DU DERNIER ADIEU

Licinius pensait toujours à son avancement. Le faire revenir pour mater les rebelles était une occasion à ne pas manquer, une étape idéale pour lui faire gravir un nouvel échelon dans sa carrière. Mais Licinius ignorait que pour venir à bout de la rébellion, il faudrait que son gendre abatte l'homme qui lui avait sauvé la vie.

★
★ ★

Les rumeurs concernant la révolte des Corbeaux se confirmaient de plus en plus. Elane tenta de se persuader un moment que le Gouverneur interdirait tout rassemblement ; mais il lui fallut vite se rendre à l'évidence. Les Romains se refusaient à temporiser et à reconnaître le bien-fondé de l'agitation populaire, ayant appris par des réfugiés que Kerig était retourné auprès de ses amis dans le nord et qu'il levait une armée essentiellement composée des survivants du Mont Graupius sous le commandement des Corbeaux.

« Kerig au moins est vivant », se répétait Elane qui en tirait un réel réconfort. Mais il y avait autre chose qui la marquait profondément. Certains des jeunes combattants qui ralliaient parfois le Sanctuaire de la Forêt pour y trouver refuge, ressemblaient de façon frappante à Gaius et à son fils, issus, comme eux, des deux races mêlées, grand brassage des peuples annoncé par Merlin qui ne lui avait cependant pas révélé si cette mutation s'accomplirait dans la paix ou le sang.

Alors, où se trouvait le chemin de la vérité et de la sagesse ? Quelle voie fallait-il suivre pour protéger le mieux son peuple et permettre à son fils de grandir ? Ardanos et Liana, ne pouvant oublier les terribles événements de Mona, avaient choisi une politique d'apaisement qu'ils considéraient comme un moindre mal. Mais Benedig et Kerig étaient d'un avis opposé, et prônaient la guerre à outrance. Pour eux, la mort valait mille fois mieux que l'esclavage.

LA COLLINE DU DERNIER ADIEU

Écartelée entre ces deux aspirations, Elane ne parvenait pas à se décider, mais le temps n'en continuait pas moins son cours inexorable. Vint l'époque des cérémonies rituelles de l'été, celles que les prêtresses accomplissaient sur la Colline des Vierges. L'heure du choix allait bientôt sonner.

En se rendant à leur célébration ce jour-là, Elane aperçut de loin le vif éclat des feux de joie qui embrasaient la colline, striée par les lueurs mouvantes des torches. Les tambours battaient en cadence et leur roulement s'amplifiait chaque fois qu'un jeune campagnard parvenait à lancer sa torche plus haut que toutes les autres dans le ciel, prouesse appelée à lui assurer une abondante récolte.

— Regarde ! s'exclama Senara qui l'accompagnait, regarde celle-là ! Je n'en ai jamais vu aller si loin !

— Puissent les moissons croître comme elle ! souhaita à son tour Kellen, préparant quelques pas en avant le banc sur lequel devait s'asseoir Elane pour rassembler ses forces avant l'Oracle.

Comme la Haute Prêtresse y prenait place, le martèlement des tambours redoubla d'intensité, les feux parurent exploser en d'innombrables brandons, tandis que les jeunes gens dévalaient la colline en s'égaillant de tous côtés pour transmettre à leurs champs la puissance protectrice du soleil.

Le cœur d'Elane à l'unisson parut lui aussi s'emballer et un grand flamboiement intérieur gagna son être tout entier, emprisonna son corps dans les mailles invisibles du filet magique annonciateur de la transe.

« Je sens monter en moi, pensa-t-elle, des forces invincibles, des forces qui cette fois s'imposeront de manière décisive. Tout ce que je dirai sera irrévocablement accompli. » Sa vision se brouillait, mais elle voyait encore assez pour déceler sur le visage d'Ardanos une angoisse infinie. S'agrippant à son bâton de chêne, le druide, paralysé, semblait devenir statue prête à s'enfoncer et à disparaître dans les profondeurs de la terre.

La procession s'ébranlant, Elane, soutenue par Kellen, se leva lentement et entreprit l'ascension de la colline.

« Voici que s'avance parmi nous notre Haute Prêtresse.
Sa tête est parée d'herbes sacrées ;
Dans sa main brille le croissant doré... »
psalmodièrent les prêtres.

Elane à les entendre éprouva comme toujours une émotion sans partage, sentant intensément déferler sur elle tout l'espoir et l'attente de la foule. A tel point qu'elle en oubliait son malaise, l'effet des drogues qui annihilaient à la fois sa conscience et ses nerfs. Tout sentiment de panique s'éloignait d'elle en dépit du monde qui basculait. Cette fois, elle savait infailliblement ce qu'elle recherchait, et elle n'aspirait plus qu'à se perdre sur les chemins imprévisibles de l'Ailleurs.

« Dame de toute Vie ! Je me donne à vous. Déesse Éternelle, prenez pitié de moi et de tous vos enfants ! »

Son esprit, son corps volaient en mille éclats comme vases qu'on brise, fusionnaient avec l'Autre, happés dans un formidable creuset qui la submergeait toute, passionnément engloutie dans un bienfaisant tourbillon.

Étrangement lucide cependant, oscillant entre ciel et terre, Elane se sentait maintenant soulevée de son siège par les prêtresses, portée jusqu'au trépied placé sur le monticule, où elle sut enfin qu'elle était libre.

Elle flottait dans une brume dorée, heureuse d'être vivante, protégée, chez elle. Pénétrée par cette certitude, combien elle trouvait éphémères et puériles les frayeurs qu'elle avait éprouvées ! La corde d'argent qui la reliait à son corps la retenait et la libérait à la fois, la brume se dissipait, elle allait pouvoir voir et entendre.

Sur le haut tabouret, en dessous d'elle, elle aperçut son corps, éclairé par les braises des feux de joie. Prêtres et prêtresses formaient un cercle tout autour, robes claires et sombres confondues, anneau d'ombre et de lumière, et au-delà la foule tapissait les flancs de la colline. De petits points lumineux trouaient la nuit, révélaient les baraques et les tentes qui cernaient la Colline Sacrée. Plus loin enfin ondulait la bigarrure des champs et des bois entrecoupée par les rubans miroitants des ruisseaux et des chemins de traverse. Elle observa alors avec ferveur et sérénité les druides qui invoquaient autour de son enveloppe humaine la Déesse sous l'éclat métallique de la lune. Elle seule comptait pour elle, et elle prit en pitié la fragile apparence d'elle-même qui devait l'accueillir.

Voyant surgir de l'ombre la silhouette d'une femme grande et majestueuse, dont elle ne pouvait discerner les traits, Elane revint sur terre et s'approcha, se demandant quel visage aurait cette fois la Déesse.

Au même moment, tous les mouvements de foule refluèrent jusqu'au lieu de la cérémonie. La lame des épées brilla et la voix rauque d'un homme déchira l'ombre :

– Grande Reine, entends notre prière ! Cathubodva, nous t'invoquons ! Dame des Corbeaux, venge nos fils !

Ardanos, le visage crispé, se tourna vers celui qui avait parlé pour lui imposer silence, mais l'intensité dramatique du message avait fait son œuvre. Des ombres ailées se mirent à tournoyer sur la foule ; un vent froid ranima la flamme des feux et le corps d'Elane sur le trépied parut se dilater soudain. Abandonnant son immobilité, la Haute Prêtresse s'assit très droite et rejetant son voile, déclara d'une voix forte :

– Peuple de l'Ile de Bretagne, j'ai entendu votre appel. Me voici ! Qui parmi vous ose m'évoquer ?

Un long murmure de crainte parcourut l'assemblée, suivi d'un silence absolu. Puis un guerrier s'avança en claudiquant, franchissant le cercle de lumière. Elane reconnut aussitôt Kerig, la tête bandée, une épée encore sanglante à la main.

– Mère, c'est moi qui t'appelle, moi qui t'ai toujours servie ! Dame des Corbeaux, lève-toi maintenant et attise notre colère !

Lentement alors, la haute silhouette se dressa. A la lueur du feu, Son visage et Ses cheveux étaient aussi rouges que l'armure de Kerig.

LA COLLINE DU DERNIER ADIEU

– Oui, tu m'as toujours servie, clama la voix éraflant le silence. Des têtes coupées, des corps désarticulés, telles sont tes offrandes ! Tu n'as que du sang pour toute libation. Les gémissements des femmes, les plaintes des mourants sont ta musique sacrée ; des corps humains alimentent tes feux rituels... Oui, tu m'as évoquée, corbeau rouge ! Que veux-tu donc de moi ? Parle, puisque j'ai répondu à ton appel !

La vision avait un sourire effrayant et, malgré la douceur de la nuit, un vent glacé balaya soudain la colline, comme si Cathubodva la terrible avait elle-même éteint le soleil et la lune à jamais. Pétrifiée, la foule recula et seuls demeurèrent face à face Kerig, Ardanos et les deux assistantes de la Haute Prêtresse.

– Déesse, anéantis les envahisseurs, abats les spoliateurs ! La victoire, c'est la victoire que je te demande instamment !

– La victoire ? La Déesse de la Guerre eut un rictus haineux. Je ne donne pas la victoire – je suis l'épouse des combats, la mère dévorante ! La mort est la seule victoire que tu puisses trouver dans mes bras !

Elle leva les mains, fit voler les plis sombres de sa cape et, cette fois, Kerig lui-même eut peur et fit un pas en arrière.

– Déesse, notre cause est juste, parvint-il seulement à dire.

– La justice ! Qu'appelles-tu justice dans les guerres des hommes ? Tout ce que les Romains vous font, des hommes de ta race l'ont fait à d'autres, à ceux qui occupaient ce pays avant eux ! Ton sang nourrira la terre, que tu meures dans la paille ou sur un champ de bataille. Pour Moi, la moisson est la même !

Kerig, stupéfié, secoua la tête.

– Déesse, j'ai combattu pour mon peuple ! N'est-ce pas au tour des Romains de connaître la défaite ?

La Dame des Corbeaux se pencha vers lui, le regard ardent, et il ne put détourner les yeux.

– Je vois... murmura-t-elle, je vois s'envoler les corbeaux. Ils quittent les épaules du dieu de la lumière. Jamais plus ils ne le conseilleront... A leur place, il accueille un grand aigle. Il va devenir ce rapace, il trahira et sera trahi, il souffrira jusqu'à ce qu'enfin il redevienne un dieu. L'aigle s'envolera, effrayé par le galop vainqueur du cheval blanc qui traversera les mers. Alors l'aigle s'unira au dragon rouge, et tous deux combattront l'étalon, et l'étalon affrontera les dragons du nord et les lions du sud. L'un d'eux sortira vainqueur de la bataille et s'érigera à son tour en défenseur du pays. Le sang des morts et des blessés se mêlera et nourrira la terre, et l'on ne saura plus distinguer l'ami de l'ennemi.

Lorsque Cathubodva eut enfin terminé, le peuple, médusé, ne sut s'il devait craindre ou espérer. On n'entendait plus au loin que les mugissements du bétail et le roulement des tambours.

– Dame, demanda encore Kerig d'une voix rauque, je t'en conjure, dis-nous ce que nous devons faire...

– Fuyez ! Fuyez car vos ennemis arrivent.

La Déesse de la Guerre parlait d'une voix monocorde, indifférente. Elle leva la tête et son regard parcourut l'assemblée.

– Tous, tous tant que vous êtes, partez, partez vite ; peut-être alors, pourrez-vous vivre encore un peu !

Il y eut quelques mouvements de foule, mais la plus grande partie de l'assistance, frappée de stupeur, resta clouée sur place.

– Fuyez ! répéta-t-elle en étendant les bras d'un geste impérieux, déclenchant cette fois une panique générale. Fuyez ! La mort est en marche. Elle approche !

Ce fut alors une indescriptible débandade. Des hommes et des femmes s'enfuirent en tous sens, renversant et piétinant les corps qui leur faisaient obstacle, telle une monstrueuse avalanche emportant tout sur son passage.

– Kerig, fils de Junius, sauve-toi ! hurla la Haute Prêtresse couvrant le vacarme et les cris. Cours ! Fuis ! Les Aigles arrivent !

Mais, encerclant la colline, grondait déjà le tonnerre des

304

roulements de tambour, retentissait lugubrement sur la terre le sourd martèlement des sabots de la cavalerie romaine qui chargeait.

Comme s'il était sourd et aveugle, totalement étranger à la charge qu'il commandait, Gaius, entouré de ses cavaliers, se laissait emporter par le galop de son cheval, fendant indifférent le flot humain qui se disloquait sur son passage. De toutes ses forces, il luttait pour bannir de sa mémoire la houle des souvenirs où se mêlaient confusément l'embrasement des feux de Beltane, l'éclat de la pleine lune, les danseurs enlacés, la vision de Kerig marchant main dans la main avec Dieda, le doux et lumineux visage d'Elane...

Plus la pente s'avérait raide et plus il serrait sa monture entre ses cuisses. Obéissant inconsciemment à la routine, il préparait ses armes cependant, repérait parmi les fuyards les hommes armés. Les ordres étaient en effet clairs et stricts : éviter le massacre des pacifiques, mais poursuivre et réduire les rebelles qui tenteraient de s'échapper.

Maudissant le destin qui l'obligeait à pourchasser Kerig et les siens, Gaius aperçut soudain devant lui un éclair métallique, la face livide et menaçante d'un fuyard grimaçant de colère et de peur. Entraîné au maniement des armes depuis dix ans, son réflexe fut immédiat. Il dégaina sur-le-champ et plongea son glaive dans la poitrine de l'ennemi qui s'écroula sur le sol sans même pousser un cri.

Retirant du cadavre sa lame ensanglantée, il reprit de plus belle sa course et atteignit au terme d'une brève chevauchée le sommet de la colline, où il s'arrêta un instant, imité par ses compagnons. L'endroit était maintenant presque désert et l'on ne voyait plus, çà et là, que quelques fuyards isolés. D'un ordre bref, il lança ses hommes à leur poursuite et partit lui-même au trot en direction d'une étrange silhouette qui venait d'apparaître derrière un buisson, agitant follement les bras et vociférant des mots incompréhensibles. Comme il s'en approchait, sa monture, brusquement affolée, fit un écart et manqua de le précipiter à terre. Parvenant à la maîtriser, Gaius, intrigué, avança plus près encore.

C'est alors que retentit le cri, un hurlement, une plainte si barbare que son cheval de nouveau se cabra et se mit à hennir de terreur. Lui-même, glacé d'effroi, eut bien du mal à rester impassible en découvrant le visage horrible qui venait de se dévoiler, une tête de Furie aux cheveux dressés, pareils à des serpents, prêts à cracher leur venin et à mordre.

Rejoint par plusieurs de ses hommes, Gaius parvint enfin à s'arracher à ce spectacle monstrueux. Des hommes, sous l'emprise d'une terreur sans nom, sortaient eux-mêmes des fourrés avoisinants, devançant quelques druides qui soutenaient un grand vieillard vêtu de blanc.

D'un seul regard, Gaius reconnut Ardanos désignant derrière lui des prêtresses aux robes bleues qui cherchaient à descendre du trépied, placé au faîte d'un monticule, ce qui semblait être une forme allongée et inerte.

— Nous les avons dispersés, vint rendre compte un sous-officier.

— Ils n'ont pas dû aller très loin. Tâchez de les rattraper tous et tiens-moi au courant de la situation, répondit distraitement Gaius, hypnotisé par la scène qui se déroulait sous ses yeux.

Il descendit de cheval et s'avança vers le petit groupe.

Parvenu près des femmes, il constata sans surprise que Kellen se trouvait parmi elles, le défiant du regard. Mais seule comptait pour lui la forme humaine allongée sur le sol.

Il fit un pas de plus, mit un genou à terre et écarta le voile : une femme au visage blafard, immobile, le transperçait de son regard. Et il sut alors, avec une effroyable certitude, que cette femme était à la fois Elane et la Furie.

XXIII

LES jours qui suivirent ce que l'on appela désormais le combat de la Colline des Vierges, les Romains poursuivirent sans relâche les Corbeaux en fuite. Gaius, lui, eut l'impression qu'il se dédoublait. Une part de lui-même transmettait froidement le résultat des opérations à Deva et retournait à Londinium pour en faire le récit au Gouverneur ; une autre part s'efforçait de concilier le masque de la Furie qu'il avait entrevu et l'image de la femme qu'il aimait. Quant à Julia, tournant autour de lui avec sollicitude, elle cherchait à percer le mystère des noires pensées qui éloignaient son mari d'elle, et s'était résignée à faire provisoirement chambre à part.

Délibérément, elle prenait donc le parti de faire contre mauvaise fortune bon cœur. L'absence de Gaius pendant deux ans l'y avait d'ailleurs préparée et elle s'absorbait de plus en plus dans l'éducation de ses enfants, les fillettes ressemblant trait pour trait à leur mère avec, peut-être chez l'aînée, le regard décidé de son grand-père Macellius. Par la force des choses, Gaius, de son côté, devina vite qu'il devenait pour elles un étranger. Elles cessaient de rire à son approche, et malgré leur respect, cherchaient à l'éviter en toutes occasions. Mais comment s'en offusquer alors que son cœur restait entièrement acquis à celle dont le souvenir le tourmentait nuit et jour depuis sa dévastatrice expérience sur la Colline des Vierges ? A tel point que parfois l'angoisse lui donnait envie de hurler et qu'il éprouva un véritable soulagement lorsque le Commandant de la place de Deva lui fit savoir que son père souhaitait le recevoir dans sa nouvelle maison, dérivatif inespéré pour lui faire oublier, ne fût-ce qu'un moment, le conflit qui le déchirait.

C'est alors qu'une autre décision le concernant, déterminante celle-là, lui offrit à propos la véritable rupture dont il avait besoin. Son père l'en avisa en l'accueillant chez lui : sur recommandation du Gouverneur, on l'envoyait à Rome où il obtiendrait sûrement un poste de Procurateur dans l'une des Provinces de l'Empire, étape décisive dans le déroulement de sa carrière.

Aux ides du mois d'août, Gaius partit donc sans regret, heureux de s'arracher pour de longs mois à un passé qui le taraudait. A Rome, il plongea aussitôt dans un tourbillon de festivités et d'obligations incessantes. On le reçut, on le fêta, on organisa pour lui visites et banquets, on lui fit découvrir tous les plaisirs, innocents ou pervers, que réservait aux voyageurs la capitale du monde. Il assista en frissonnant aux jeux cruels du Colisée, aux affrontements barbares des gladiateurs, aux luttes sanglantes mettant aux prises bêtes sauvages et criminels, aux révoltants massacres d'innocents. Courtisé par les femmes, présenté aux personnalités les plus influentes de la haute société romaine, Gaius fut reçu au Sénat et rencontra même l'empereur Domitien en personne, qui lui confirma la promesse de sa nomination prochaine au poste de Procurateur, chargé des fournitures militaires dans l'Ile de Bretagne. Ainsi put-il, au terme d'un séjour qui se prolongea près d'un an, quitter la ville des Sept Collines pleinement satisfait. Il retraversa en sens inverse l'Etat romain, puis les sombres forêts de la Gaule, pour parvenir enfin un soir en vue des rives brittoniques, certain que son voyage allait changer le cours de sa vie, confiant dans l'avenir et fier d'être romain.

★
★ ★

Au même moment, dans la forêt de Vernemeton, les prêtresses adoraient la nouvelle lune dans le Bosquet Sacré suivant des rites secrets qu'elles croyaient immuables. Kellen, qui assistait à la cérémonie, couvant ses novices comme une poule ses poussins, s'avança soudain dans le silence vers le cairn de pierres qui leur servait d'autel, Dieda à sa gauche, Meline à sa droite. Elane étant souffrante, elle devait tenir à sa place le rôle de la Haute Prêtresse, et éprouvait bizarrement une émotion intense en son absence.

Dieda leva la main et le tintement des clochettes d'argent emplit la nuit.

« *Je te salue, lune nouvelle, guide sacré et bienveillant !* » entonnèrent d'une voix cristalline les vierges, une douzaine de jeunes filles arrivées depuis la nomination d'Elane.

« *Je m'agenouille devant toi,*
Je t'offre mon amour,
Je te donne la main,
Je lève les yeux vers ta beauté radieuse,
Ô lune, lune nouvelle des saisons ! »

A chaque phrase, elles se courbaient, puis levaient les bras dans un geste de supplication, les yeux fixés sur la faucille d'argent. Puis, leur prière devint danse et elles se mirent à évoluer lentement dans le sens de la course de l'astre dans le firmament.

« *Je te salue, nouvelle lune,*
Lumineux objet de mon amour !
Je te salue, nouvelle lune,
Vierge bienveillante, généreuse,

309

LA COLLINE DU DERNIER ADIEU

Tu suis ta course dans le ciel,
Tu brilles de ton éclat d'argent,
Ô, lune nouvelle des saisons ! »

Kellen, emportée par le rythme lancinant de l'incantation, était maintenant dans un état de transe. Libérée du cercle négatif où l'avaient entraînée plusieurs années d'incertitude, elle reprenait, grâce à la Déesse, entièrement possession des facultés et des pouvoirs qui lui avaient si douloureusement fait défaut.

« C'est à toi aussi que je dois cette renaissance, Elane », songea-t-elle en dardant ses ondes vers la masse sombre du Sanctuaire de la Forêt, enfoui là-bas derrière les arbres. « Entends-tu le doux chant de tes filles ? »

Spontanément, elle ouvrit les bras vers les novices qui encerclaient l'autel, gracieuses sylphides dans la brume lumineuse.

« Ô toi, vierge souveraine de bonté,
Ô toi, vierge souveraine de bonheur,
Ô toi, vierge souveraine, lune des saisons,
Ma bien-aimée ! »

psalmodièrent-elles une dernière fois avant d'agiter les clochettes clôturant le chapelet de leurs litanies.

Le silence revenu, Kellen leur parla d'une voix vibrante :

– Chères sœurs, sachez que la puissance de la lune est le pouvoir des femmes, la lumière qui brille dans l'obscurité, la force qui régit tous les flux intérieurs. La lune vierge règne sur tout ce qui commence, sur tout ce qui naît à la vie. D'elle-même nous tirons toute influence, toute énergie. Chères sœurs, acceptez-vous de consacrer votre vie entière au service de notre mission ?

Un murmure d'assentiment unanime lui répondant aussitôt, Kellen poursuivit avec la même ardeur :

– Nous t'invoquons, Déesse, Dame de Vie, Reine des cieux étoilés, Épouse vierge, Mère de tout renouveau, Sagesse terrestre et universelle ! Déesse de toutes les déesses, tu règnes sur nos cœurs comme tu brilles sur nos visages et dans le ciel ! Ô Déesse, entends-nous !

– Déesse, viens à nous, reprirent en écho les novices.

– Déesse, entends notre prière !

Sentant en elle une tension presque insoutenable entretenue et vivifiée par la vibration des mains qui étreignaient les siennes, Kellen haussa encore le ton pour supplier la divinité de guérir Bethoc, mère d'Ambigatos.

Dieda alors entonna la première note du chant de la guérison et plusieurs jeunes filles mêlèrent leurs voix à la sienne. Un son bas, vibrant comme celui d'une harpe s'éleva dans les airs, s'intensifia, s'enfla et se prolongea longuement. Puis vint la seconde note, et d'autres novices entrèrent dans le chant. À la troisième, toutes chantaient d'un même cœur, d'une même voix guidée par celle de Dieda, qui les entraînait haute et mélodieuse comme le vol d'une alouette.

Kellen, en communion totale avec ses compagnes, redoubla de ferveur :

– Je m'élève dans les airs et mes ailes sont lumière, clame-t-elle au comble de l'émotion. Je vois des arcs-en-ciel auréoler la lune... les rayons du soleil qui illuminent le monde entier... Je sens l'eau des cascades ruisseler sur ma peau, la chaleur d'un feu caresser mon corps, la douceur infinie des bras de ma mère m'envahir dans un océan de tendresse...

Cette fois, la voix des femmes, unies dans un élan irrépressible, se transformait, devenait la Voix de la Déesse elle-même.

Ayant atteint dans la perfection cette transcendance, Kellen, Meline, Dieda et les jeunes filles n'étaient plus qu'une seule et même pensée, un seul et même désir sublimé, issu d'une totale union avec les forces de la nature.

A deux reprises, cette nuit-là, le phénomène vint à se reproduire et provoqua la guérison inespérée de deux femmes atteintes d'un mal incurable. Elane, tenue le lendemain au courant de la bienfaisante intercession divine, ne s'en étonna pas outre mesure.

– Je le savais, se contenta-t-elle de dire. Même d'ici, j'ai ressenti la toute-puissance surnaturelle de Son intervention.

311

LA COLLINE DU DERNIER ADIEU

– C'est bien là notre raison d'être, approuva Kellen. Lorsque j'étais enfant au service de Liana, j'ai souvent rêvé de voir s'accomplir ce que je viens de vivre la nuit dernière. Mais les druides, en voulant nous prendre sous leur coupe, nous avaient fait perdre le don. Malgré toute ma science, je n'avais pas encore su le retrouver. C'est toi, Elane, qui m'as ouvert le chemin.

– Même sans moi, tu l'aurais retrouvé.

Assise dans son lit, Elane s'efforça de sourire. Elle se sentait encore très faible et son corps la faisait souffrir, comme souvent à cette époque de la lune. Ses facultés intellectuelles cependant étaient intactes et elle était de plus en plus sûre que Kellen avait été jadis une grande prêtresse. Ainsi, ce qui venait de se produire n'était en fait que la résurgence d'un lointain passé, et non la manifestation d'un don nouvellement acquis. Elle-même avait d'ailleurs été sans doute prêtresse dans une vie antérieure. Mais Kellen était capable, beaucoup mieux qu'elle, de susciter des événements d'une exceptionnelle portée.

– J'ai même souvent pensé que tu aurais dû être Haute Prêtresse à ma place, ajouta-t-elle à son adresse.

– Il fut un temps où je l'ai cru aussi, confia Kellen. Mais, maintenant, je n'y tiens plus.

– Tu détiens la sagesse, mon amie. Tu pourrais légitimement exercer ce rôle bien mieux que moi.

« Des fils d'argent parsèment maintenant sa chevelure, songea-t-elle encore, mais elle n'a pas changé depuis le jour où elle a accouché Miara, voilà bientôt dix ans. »

– N'y pensons plus, rétorqua Kellen d'un ton malicieux. Mais je peux peut-être encore influer sur certaines de tes décisions ! A propos, il nous est arrivé une étrange requête. Un personnage bizarre appartenant à la secte romaine des chrétiens souhaiterait vivre dans la vieille hutte de la forêt que tu connais bien. Il se dit ermite. Qu'en penses-tu ? Faut-il lui donner asile ?

– Je le crois, répondit Elane après avoir réfléchi un instant,

312

légèrement émue à l'idée qu'un étranger occuperait l'endroit où elle avait mis au monde et nourri son enfant. Et puis, il n'est aucunement dans mes intentions d'y envoyer à l'avenir l'une des nôtres. Toi non plus, je suppose ? Quant aux Corbeaux, ils ont trouvé de nouvelles caches et ne l'utilisent plus.

– C'est bon ! Si Ardanos est d'un avis contraire, je lui rappellerai le précédent que constitue la chapelle de la Blanche Epine que les chrétiens ont été autorisés à construire sur l'Ile des Pommes, en contrebas de la Source Sacrée.

– Y es-tu déjà allée ? demanda Elane.

– Oui, il y a bien longtemps, quand j'étais jeune. Le Pays de l'Eté est une étrange contrée, toute de marais, de lacs et de prairies. La moindre pluie, et le Tor devient une île. La brume qui voile le paysage enveloppe la nature dans une lumière d'Outre-Monde et quand parfois un rayon de soleil perce les nuages, le Tor, comme une flamme sacrée, surgit dans toute sa splendeur.

Elane, à cette évocation, crut voir la colline s'avancer vers elle, impression qui se concrétisa brusquement. Le Tor était bien là, fascinant et réel, et Kellen se trouvait étroitement liée à la vision. Elle glissait dans la brume sur un grand lac, à bord d'un bateau à fond plat manœuvré par des petits hommes noirs ; à l'arrière, se tenaient plusieurs novices, serrées les unes contre les autres. Kellen, sereine et majestueuse, était devant elles, très droite, de l'or autour du cou et sur le front.

– Kellen !... et, sans aller plus loin, elle sut, la voyant stupéfaite, que la prêtresse avait, elle aussi, entrevu son visage. Kellen, tu seras Haute Prêtresse sur l'Ile des Pommes. Je le sais. Et tu emmèneras avec toi des femmes.

– Quand cela arrivera-t-il ? voulut savoir Kellen, mais Elane secoua la tête.

– Je ne sais ! murmura-t-elle, regrettant la fulgurance de sa vision. Ce dont, en revanche, je suis sûre, c'est que l'Ile Sacrée sera une retraite inviolable, hors d'atteinte des Romains et des hommes.

LA COLLINE DU DERNIER ADIEU

★
★ ★

Les nouvelles responsabilités de Gaius depuis son retour de Rome l'obligeaient à de nombreux déplacements à travers le pays. Comme le principal dépôt de ravitaillement se trouvait à Deva, maintenant occupée par la Vingtième Légion, il fit venir sa famille et l'installa dans une spacieuse résidence, la Villa Severina, située au sud de la ville. Julia quitta Londinium avec regret, mais fit, comme d'habitude, preuve de résignation. C'est donc là qu'un an plus tard, elle donna naissance à des jumelles qu'elle appela tout simplement Tertia et Quarta, ou plutôt Quartilla, tellement l'enfant était menue.

– Ne crois-tu pas, fit remarquer affectueusement à sa fille Licinius venu faire connaissance de ses nouvelles petites-filles, que tu aurais pu attendre un peu avant de mettre au monde ces deux mignonnes ?

– Comment, vous ne devinez pas la raison de ma hâte ? rétorqua vivement Julia sans la moindre note d'humour. J'espérais enfin donner un fils à Gaius. Mais comme vous le constatez, la nature en a décidé autrement. Sans doute aurais-je dû faire édifier un temple en l'honneur de Junon. Je m'en souviendrai pour la prochaine fois !

Gaius, quant à lui, ne porta pas plus d'intérêt à sa nouvelle progéniture que par le passé, attitude que Julia persista à minimiser, du moins en apparence. Elle savait d'ailleurs qu'il partageait la couche d'une jeune esclave dans ses périodes d'indisponibilité et n'y trouvait rien à redire, pourvu qu'il persistât à remplir ses devoirs conjugaux. Ainsi continuaient-ils pour la façade à donner l'un et l'autre l'image d'un couple uni, fait assez remarquable dans une société romaine dissolue, aussi prodigue en divorces et scandales dans les Provinces qu'à Rome. Son mariage, se persuadait-elle, était donc une réussite dont le mérite principal lui revenait en raison notamment, tout le monde le reconnaissait, de son « admirable » dévouement de mère.

Aussi personne ne s'étonna lorsque, deux ans plus tard, Julia se trouva de nouveau enceinte. Somnolant au soleil dans le jardin, les mains croisées sur son ventre, elle écoutait, les yeux mi-clos, par un bel après-midi jouer ses enfants non loin d'elle, mêlant leurs petits cris aux chants des oiseaux et aux voix étouffées des esclaves qui s'affairaient à leurs tâches ménagères.

S'étant assoupie un moment, elle se réveilla cependant vaguement inquiète du silence insolite qui régnait brusquement.

C'est alors que retentit l'appel angoissé de la jeune Gauloise chargée de surveiller les enfants.

— Les jumelles sont à table et Cella aide la cuisinière à préparer des pâtes. Mais où est Secunda ? Elle était au jardin il y a un instant. Elle n'a pas dû aller bien loin. Aide-moi à la chercher, Lydia ! cria-t-elle à la vieille gouvernante. Elle va avoir une bonne fessée si elle a fait des bêtises !

Alarmée à son tour, Julia se redressa, tenta de se lever mais y renonça, son état la rendant languissante. « Dès que la petite sera retrouvée, j'irai voir », se dit-elle en refermant les yeux, tranquillisée par la voix forte de Gaius couvrant soudainement dans le lointain celle des autres.

Mais, comme elle allait se rendormir, des pas sur le gravier la réveillèrent tout à fait. Elle se leva difficilement, s'appuya contre une colonne et sentit son cœur se serrer en voyant s'avancer vers elle une petite procession. Elle voulut alors ouvrir la bouche pour appeler Gaius, mais ne le put. Un jardinier se détachait du groupe et portait Secunda inerte dans ses bras.

— Pourquoi ne bouge-t-elle pas ? parvint-elle enfin à articuler, prête à défaillir.

Gaius alors, le visage défait, prit le petit corps dans ses bras. De l'eau coulait de la robe rose, et les boucles brunes de la fillette étaient plaquées sur ses joues. Julia, sentant son sang se figer dans ses veines, poussa un cri d'horreur.

— Je l'ai trouvée dans le ruisseau, balbutia Gaius d'une voix

315

blanche. Elle flottait déjà au bout du champ. J'ai tenté aussitôt de la ranimer, mais en vain...

Paralysée par l'émotion, Julia vacilla et s'effondra sur le sol, plongeant dans les ténèbres. Puis elle ressentit dans le ventre une atroce douleur et perdit connaissance.

L'aube allait poindre quand elle revint à elle. Un flot de sang coulait entre ses cuisses. Lydia se pencha et chercha à endiguer l'hémorragie. Mais Julia avait eu le temps d'apercevoir un petit être violacé et sans vie.

— Mon fils, gémit-elle d'une voix éperdue. Mon fils ! Donne-le-moi, je t'en supplie !

En pleurant, la gouvernante alors lui présenta, enveloppé dans un linge sanglant, le petit être mort et le déposa dans ses bras. Le visage nettoyé, il offrait des traits minuscules et parfaits, semblables aux pétales d'une rose flétrie.

Julia le tenait encore convulsivement serré contre elle lorsque Gaius entra.

— Les dieux me haïssent ! haleta-t-elle en sanglotant.

Blafard, Gaius s'agenouilla près du lit. Il lissa les cheveux mouillés de sa femme et l'embrassa avec une compassion infinie. Puis, ayant contemplé un instant l'enfant mort-né, doucement, après avoir caché son visage sous un pli de tissu, il le prit dans ses bras. D'un geste désespéré, elle voulut l'arrêter. Mais déjà il tendait le bébé à Lydia.

S'effondrant sur sa couche, Julia eut une crise de larmes effrénée.

— Je veux mourir ! Laissez-moi mourir ! se mit-elle à hurler sans fin.

— Julia, chère Julia ! voulut la raisonner Gaius. Tu as encore trois filles ! Elles ont besoin de toi. Courage, je t'en prie !

— Mon bébé, mon bébé ! J'ai perdu mon petit garçon !

Longtemps, Gaius chercha à la calmer avec des mots tendres qu'il n'avait jamais dits. Puis, il demanda l'aide de son beau-père accouru au chevet de sa fille.

— Nous ne sommes pas vieux, essaya-t-il encore de dire. Si les dieux le veulent, nous aurons d'autres enfants, Julia !

Licinius se pencha pour embrasser sa fille.

– Si tu n'as pas de fils, chère petite, quelle importance ? Tu as toujours été pour moi bien plus aimante que ne l'auraient été plusieurs garçons.

– Pense seulement aux enfants qui vivent ! renchérit doucement Gaius.

Mais Julia sentait le désespoir sourdre en elle.

– Tu ne t'es jamais vraiment occupé d'eux. Pourquoi t'intéresserais-tu maintenant à d'autres ? Seul aurait compté pour toi le fils que je ne t'ai pas donné.

– Je t'assure que non, voulut encore la rassurer Gaius. Mes filles me suffisent. Allons, dors maintenant, dors en paix et ne songe plus qu'à l'avenir !

XXIV

J ULIA mit de longues semaines à se rétablir après la disparition de Secunda et de celle de son fils mort-né. Quant à
Gaius, momentanément affecté par les circonstances tra-
giques de l'accident survenu à sa fille, il se sentit surtout,
après la mort du petit garçon, encore beaucoup plus proche
de son fils et d'Elane. Tant et si bien qu'il se mit à imaginer
que Julia, dont l'état de santé rendait fort improbables d'autres accouchements, et de ce fait la naissance d'un second
garçon, ne pourrait s'opposer, suivant une coutume romaine
très répandue, à adopter un enfant mâle, en l'occurrence son
propre fils, Gavain.

Estimant cependant prématuré de lui faire part de ce projet, il emmena sa femme pour la distraire en pèlerinage à
Venta où se trouvait le sanctuaire de la Déesse Mère, espérant lui faire recouvrer santé de corps et d'esprit. Mais le
voyage ne lui apporta aucun réconfort et elle déclina même
l'offre qu'il lui faisait de retourner à Londinium près de son
père.

– Non, lui répondit-elle abruptement. Nos enfants sont
enterrés ici, je ne les quitterai pas.

LA COLLINE DU DERNIER ADIEU

De peur de la heurter en lui disant qu'aucun endroit au monde n'était plus près qu'un autre du Royaume des Morts, Gaius n'insista pas. Ils restèrent donc à Deva et la vie reprit, tant bien que mal, son cours normal.

Vers la fin de l'année, parvint la nouvelle de la mort d'Agricola. Une lettre de Rome l'en informa :

« Comme le dit volontiers Tacite, lui écrivait-on, *il est dans la nature humaine de haïr celui à qui l'on a fait tort. Mais notre Divin Empereur n'ayant pu trouver chez Agricola de quoi justifier sa colère, notre ami a échappé à une disgrâce officielle. Durant sa maladie, l'Empereur lui a même témoigné une rare sollicitude, ce qui n'empêche pas les mauvaises langues de dire que le Général est mort empoisonné. Pour ma part, je crois à un arrêt du cœur. Agricola ne supportait pas d'assister au déclin de Rome et il est à mon sens préférable qu'il soit parti... Quelle chance pour toi de te trouver sur ton Ile de Bretagne, loin de toute cette désolation ! »*

Atteint par la limite d'âge, Licinius, ayant dû sur ces entrefaites mettre un terme à ses activités, vint rejoindre ses enfants à Deva. Gaius, de son côté, entamait alors les derniers mois de sa mission en tant que Procurateur à l'approvisionnement. Il avait espéré obtenir de l'avancement grâce à des appuis au Sénat, mais de mauvaises nouvelles arrivèrent de Rome. L'Empereur devenait de plus en plus tyrannique et méfiant. En tant que chef militaire, il obtenait des succès, mais ne les attribuait qu'à la faveur divine et s'employait avec acharnement à annihiler le peu de pouvoir restant aux patriciens.

L'Empereur allait-il enflammer davantage la rébellion qui couvait ? Il n'en fut rien. Gaius apprit en effet, peu de temps après, que les meneurs de la sédition larvée avaient été arrêtés et exécutés pour haute trahison. Il comprit donc que sa carrière allait, par voie de conséquence, traverser une période de stagnation. Son principal protecteur, membre du Sénat, sans être véritablement compromis, avait en effet jugé plus prudent de se retirer sur ses terres de Campanie. Aussi Gaius décida-t-il de remettre à plus tard un nouveau voyage qu'il projetait de faire à Rome, et de se consacrer à consolider ses acquis matériels et familiaux. Il noua des liens plus paternels avec ses filles, chercha à dérider Julia, toujours déprimée et souffrante, dont il partageait de nouveau la couche.

De plus en plus certain qu'elle ne lui donnerait plus de fils, il se remit à penser à ses projets d'adoption de Gavain, âgé maintenant de dix ans. Bien que momentanément privé des faveurs de l'Empereur, il pourrait lui assurer l'avenir que serait bien en peine de lui offrir la grande prêtresse d'un culte druidique, contrainte de surcroît à cacher jusqu'à son existence. Quant à Julia, ayant abandonné elle aussi l'espoir d'enfanter un garçon, elle se montrerait sûrement beaucoup plus disposée à élever le fils de son mari plutôt qu'un inconnu, du moins se plaisait-il à le croire.

Peu de temps à cheval le séparait du Sanctuaire de la Forêt, et pourtant il hésitait encore à s'y rendre. Quelle serait en effet la réaction d'Elane ? Haïssait-elle Rome, et quel sentiment la Haute Prêtresse de Vernemeton, entrevue la dernière fois dans de terribles circonstances, nourrissait-elle à son égard après tant d'années de séparation ?

Au hasard de ses vagabondages en forêt et de ses chasses, un jour, Gaius, tourmenté par ses rêves et ses incertitudes, poursuivait distraitement une harde de sangliers. Passant non loin de la cabane où il avait dix ans plus tôt serré son fils dans ses bras, il cessa brusquement sa traque et ne put résister à l'envie de revenir sur les lieux qui lui étaient si chers. Le soleil du passé éclairant son visage, il dirigea donc sa monture vers la hutte, tout en sachant, hélas, qu'il n'y trouverait ni Elane ni Gavain mais au moins l'inaltérable présence de leur souvenir. D'abord, il crut l'endroit désert. Au milieu des arbres qui bourgeonnaient déjà, le toit de la cabane lui apparut en bien mauvais état et le sol, jonché de branches cassées par la dernière tempête, renforça son impression. Pourtant, un filet de fumée filtrait à travers le chaume et un homme, en entendant son cheval hennir, ouvrit la porte et sortit.

– Bienvenue à toi, mon fils, déclara-t-il. Qui es-tu donc et que me vaut le plaisir de ta visite ?

Surpris, Gaius se présenta. L'homme était grand et vigoureux. Il avait le visage hâlé, les cheveux noirs et portait une robe grossière en poil de chèvre.

Se demandant s'il avait affaire à un vagabond, Gaius remarqua la croix rustique qui pendait à son cou au bout d'une lanière de cuir. Un chrétien peut-être, l'un de ces ermites comme on en rencontrait de plus en plus depuis deux ou trois ans dans tout l'Empire, en Egypte et en Afrique aussi.

– Et toi, l'homme, que fais-tu ici ? demanda-t-il à son tour.

– Je suis venu enseigner Dieu aux enfants perdus, répondit l'autre calmement. On m'appelait avant Lycias, mais je suis désormais le père Petros. C'est sûrement le Seigneur qui t'envoie vers moi. Que puis-je faire pour toi ?

– Comment sais-tu que Dieu a guidé mes pas vers cette cabane ? rétorqua Gaius, amusé malgré lui par la naïve assurance de l'ermite.

– L'important est que tu sois ici. Crois-moi, mon fils, rien de ce qui arrive n'est étranger à Dieu.

– Le crois-tu vraiment ? demanda Gaius avec une amertume soudaine. Rien de ce qui arrive, dis-tu ? Peux-tu me dire alors quel est le dieu qui permet qu'une mère perde le fils et la fille qu'elle adorait, qu'un homme qui chérissait d'amour une femme ne puisse vivre avec elle et le fils qu'ils ont eu ensemble ?

– Je vois, mon fils, que tu te trouves dans le tourment. Entre et parlons, dit-il en ouvrant toute grande sa porte. Ton cheval me semble aussi fourbu. Que puis-je t'offrir ? demanda le père Petros dès que Gaius, après s'être occupé de sa monture, le rejoignit. Voici d'abord des gobelets pour nous rafraîchir. Ma table est fruste mais j'ai des haricots et des navets, et même un peu de vin. Les ressources du pays ne me permettent pas de festoyer comme naguère sous des cieux plus cléments. Heureusement, on s'habitue à vivre de peu de chose.

Gaius le remercia.

– Je boirai volontiers un peu de ton vin, mais je préfère te dire tout de suite franchement que tu auras du mal à me convaincre que ton dieu est bon et tout-puissant. Car, dans ce cas, pourquoi permet-il la souffrance ? Et s'il ne peut l'empêcher, pourquoi l'adore-t-on ?

– Ah, voilà bien la réponse d'un élève des stoïciens ! Mais les philosophes se trompent sur la nature de Dieu.

– Et, bien entendu, c'est vous qui prétendez avoir raison ?

– Non, je ne prétends rien. Je ne suis qu'un pauvre prêtre qui cherche à guider ceux qui le lui demandent et je n'ai besoin de savoir qu'une chose : c'est que le Fils de Dieu est mort sur la croix et qu'Il a ressuscité pour nous sauver. Ceux qui croient en Lui vivront à jamais dans Sa gloire.

– Cette légende venue d'Orient est puérile. J'en ai entendu parler à propos du culte pratiqué à Rome. Je comprends pourquoi elle séduit les esclaves et quelques femmes de bonne famille. Merci néanmoins pour ton vin, Père, et pour ton accueil. Puis, pensant tout à coup au réconfort que pourrait en tirer Julia, il ajouta : Ma femme peut-elle venir te rendre visite ? Elle ne se remet pas du choc qu'elle a reçu depuis la mort de notre fille.

– Qu'elle vienne quand elle veut, elle sera la bienvenue, répondit le père Petros avec bienveillance. Je me désole seulement de ne pouvoir te convertir.

– J'en suis moi aussi désolé, répondit Gaius, désarmé par sa déception apparente.

– Peut-être avec le temps réussirai-je à te faire changer d'avis. Mais, sans doute ne suis-je pas très bon prédicateur. Je regrette que le père Joseph ne soit pas là ! Lui, aurait su te convaincre !

– Non, n'ayez pas de regrets. C'est peu probable, l'assura Gaius, en souriant poliment.

Alors, comme il s'apprêtait à partir, on frappa à la porte.

– Ah, c'est toi, Senara ? Entre, mon enfant, je t'en prie, dit l'ermite.

– Je ne veux pas vous déranger. Je vois que vous n'êtes pas seul, répondit une voix féminine.

– Je partais, intervint Gaius en écartant la toile grossière qui masquait la porte.

Devant lui se trouvait une jeune fille d'une grâce parfaite. Elle avait une quinzaine d'années, de longs cheveux aux reflets cuivrés et de grands yeux bleus très pâles.

« Où l'ai-je déjà vue ? » se demanda Gaius une fois dehors. Puis il se souvint de Valerius, l'ancien secrétaire de son père et de sa jeune nièce.

« Peut-être, se dit-il encore en s'éloignant sur son cheval, aurais-je pu lui demander son aide pour revoir Elane. » Mais sachant par expérience qu'il n'était pas prudent de demander à une femme des nouvelles d'une autre, il s'abstint, non sans regret, de faire demi-tour.

La nuit tombait quand Gaius regagna sa villa de Deva où Julia et son père lui firent bon accueil. Malgré l'heure tardive, Macellia et Tertia jouaient encore dans un grand désordre sous la véranda et s'amusaient à installer le petit singe apprivoisé de leur mère, affublé de vêtements de bébé, dans une charrette d'enfant.

Agacé par ce remue-ménage alors que les gamines auraient dû normalement être déjà couchées, Gaius prit l'animal et le rendit à sa maîtresse tout en se demandant comment trois petites filles, une femme et sept serviteurs pouvaient ainsi mettre une maison sens dessus dessous...

Les fillettes affectueusement mais fermement expédiées au lit sous la conduite de leur gouvernante, Gaius put reporter son attention sur son épouse.

– Julia, lui dit-il doucement, j'aimerais beaucoup que tu te débarrasses de cet animal.

– Comment ? Mais Secunda l'adorait ! Je ne peux tout de même pas l'abandonner maintenant !

Comme les yeux de Julia s'emplissaient de larmes, Gaius, croisant le regard réprobateur de son beau-père, soupira et détourna la conversation. Après tout, mieux valait laisser Julia croire ce qu'elle voulait...

— Qu'as-tu fait aujourd'hui ? lui demanda-t-elle un peu plus tard, comme ils commençaient à se restaurer.

— J'ai suivi à la trace plusieurs sangliers qui mettaient à mal un champ et me suis retrouvé de l'autre côté des collines, répondit-il, s'efforçant de parler de manière détachée. La vieille cabane dans les bois a un nouvel occupant, une sorte d'ermite...

— Ah oui ? Un chrétien sans doute ? ricana Licinius, méprisant. Ils sont maintenant partout et envahissent même Rome.

— C'est possible, poursuivit Gaius, feignant l'indifférence. Toujours est-il que celui-là croit fermement que son dieu a ressuscité d'entre les morts.

Licinius haussa les épaules ; mais les yeux de sa fille s'embuèrent de nouveau.

— Penses-tu qu'il accepterait de me recevoir et m'autoriserais-tu à le rencontrer ? bredouilla-t-elle dans un souffle, se tournant vers son mari.

— Si cela peut te réconforter, ma chère Julia, je ne m'y opposerai en aucune façon. Bien au contraire. Tout ce qui peut atténuer ta peine, me comble.

— Ah, Gaius, tu es si bon pour moi ! s'exclama-t-elle, éclatant en sanglots.

Puis, ne pouvant contenir son émotion, elle pressa furtivement sa main et s'enfuit dans sa chambre.

— Dieux, à quels égarements peut mener la douleur ! constata Licinius navré, sitôt sa fille sortie. Je ne la comprends plus. Je l'ai pourtant élevée afin d'en faire une épouse vertueuse, respectueuse des ancêtres. Moi aussi, j'ai tendrement aimé ma petite-fille, mais hélas nous mourrons tous, et ne choisissons pas notre heure. Je connais aussi ton chagrin, Gaius, et te sais gré des bontés que tu lui témoignes constamment, bien que la pauvre n'ait pu te donner le fils que nous espérions tous.

Gaius tendit la main vers le flacon de vin. Il se sentait monstrueusement fourbe, mais s'abstint de tout commen-

taire. Certes, il ne voulait pas voir Julia s'enfermer inutilement dans sa douleur, mais il ne pouvait s'empêcher de se
dire qu'Elane, elle, n'aurait sans aucun doute pas succombé
aux divagations d'un moine chrétien.

Le repas achevé, Gaius alla retrouver sa femme dans sa
chambre et apprit d'elle que le singe s'était échappé. L'assurant pour la consoler qu'il n'irait pas bien loin, il se prit en
lui-même à espérer qu'un prédateur affamé en fît rapidement
son affaire.

Puis, Julia s'étant enfin endormie, ne trouvant pas lui-
même le sommeil, il décida d'aller lire quelques instants dans
son bureau. C'est là qu'il découvrit en entrant le singe qu'il
ne voulait plus voir. Il était assis au beau milieu de sa table de
travail et avait souillé ses papiers. De rage, il poussa un cri, se
saisit de la bête et la jeta de toutes ses forces sur les pavés de
la cour. Il entendit un craquement bizarre, une plainte, puis
plus rien

Pourvu qu'il soit mort ! se dit-il avec un sourire mauvais.
La thèse du chien errant, ayant mis un terme à ses jours, sera
ainsi très facilement accréditée.

XXV

L E lendemain, Gaius se réveilla très tôt, bien décidé cette fois à retrouver son fils. Ne tenant pas spécialement à rencontrer Ardanos qu'il soupçonnait d'être, à sa façon, aussi enraciné dans ses convictions que le père Petros, il savait pourtant qu'il était le seul à pouvoir lui venir en aide. Comment donc allait-il s'y prendre pour contacter le vieillard qui n'habitait plus Deva ?

Comme il retournait la question dans sa tête, on frappa vigoureusement à la porte d'entrée. Un serviteur alla ouvrir en maugréant, pendant que Gaius se glissait hors du lit et passait un vêtement. C'était un légionnaire qui lui transmettait une invitation pressante de la part de Macellius, son père, à se rendre chez lui. Officiellement, ce dernier avait pris sa retraite, mais le jeune commandant de la Vingtième Légion le tenait toujours pour un conseiller avisé.

L'idée d'être absent quand Julia découvrirait le singe mort l'arrangeant tout à fait, Gaius se mit en selle aussi vite qu'il put et traversa la ville endormie en direction des portes de la forteresse. Arrivé à destination, le soldat de garde, qui le connaissait bien, s'effaça en lui disant :

– Votre père avait bien dit que vous arriveriez aussitôt ! Vous avez fait diligence. Entrez ! Vous le trouverez avec le Légat au prétoire.

Sur un banc, placé à droite de la porte, Gaius remarqua une femme à l'air épuisé, appartenant visiblement à la race de sa mère, cheveux bruns et peau claire. Agée d'environ trente-cinq ans, elle portait une robe en laine jaune safran brodée d'or.

– Quelle est cette femme qui attend et qu'a-t-elle fait ? s'informa-t-il, entrant dans le bureau du Commandant.

– Elle s'appelle Brigitta, répondit son père sans aménité, et se prétend reine des Demetae. Sur le point de mourir, son mari a partagé sa fortune en parts égales entre l'Empereur et son épouse. Or, elle prétend maintenant que cet héritage lui donne le droit de gouverner le royaume du défunt. Cela ne te rappelle-t-il pas quelque chose ?

C'était en effet une pratique courante dans les riches familles de séparer les biens des défunts en deux parties égales, l'une destinée à elles-mêmes, l'autre à l'Empereur, dans l'espoir que le cohéritier impérial veillerait à la bonne exécution des mesures prises. Agricola en l'occurrence avait agi ainsi.

Le regard du Légat, désireux d'en savoir davantage, alla du père au fils.

– Boadicée ? répondit succinctement Gaius. Oui, je m'en souviens. Son époux avait fait la même démarche. Mais les Icéniens devaient beaucoup d'argent à des sénateurs bien en cour. A sa mort, ils ont envahi le pays et la reine a tenté de leur résister. Ses filles et elle subirent ce qu'on appelle de mauvais traitements et, en représailles, elle a soulevé son peuple et a été sur le point de nous chasser du pays !

Le spectre de la répétition de tels événements hantait manifestement Macellius.

– Ah, je vois ! Vous faites allusion à cette Boadicée ! intervint le Légat, sans doute un peu trop jeune pour occuper un poste aussi important, mais dont on disait en revanche qu'il était intime de l'Empereur.

LA COLLINE DU DERNIER ADIEU

— Oui, elle-même ! répondit Macellius en écho, sa voix trahissant son mécontentement. Et vous devez comprendre pourquoi le tribun de Moridunum a donné l'ordre de s'emparer de la femme dès l'ouverture du testament, pourquoi aussi il est impossible d'accepter les termes de celui-ci quand bien même il serait favorable à l'Empereur.

— Prenez garde ! enchaîna à son tour Gaius. Il est clair que nous devons traiter cette femme avec la plus grande prudence. Tous les habitants du pays sont à l'affût de ce que nous allons faire.

Une idée lui vint alors brusquement.

— A-t-elle des enfants ?

— Oui, deux filles, affirma aussitôt Macellius. Mais j'ignore ce qu'elles sont devenues. Elles n'ont, hélas, que trois ou quatre ans, sinon j'aurais tenté de les marier à quelque honnête citoyen. Se battre contre des femmes et des enfants est malaisé. Pourtant, si elles se mêlent de politique, il faudra bien faire quelque chose. Mais quoi ? D'autant que le bruit court maintenant qu'elle a envoyé des messagers demander l'aide des Hiberniens.

Gaius frissonna au souvenir de l'attaque dont Benedig et sa famille avaient été victimes.

— Emmenez-la à Londinium, suggéra-t-il. Si vous l'envoyez à Rome, son peuple la considérera comme prisonnière. En revanche, si vous l'installez dignement dans la capitale, ses gens penseront qu'elle les a trahis. Dites-lui donc qu'à moins de vivre à Londinium, elle ne verra pas l'ombre de l'héritage de son mari.

— L'idée n'est pas mauvaise, approuva Macellius réfléchissant à haute voix. Puis, se tournant vers le Légat, il déclara : J'approuve la suggestion de mon fils. Vous disposez d'un détachement prêt à renforcer la garnison de Moridunum. Utilisez-le donc pour faire parvenir la nouvelle.

Quittant le prétoire, une idée traversa l'esprit de Gaius. Les filles de Brigitta pouvaient, en dépit de leur jeune âge, constituer un danger. Pourtant, la femme éveillait en lui une certaine pitié ; elle avait l'air si perdue.

– Où sont vos petites filles ? lui demanda-t-il en langue brittonne, s'arrêtant devant elle.

– Là où elles sont, tu ne les trouveras jamais, Romain, que les dieux en soient loués ! Crois-tu que j'ignore le sort que vos légionnaires réservent à nos filles ?

– Brigitta, tu nous insultes ! s'écria Gaius indigné. Les enfants sont toujours épargnés. Je suis père moi-même de trois fillettes de l'âge des tiennes ; nous pourrions leur trouver une bonne nourrice.

– Je t'épargnerai ce souci ! Mes filles sont bien gardées !

Un légionnaire s'approcha et lui toucha le bras. Elle eut une réaction violente.

– Calmez-vous et suivez-moi ! lui ordonna-t-il. Ne nous obligez pas à vous enchaîner !

Le regard farouche de la femme se posa sur Gaius.

– Où m'emmènent-ils ?

– A Londinium, répondit-il d'une voix apaisante.

A ces mots, le visage de la femme se plissa, de soulagement ou de déception, mais elle accepta d'accompagner le légionnaire sans protester.

– A la voir, confia l'instant d'après le soldat à Gaius, vous ne croiriez jamais qu'elle fréquente de dangereux agitateurs. Quand on l'a arrêtée, elle venait de quitter un rebelle notoire, un certain Conmor, que d'autres appellent Kerig, et qu'on prétend avoir repéré dans la région.

– Je le connais.

– Vous ? demanda le légionnaire, stupéfait.

Gaius acquiesça d'un signe de tête, puis se demanda si Kerig avait revu Elane. S'il venait à tomber aux mains des siens, peut-être pourrait-il obtenir de lui qu'il le conduise près d'elle ?

Gaius, ayant ensuite rejoint son père, dut subir ses lamentations.

– Ah, fils, dit-il, si tu savais comme je me sens las et vieux !

– Allons, Père, ne soyez pas ridicule, rétorqua Gaius.

– Hélas, je n'exagère pas ! Le Légat voudrait que je calme les esprits mais, pour cela, il me faudrait renouer de vrais contacts avec l'habitant.

« Lucius Domitius Brutus n'est peut-être pas aussi niais qu'il en a l'air, songea Gaius. L'esprit de coopération régnant entre Macellius et les tribus ne lui a en tout cas pas échappé. »

– Non, j'en ai assez de tirer les marrons du feu pour le compte des autres, reprit Macellius, maussade. J'ai envie de changer d'horizon. Peut-être vais-je me rendre à Rome ou même en Égypte. Ici, je ne suis plus bon à rien.

– Quelle idée ! plaisanta Gaius. Et que feront mes petites filles sans leur grand-père ?

– Allons donc, crois-tu sérieusement que je leur sois utile ? répondit-il, heureux cependant de ce que venait de lui dire son fils. Si encore tu avais eu toi-même un fils, ajouta-t-il, changeant de ton, ce serait différent.

– Eh bien, justement, il se peut… que j'en aie un, un jour, glissa Gaius évasivement.

Mais cela était une autre histoire qu'il n'était pas encore opportun de révéler.

★
★ ★

Elane rêvait qu'elle marchait auprès d'un lac dans une demi-obscurité qui pouvait être l'aube ou le crépuscule. Un léger brouillard obscurcissait la rive opposée et donnait à la surface de l'eau une brillance argentée. Des vaguelettes léchaient le rivage et des chants semblaient monter des profondeurs de l'onde. Soudain, émergèrent de la brume neuf cygnes blancs, aussi beaux que les vierges du Sanctuaire de la Forêt quand elles saluaient la lune.

Jamais Elane n'avait contemplé plus harmonieux spectacle. Elle s'approcha du bord de l'eau, les mains tendues, et les cygnes formèrent face à elle un grand arc de cercle.

— Je voudrais tant vous rejoindre et nager avec vous ! soupira-t-elle, fascinée.

— Tu ne le peux, lui répondirent les cygnes, non, tu ne le peux. Ta robe et tes ornements t'entraîneraient dans les profondeurs.

Et ils s'éloignèrent majestueusement, laissant Elane douloureusement meurtrie.

Alors, spontanément, elle se débarrassa de sa lourde robe, de ses voiles, de sa cape, jeta à terre le torque d'or et ses bracelets et s'avança sans hésiter dans l'eau.

Comme elle voyait la forme d'un grand cygne réfléchir son image sur sa surface miroitante, elle se réveilla brusquement dans le décor familier de sa cellule. L'aube naissait à peine et elle se redressa en se frottant les yeux. Ce n'était pas la première fois qu'elle rêvait du lac aux cygnes, mais ce matin-là il lui sembla que dans son rêve, il lui avait été encore plus difficile de regagner la rive.

Quelqu'un frappa à la porte donnant sur le jardin et elle perçut les protestations de la jeune prêtresse qui gardait l'entrée.

— Qui êtes-vous donc pour insister de la sorte ? Notre Haute Prêtresse n'est pas visible à cette heure, et encore moins pour recevoir, sans son consentement, un étranger.

— Pardonnez-moi, répondit un homme, mais elle est ma sœur adoptive. Je vous en prie, demandez-lui de me recevoir.

Elane jeta un châle sur ses épaules et se précipita vers la porte.

— Kerig ! s'écria-t-elle, que se passe-t-il ? Je te croyais loin dans le nord ! Elle s'arrêta net, voyant qu'il portait dans ses bras un bambin aux cheveux bruns de deux ou trois ans et qu'une fillette d'environ cinq ans se tenait apeurée derrière lui. Qui sont ces deux enfants ? Sont-ils à toi ?

Il fit non de la tête.

— Je te supplie de leur donner asile au nom de la Déesse.

— Mais pourquoi ?

— Parce que leur vie en dépend. Leur mère est Brigitta,

332

reine des Demetae. Elle a tenté de préserver le royaume de son mari lorsqu'il est mort, mais les Romains l'ont emprisonnée. Nous craignons que ses filles ne soient prises comme otages, ou pire, qu'elles tombent entre les mains de l'ennemi. Consens-tu à les accueillir ?

Voyant les deux enfants si vulnérables, Elane ne put s'empêcher de penser à Gavain. Son cœur de mère n'y résista pas et elle sentit monter en elle un irrésistible mouvement de pitié, tout en sachant d'avance qu'elle rencontrerait sûrement l'hostilité d'Ardanos.

— Tu sais bien qu'elles sont trop jeunes pour devenir novices, protesta-t-elle pour la forme.

— Tout ce que je te demande, commença Kerig, c'est de les cacher et de les protéger car...

Mais il n'eut pas le temps d'achever sa phrase, des voix se faisant entendre à l'extérieur.

— Dame, vous ne pouvez voir la Prêtresse maintenant ! Elle accorde une audience.

Mais Dieda déjà entrait dans la pièce. Apercevant Kerig, qu'elle n'avait pas revu depuis son retour d'Erin, elle poussa un cri.

Kerig avait pâli.

— Elles ne sont pas à moi ! plaida-t-il avec véhémence. La reine Brigitta, leur mère, implore qu'on leur donne asile.

— C'est bon ! répliqua sans hésiter Dieda. Cachons-les dans la Maison des Vierges.

Elle avait pris la main de la petite fille mais ne quittait pas du regard Kerig.

— N'agissons pas trop à la hâte, intervint Elane fermement. Il faut tout d'abord réfléchir. Le Sanctuaire de la Forêt ne peut inconsidérément être mêlé à des affaires politiques.

— Sans le consentement des Romains, veux-tu dire ? demanda Dieda méprisante.

— Il est facile de persifler, répliqua Elane. Tu dois pourtant savoir que nous sommes ici parce que les Romains nous y tolèrent. Il faut consulter le Haut Druide avant de nous engager sur une voie qui risque d'être compromettante.

– Consulter Ardanos ? Et pourquoi pas le Légat luimême ? Ou mieux le Gouverneur de l'Ile de Bretagne ? Nous n'avons que faire de leur permission ! lança à son tour Kerig.

– Kerig, j'ai déjà pris de gros risques pour toi et pour ta cause, lui rappela Elane en gardant son calme. Ne pas consulter Ardanos en la circonstance serait dangereux et irresponsable. Qu'on aille le quérir, en le priant de venir aussitôt.

– Elane, sais-tu à quel destin tu livrerais ces petites en les abandonnant ? reprit Kerig sourdement.

– J'en suis aussi consciente que toi, rétorqua Elane sèchement. C'est pourquoi je désire avant tout gagner Ardanos à notre cause.

Comme il s'apprêtait à répondre, le Haut Druide fit son entrée, stupéfait de la présence de Kerig.

– Eh bien, de quoi s'agit-il ? Quelle affaire urgente vous presse ?

Elane désigna les enfants et expliqua brièvement la requête de son frère adoptif.

– Nous ne pouvons rien faire pour Brigitta, déclara le druide, après s'être tu un instant. A deux reprises, elle a été avertie de ce qui l'attendait si elle réclamait le droit de gouverner son pays. Elle n'a rien voulu entendre et ce qui devait se produire est arrivé. Mais elle ne sera pas maltraitée. Les Romains ne se risqueront pas à commettre deux fois la même faute. Reste le sort des fillettes qui peut, évidemment, être une source d'ennuis.

– Peut-être, mais pas dans l'immédiat, riposta Elane d'un ton décidé. Nous n'avons d'ailleurs pas le choix. Je me refuse à tenir des enfants pour responsables des fautes de leurs parents. Senara et Lia peuvent très bien s'occuper d'elles. Si nous leur donnons d'autres noms et si nous les traitons comme n'importe quel enfant, elles seront ici en sécurité et personne n'y trouvera à redire. Après tout, n'ai-je pas la réputation de donner asile aux enfants sans mère ? conclut-elle non sans quelque amertume.

— En effet, acquiesça Ardanos, visiblement à bout d'arguments. Toujours est-il que Kerig ferait bien de s'éloigner sans tarder. Là où il se trouve, les troubles naissent, comme par hasard. Kerig, ajouta-t-il, foudroyant du regard le jeune homme, s'il est possible que les Romains ne recherchent pas les enfants, ils ne renonceront en tout cas jamais à ta capture. Ne fais donc pas courir des risques inutiles à tout le monde.

— S'ils m'arrêtent, il leur en cuira, explosa Kerig farouchement.

— Pour l'instant, ne pensons qu'à la sécurité des enfants, trancha Elane, prenant pour un accord tacite les dernières paroles du Haut Druide. Qu'on appelle Senara et qu'on lui confie les petites.

Puis, Ardanos s'étant retiré sans ajouter un mot, elle laissa Kerig et Dieda se dire brièvement adieu.

Passant dans la soirée devant la cabane aux herbes, Elane entendit une femme pleurer. Elle entra et découvrit Dieda prostrée.

— Dieda, que se passe-t-il ? lui demanda-t-elle, se doutant bien des raisons qui la désespéraient.

La jeune prêtresse se tamponna les yeux avec le bord de son voile.

— Il m'a demandé de partir avec lui, balbutia-t-elle d'une voix éteinte.

— Et tu as refusé ?

— Vivre l'existence d'un hors-la-loi, se cacher dans la forêt, trembler au moindre bruit, se demander chaque matin si le soir vous serez morte ou enchaînée, est impossible. Je n'en ai pas le courage, Elane ! Ici, au moins, ma musique m'apaise et me console, me fait espérer qu'un jour peut-être...

— Lui as-tu dit tout cela ?

Dieda fit signe que oui.

335

LA COLLINE DU DERNIER ADIEU

– Il m'a répondu que je ne l'aimais pas vraiment, que je trahissais notre cause. Il m'a dit aussi qu'il avait, plus que jamais, besoin de moi. C'est ta faute ! poursuivit-elle, s'emportant brusquement. Sans toi, je l'aurais épousé depuis longtemps et peut-être ne serait-il jamais devenu ce qu'il est maintenant.

Elane s'abstint d'envenimer les choses et garda le silence. A quoi bon lui rappeler qu'elle avait prononcé ses vœux de son plein gré, que lorsqu'elle avait regagné le Sanctuaire de la Forêt après la naissance de Gavain, elle aurait très bien pu se marier au lieu de se réfugier en Erin ? La logique décidément ne guidait guère sa conduite, mais rendre responsables les autres de ses malheurs atténuait peut-être ses remords.

– Et maintenant, se désespéra-t-elle, éclatant de nouveau en sanglots, il ne me reste plus de lui que le regard plein d'amertume et de reproches qu'il a posé sur moi en me quittant ! Il se passera des mois, peut-être des années, avant que je sache où il est, avant de savoir ce qui lui est arrivé !

– Dieda, dit doucement Elane, ne pouvant rester insensible à sa peine, je ne crois pas que tu te préoccupes beaucoup de ce que je pense. Sache pourtant que, quels que soient mes choix, je les assume pleinement. Moi aussi, j'ai naguère pleuré dans la nuit, me demandant si j'avais fait ce qu'il fallait faire. Peut-on d'ailleurs jamais en être sûr ? Aujourd'hui cependant, sois certaine qu'il te faut accomplir ce que l'on te demande en espérant qu'un jour la Déesse te prouvera sa reconnaissance.

Toute la communauté à Vernemeton ayant adopté les petites filles de Brigitta, les choses paraissaient rentrer dans l'ordre, lorsqu'un matin la suivante d'Elane lui annonça qu'un Romain sollicitait une audience.

D'abord, elle pensa à Gaius, mais aussitôt se dit qu'il n'oserait jamais venir la voir en plein jour.

– Demande-lui son nom et ce qu'il veut.

– Dame, il s'agit de Macellius Severus, l'ancien Préfet de Deva. Il vous supplie de le recevoir.

336

– C'est bon. Fais-le entrer.

Liana, elle s'en souvenait, l'avait reçu une fois ou deux. Mais que pouvait-il bien lui vouloir, maintenant qu'il n'était plus en activité ? Mieux valait en avoir le cœur net. Elle arrangea donc rapidement les plis de sa robe et abaissa son voile sur son visage pour observer à loisir l'homme qui entrait déjà et la saluait respectueusement.

« Voici donc devant moi, se dit-elle avec émotion, le père de Gaius et le grand-père de Gavain. Oui, ces traits burinés, ce nez, ce front aux lignes pures et énergiques sont bien ceux de son fils et de notre enfant. Comme il se tient droit aussi, remarqua-t-elle encore. C'est, à s'y méprendre, le même port orgueilleux et fier de celui qui me manque tant. »

– Dame... commença en s'éclaircissant la voix le Romain, utilisant à dessein le terme latin de *domina*, bien qu'il parlât parfaitement la langue brittonne, je vous remercie d'avoir bien voulu me recevoir.

– Que puis-je pour vous ? demanda-t-elle froidement, parvenant à masquer son trouble derrière son voile.

– Il s'agit des filles de la reine des Demetae. Je comprends parfaitement que vous ayez décidé de leur donner asile mais...

– Quand bien même cela serait, l'interrompit aussitôt Elane, dites-moi, je vous prie, en quoi cela vous concernerait-il ?

– Si cela était, reprit Macellius, prudemment, j'aimerais seulement savoir pourquoi.

– Eh bien, tout simplement parce que... et les mots de Kerig s'imposèrent à elle naturellement, parce que leur vie en dépendait. Existe-t-il de meilleure raison ?

– Non, à première vue évidemment. Pourtant, je vous le rappelle, leur mère s'est révoltée et a menacé de soulever tout l'Ouest contre Rome. Or l'Empereur a été magnanime. Elle vit désormais à Londinium en résidence surveillée. Sa vie n'est en rien menacée, pas davantage que celle de ses filles.

– Si c'est la vérité, répliqua la Haute Prêtresse, je suis heureuse de l'apprendre. Que voulez-vous donc de moi ? J'aspire autant que vous à la paix entre l'Ile de Bretagne et Rome.

– Dame, je n'en doute pas. C'est pourquoi les fillettes ne doivent, en aucun cas, servir de prétexte à un nouveau soulèvement.

– Rassurez-vous tout à fait sur ce point. Si elles vivent effectivement parmi nous, au moins pouvez-vous être sûr qu'il ne sera fait aucune utilisation politique de leur présence.

– Pas même lorsqu'elles deviendront plus grandes ? insista Macellius. Qui peut dire si un jour un homme ne cherchera pas à régner sur les Demetae en épousant l'une d'elles ?

– L'on ne peut, il est vrai, avoir des certitudes dans ce domaine. Mais comment éviter ce genre d'éventuelle surprise ?

– En les confiant à des familles romaines qui leur trouveront plus tard de bons maris prêts à collaborer avec Rome.

– Ne risquent-elles rien d'autre ?

– Rien, je vous l'affirme, répondit vivement Macellius. Personne ne peut prétendre, vous me le concéderez, que nous faisons la guerre aux enfants et aux nouveau-nés ! Je vous en prie ! N'associez pas dans vos pensées les condamnables atrocités commises jadis sur l'Ile Sacrée. Nous n'en sommes pas responsables et les réprouvons, vous le savez.

« Voit-il en moi ? se demanda avec étonnement Elane, à l'évocation des massacres qui hantaient encore la mémoire de son peuple. Déesse, inspirez-moi la réponse que je dois donner ! »

S'étant recueillie un instant, elle finit donc par dire :

– Je ne demande qu'à vous croire, mais mon peuple me jugerait mal si je mettais trop d'empressement à le faire. Les filles de Brigitta sont beaucoup trop jeunes pour qu'on songe à les marier. Elles viennent de subir une douloureuse épreuve. Montrez-vous généreux et compréhensif. Laissez-les où elles sont pendant quelque temps. D'ici là, nous aurons la confirmation des bons traitements réservés à leur mère. Les passions alors se seront éteintes et les réactions seront moins violentes lorsqu'on apprendra qu'elles ont été remises entre vos mains.

— Vous acceptez donc le principe de nous les rendre ?

— Oui, si ce que vous dites est vrai, je le jure par les dieux de ma tribu. Et comme elle posait la main sur le torque qu'elle portait au cou, elle ajouta : Je m'engage à les faire conduire dans votre maison de Deva aux Fêtes des Vierges l'an prochain.

— Je vous crois, dit alors Macellius, et je souhaite surtout que le Légat partage ma conviction.

— Que Vernemeton soit le gage de ma sincérité. D'un geste large, elle désigna tout ce qui l'entourait : Si je manque à ma parole, le Légat n'aura que la main à tendre.

— Dame, je vous remercie et prends acte de votre bonne volonté.

— Je prends de même acte de la vôtre.

Macellius s'inclina et sortit. Quant à Elane, elle demeura très longtemps immobile, se demandant, anxieuse, si elle venait de trahir son peuple ou bien de le sauver. N'était-ce pas au fond pour cette mission qu'elle avait été choisie ? N'était-ce pas aussi pour cette raison qu'elle était née ?

Tard dans la soirée, le lendemain, Kellen fut de retour du Pays de l'Été. Elle était exténuée mais ravie. S'étant reposée un peu, elle vint dîner avec Elane.

Senara, avec grâce, servait le repas.

— Comme tu as grandi ! s'exclama la prêtresse à son adresse. J'ai pourtant l'impression que tu es arrivée hier. En fait, tu as maintenant l'âge qu'avait Elane quand je l'ai rencontrée la première fois. Tu es presque aussi belle ! Raconte-nous ce que tu as fait aujourd'hui.

La jeune fille parut embarrassée et une curieuse expression passa sur son visage.

— Je me suis promenée du côté de la petite hutte dans la forêt. Saviez-vous qu'un ermite y habitait ?

— Bien sûr, la rassura Elane, nous le lui avons permis.

C'est un vieillard étrange, originaire du Sud, paraît-il. Un chrétien, je crois ?

— Oui, et il a été très gentil avec moi.

Kellen fronça les sourcils et Elane, aussitôt, sut ce qu'elle allait dire : qu'il n'était pas convenable, pour une prêtresse du Sanctuaire de la Forêt, de se trouver seule en présence d'un homme, même s'il s'agissait d'un vieux sage. Ce furent, en effet, exactement ses paroles.

— Ma mère était chrétienne, vous le savez, dit la jeune fille. M'autorisez-vous à rendre visite au prêtre et à lui apporter un peu de nourriture ? J'aimerais en apprendre davantage sur les croyances de ma mère.

— Je n'y vois pas d'inconvénient, répondit sans hésiter Elane. L'idée que tous les dieux ne font qu'un ne fait-elle pas partie de nos plus anciennes convictions ? Va donc, ma chère enfant, et reviens-nous savante quant à la religion chrétienne.

En silence, elles poursuivirent un instant leur repas.

— J'ai l'intuition que quelque chose d'important s'est produit en ton absence, lança enfin Elane, scrutant Kellen qui regardait le feu.

— Sans doute... Mais je ne suis pas certaine de sa signification. Le Tor est si impressionnant, et le lac... Elle secoua la tête. Tu peux être sûre, en tout cas, que dès que je le comprendrai, je te raconterai ce que j'ai vu. Mais, je me suis laissé dire que quelque chose s'était aussi passé ici. Dieda m'a parlé d'un visiteur.

— De plusieurs visiteurs plutôt ; je suppose que tu fais allusion à Kerig ?

— Non, à Macellius Severus. Qu'en as-tu pensé ?

— Il m'a paru à la fois bienveillant et paternel.

— Tout s'explique ! Voilà comment les Romains se sont emparés de la moitié du monde ! Si toi, Haute Prêtresse, tu juges ainsi Macellius, que doivent penser les autres ? Ah, tu donnes bien peu de chances de réussite à la révolte !

— Pourquoi nous révolter ? Tu parles comme Kerig.

— Je pourrais faire pis, siffla Kellen en s'emportant.

– Kellen, comment peux-tu adopter ce langage ! Même si nous devions connaître la paix romaine, quel mal en résulterait-il pour notre peuple ? La paix, d'où qu'elle vienne, vaut mille fois mieux que la guerre et les larmes.

– Même une paix sans honneur, qui nous priverait de toute raison d'être ?

– Les Romains peuvent avoir le sens de l'honneur, reprit Elane fermement.

Mais Kellen l'interrompit avec indignation.

– Tu devrais être la dernière à parler de la sorte ! Je voudrais…

– Non, je t'en prie, reprit Elane avec force. Je ne renie en rien ce que je viens de dire. Kerig a tort. Ce qui rend la vie digne d'être vécue, ce n'est nullement la gloire que chantent les guerriers, mais la paix dans les champs et dans les villages, des troupeaux paissant tranquillement dans les prairies, des récoltes fructueuses, des enfants heureux jouant autour du foyer. Je sais que la Déesse peut être aussi terrible qu'une louve quand ses petits sont menacés ; mais je sais aussi qu'Elle préfère nous voir bâtir et ensemencer plutôt que nous entre-tuer. N'est-ce pas pour cette unique raison qu'ici même, dans le Sanctuaire de la Forêt, nous essayons depuis toujours de retrouver les remèdes oubliés qui apportaient la vie et non la mort ?

Elle leva les yeux et rencontra le regard de Kellen étrangement adouci, semblant quêter en elle une lueur d'espoir.

– Voilà, chère Kellen, les raisons qui me font haïr la cruauté des hommes et craindre parfois leurs actes. Comme toi, il m'est souvent bien difficile de croire à la vie et au bonheur. Pourtant, en regardant couler la Source Sacrée, j'ai vu des centaines de ruisseaux s'enfoncer dans la terre, emportant avec eux leur pouvoir bénéfique pour aller le répandre aux quatre coins du pays, et à ce moment-là, j'ai su que je croyais à la toute-puissance de la Mère Éternelle.

Elane prit doucement alors la main de son amie. Et comme Kellen lui chuchotait, apaisée et confiante :

341

– Je vénère aussi cette source, elle entendit, faisant écho à sa voix, le chant des cygnes qui s'élevait vers elles.

★
★ ★

A peu de temps de là, Gaius rendit visite à son père et vint à lui parler de Brigitta, reine des Demetae.

– Avez-vous retrouvé ses filles ? demanda-t-il.

– D'une certaine façon, oui. Je sais du moins où elles sont et tu ne le devineras jamais.

– Je croyais qu'on devait les confier à une famille romaine ?

– En effet, mais ce temps-là n'est pas encore venu. Pour l'instant, je pense que la Grande Prêtresse de l'Oracle est la meilleure gardienne dont nous puissions rêver.

Et comme son fils semblait abasourdi par la nouvelle, il poursuivit :

– C'est une jeune femme remarquable. J'étais persuadé jusqu'ici qu'elle sympathisait avec ces têtes brûlées que sont Kerig et ses compagnons ; eh bien, il n'en est rien. Elle s'est montrée étonnamment raisonnable. Comme tu dois t'en douter, j'avais mes informateurs à son sujet depuis des années, mais c'était la première fois que je me trouvais en sa présence.

– Ah, oui ? Comment est-elle ? demanda Gaius, simulant l'indifférence.

– Très belle et fière, m'a-t-il semblé, car elle était voilée. Nous avons en tout cas trouvé un terrain d'entente : elle gardera les petites filles jusqu'à ce que l es tensions s'apaisent, et nous les rendra ensuite pour que nous les placions dans des familles d'adoption. Plus tard, elles épouseront des Romains. Je pense que Brigitta elle-même n'y pourra trouver à redire, si elle l'apprend. Et je tiens à lui faire part de la nouvelle sans tarder car, dans son entourage, c'est certain, des agitateurs avaient l'intention d'allumer le flambeau d'une nouvelle rébellion en prenant le prétexte de prétendue séquestration.

Macellius alors, changeant de sujet, regarda son fils intensément.

– Je me demande parfois si j'ai fait les choix qui convenaient, mon fils. Domitien, tu le sais, a perdu du terrain sur la frontière et je croyais que Vespasien vivrait plus longtemps ; c'était un bon empereur et il se serait chargé de ta carrière. Maintenant, tu végètes sur tes terres comme un chef de tribu. J'en viens même à me reprocher ton mariage avec Julia. Ah, Gaius, tu ne m'en veux pas trop, j'espère ?

– T'en vouloir, Père ? demanda Gaius, surpris. Mais tu n'as rien à regretter. J'ai la vie que j'ai choisi de mener ; quant à ma carrière, j'ai tout le temps devant moi !

Hésitant un instant, il se demanda s'il fallait profiter de ce moment d'intimité confiante pour lui apprendre qu'il était justement grand-père d'un garçon né d'Elane. Mais un instinct secret l'incita à se taire.

XXVI

KELLEN, frissonnante, s'éveilla dans la lumière grise de l'aube. « Non, essaya-t-elle de se rassurer, ce n'est qu'un rêve. » Pourtant, les images qui demeuraient en elle étaient plus réelles que les rideaux de sa cellule et la respiration des femmes qui dormaient à ses côtés. Elle s'assit sur son lit, se leva, prit un châle et s'en enveloppa.

Mais la laine épaisse ne suffit pas à la réchauffer. La gorge serrée, étreinte par une irrépressible émotion, elle se sentait gagnée par l'affreux sentiment d'une perte très proche et inéluctable. Les yeux fermés, elle voyait encore la vaste nappe d'eau argentée d'où s'élevaient volutes et tourbillons de brume. Elane se tenait sur l'autre rive, et l'espace qui les séparait s'élargissait sans cesse, comme si un irrésistible courant l'emportait très loin d'elle.

« Ce sont mes propres peurs qui se matérialisent, voulut-elle encore se persuader. Mon rêve disparaîtra avec l'aube. Un songe n'est pas toujours prémonitoire. » Mais dans le même instant elle sut qu'il était inutile de vouloir se leurrer.

Au souvenir du voile de nuages qui s'était glissé entre elles, coupant Elane du monde, Kellen fut bien forcée de

345

reconnaître qu'il s'agissait là d'un signe de mort. Vouloir fermer les yeux et ne rien voir n'y changerait rien.

Cette année-là, les fêtes de Beltane précédèrent un été généreux. Les fleurs s'épanouissaient partout plus belles que jamais ; et Elane en profita, un matin, pour aller cueillir des plantes en compagnie de Meline, de Lia et des enfants. Sous les arbres, primevères et jacinthes éclaboussaient les bois de leurs couleurs vives, tandis que boutons-d'or et aubépines émaillaient de jaune et de blanc les halliers et les champs.

Très fier, le fils d'Elane montrait ses connaissances de la forêt aux deux filles de Brigitta qui ouvraient de grands yeux, sous le regard attendri de sa mère qui se souvenait, non sans une profonde nostalgie, de ses promenades de jadis en compagnie de Kerig et de Dieda. Le rire des enfants et le plaisir de Gavain ravivaient en elle le poids de plus en plus douloureux de sa solitude. Fallait-il qu'en plus, un jour prochain, elle dût se séparer de son fils, seul lien vivant qui la rattachait encore, malgré elle, à Gaius.

Toute remuée par la vision d'un avenir qu'elle s'efforçait pourtant d'oublier chaque jour, Elane soudain, rassemblant tout son petit monde, décida de rentrer.

— Kellen t'attend dans le jardin, lui apprit une prêtresse, dès qu'elle fut de retour. Elle y est restée toute la matinée à guetter ta venue. Elle a même refusé de prendre une collation, tant elle semble impatiente de te parler.

Vaguement inquiète, Elane passa sans attendre dans le jardin. Kellen était assise sur un banc près du romarin, immobile comme si elle méditait. En entendant le pas d'Elane, elle ouvrit les yeux.

— Kellen, que se passe-t-il ?

— Depuis combien de temps nous connaissons-nous ? demanda la prêtresse sans répondre à la question, une flamme sombre voilant ses yeux d'un calme inquiétant.

Elane chercha à s'en souvenir. Elles s'étaient rencontrées au moment de la naissance du second enfant de Miara, mais il lui semblait souvent qu'elles avaient été sœurs dans d'autres vies.

— Seize ans, je pense, dit-elle enfin, sans en être sûre.

Etait-ce l'hiver ? Non, car dans ce cas les Hiberniens n'auraient pu traverser la mer. D'ailleurs, il ne neigeait pas, il pleuvait. Ce devait donc être le printemps avant qu'elle entre comme novice à Vernemeton l'été suivant.

— Depuis si longtemps ? Oui, tu as raison. L'enfant de Miara est presque en âge de se marier et Gavain a onze ans.

Elane hocha la tête. Elle revoyait Kellen dans la hutte tenant la main de sa sœur et lui épongeant le front pendant qu'elle accouchait. Mais ces souvenirs, qu'elle aurait voulu garder éternellement vivants, s'estompaient déjà comme un rêve imprécis.

— Et maintenant, poursuivit Kellen, pensive, nous avons les deux filles de Brigitta. Il est vrai que nous ne les garderons pas longtemps ; dans un an, les Romains nous les réclameront.

— En effet, je n'ai pas pu supporter l'idée que Brigitta perde ses enfants, admit Elane en soupirant.

— Cette pitié t'honore, mais Brigitta la méritait-elle ? A-t-elle pensé à ses enfants en poussant Kerig à la rébellion ?

— Kellen, pourquoi toutes ces questions ? Je ne peux croire que tu m'aies attendue toute la matinée uniquement pour me les poser ?

— Tu as raison. J'ai autre chose à te dire, mais ne sais pas vraiment comment m'exprimer. Elane, j'ai eu un avertissement, celui que très souvent une prêtresse perçoit avant sa mort.

En dépit des rayons du soleil qui dispensaient leur chaleur dans le petit jardin clos du sanctuaire, Elane sentit un froid glacial lui envahir le cœur.

— Que veux-tu dire par « avertissement » ? Une douleur ? Un pressentiment ? Un signe inhabituel ?

— Non, Elane, un rêve où j'ai entr'aperçu, je crois, ma mort prochaine.

Vivement impressionnée, Elane ne put que dire :

– Ta mort ? Mais comment ?

– En vérité, c'est difficile à dire, reprit Kellen d'une voix calme. J'ai intuitivement compris, sans m'expliquer comment je percevais la chose.

Elane, qui depuis sa dernière entrevue avec Kerig avait pris réellement conscience d'être le pion majeur sur l'échiquier opposant son peuple aux Romains, vit dans le lac sombre des yeux de son aînée affleurer l'angoisse, tel un courant furtif à la surface de l'eau. Alors elle sut que Kellen avait peur.

– N'aie aucune crainte, murmura-t-elle, prenant une profonde inspiration, se sentant soutenue par l'invisible présence de la Déesse. Je suis la Haute Prêtresse de Vernemeton ! Parle ! Révèle-moi exactement ton songe sans rien cacher.

S'abandonnant soudain à l'autorité douce et ferme de son amie, Kellen raconta son rêve sans aucune réticence.

S'imprégnant des images qu'elle voyait défiler en elle-même, comme s'il s'agissait de son propre songe, Elane l'écouta les yeux clos, puis, quand elle eut terminé, lui fit part de sa propre vision des cygnes.

– Nous allons être séparées, dit-elle, rouvrant les yeux. Je ne sais comment, mais d'une façon ou d'une autre. La seule idée de te perdre équivaut pour moi à la mort. Le Pays de l'Été est l'endroit que nous avons vu dans nos rêves, ajouta-t-elle encore, se remémorant le grand lac d'argent sous les nuages. Il faut que tu t'y rendes, Kellen ; prends avec toi douze prêtresses. Pars ! C'est la seule façon d'accomplir, je crois, la volonté de la Déesse. Tout est d'ailleurs préférable à l'inaction quand la mort plane.

– Comment Ardanos va-t-il réagir ? objecta Kellen, animée de nouveau de son énergie habituelle. N'oublie pas que le Haut Druide veut nous tenir toutes sous sa dépendance !

– J'en fais mon affaire, dit Elane souriante. N'oublie pas à ton tour que je suis et demeure la Grande Prêtresse de l'Oracle.

LA COLLINE DU DERNIER ADIEU

Le jour de la Mi-Été, qui avait la réputation de rendre plus belles les femmes et de leur accorder le don de magie, les vierges du Sanctuaire de la Forêt allèrent à l'aube recueillir la rosée des fleurs. Ne disait-on pas que toute vierge ayant ce matin-là sacrifié à ce rite, pouvait apercevoir dans l'eau claire d'un ruisseau le visage de son amoureux à venir ?

Elane, dans sa cellule, entendant le rire des filles qui revenaient de la forêt, n'alla pas cependant au-devant d'elles. Plus le temps passait et plus elle éprouvait le besoin de se recueillir, de se retirer du monde avant les grandes fêtes rituelles.

La porte s'ouvrit, laissant passer Kellen, couronnée de coquelicots pour célébrer la journée. Elle avait le teint rose et semblait avoir recouvré sa sérénité.

– Tu es seule ?

– Oui. J'ai laissé les filles aller sans moi cueillir les fleurs du jour et ai confié Gavain à Lia pour qu'elle l'emmène chez sa tante Miara.

– Parlons donc ensemble de l'Oracle, suggéra Kellen en s'asseyant sur un trépied.

– Je ne pense qu'à cela depuis mon réveil ! Ah, Kellen, comme je regrette que tu ne sois pas à ma place ! Tu aurais, beaucoup mieux que moi, tenu mon rôle !

– Que les dieux m'en préservent ! J'aurais d'ailleurs été incapable de me soumettre à la volonté d'Ardanos.

– Kellen, ne revenons pas sur ce point, veux-tu ? Tu sais parfaitement pourquoi je ne me suis pas opposée à la volonté des prêtres.

– Je ne veux en rien critiquer ta conduite. Nous sommes toutes entre les mains de la Déesse et nous accomplissons chacune Sa volonté du mieux que nous pouvons.

– J'essaie en effet de faire de mon mieux. Mais cela ne me préserve pas pour autant de la peur. Je vais t'avouer ce que personne ne sait. Le breuvage sacré qui est censé me mettre en transe n'est pas celui qu'absorbait Liana. Je l'ai modifié de façon à garder une certaine lucidité et sais parfaitement ce qu'Ardanos entend me faire dire.

LA COLLINE DU DERNIER ADIEU

– Il semble pourtant en plein accord avec toi quand tu parles. Aimes-tu toujours à ce point Gaius pour vouloir délibérément pactiser avec Rome ?

Comme si elle sentait, en entendant son nom, la pointe d'un poignard s'enfoncer dans son cœur, Elane s'exclama, indignée :

– Kellen, tu sais bien qu'avant tout c'est la paix que je sers ! Ardanos n'a peut-être jamais envisagé un seul instant que je puisse lui désobéir, et pense sans doute que je suis un instrument parfait. Mais, en réalité, les paroles de paix qui sortent de ma bouche ne sont pas miennes. En me donnant à la Déesse, je n'ai jamais menti. Crois-tu donc que les rites sacrés que nous pratiquons depuis si longtemps puissent relever d'un abominable mensonge ?

Faisant catégoriquement non de la tête, Kellen, elle aussi, repoussa cette idée impie, tout en posant à son amie une ultime question :

– Elane, te souviens-tu des fêtes de la Mi-Été, celles où Kerig est venu ?

– Comment pourrais-je les oublier ? Cette année-là, j'ai été terrifiée ! J'ai montré un visage de la Déesse que j'espère ne plus jamais revoir. La guerre doit être bannie pour toujours. Mais aujourd'hui je sens, je sais que l'heure de l'épreuve est venue, dit-elle en se penchant. Si tout ce que nous avons bâti ici n'est pas un leurre, je joue maintenant notre vie, la tienne et la mienne. Ce soir, je composerai le breuvage selon la vieille recette. Quand la Déesse s'emparera de moi, tu l'interrogeras sur ton rêve. Sa réponse sera entendue de tous. Ardanos, toi et moi, devrons alors nous y soumettre, quelle qu'elle soit.

Quand l'un des jeunes druides de la suite d'Ardanos alla chercher Elane, le soleil, à l'ouest, empourprait l'horizon.

– Dame, nous sommes prêts, dit-il respectueusement.

Elane, absorbée dans la méditation qui précédait sa transe, se leva. Elle avait revêtu la lourde cape rituelle fermée par une chaîne en or massif.

350

LA COLLINE DU DERNIER ADIEU

La nuit était très fraîche et, malgré l'épaisseur de l'étoffe, elle frissonna en montant dans sa litière. Deux prêtres en robe blanche sortirent de l'ombre pour la suivre et le cortège s'ébranla lentement.

Se sentant cette fois prisonnière des dieux, vaguement consciente de longer l'avenue qui menait à la colline, Elane entrevit devant elle un grand feu, un feu parmi tant d'autres qui allaient embraser la nuit. Ses flammes jouaient avec le murmure des feuilles d'un vieux chêne qui semblait faire écho à la rumeur grandissante de la foule, cette même rumeur qui avait accueilli Liana avant elle. Parvenue sur les lieux où elle devait prononcer l'Oracle, elle vit distinctement deux jeunes garçons, vêtus eux aussi d'une robe blanche et choisis parmi les novices des bardes pour leur innocence, lui présenter la grande coupe en or. Un rayon de lune transperça le feuillage du chêne et une petite branche de gui, coupée par un prêtre juché en haut du tronc, tomba sur ses genoux. Elane s'en saisit et la plongea dans la coupe.

Sans attendre, elle murmura les paroles de bénédiction et, tâchant d'oublier autant qu'elle le pouvait l'amertume du breuvage, l'avala d'un seul trait. Alors montèrent les voix invocatrices des druides, et un influx nerveux resserra l'étau sur ses tempes, tandis que le liquide lui brûlait l'estomac. Ses forces et ses pensées déclinant, elle put néanmoins se demander encore si elle ne s'était pas trompée dans le dosage des plantes, tout en se souvenant avoir déjà ressenti ce malaise. En fait, chaque cérémonie l'empoisonnait davantage et elle finirait sûrement par mourir comme Liana.

Mais le monde cette fois s'obscurcissait tout à fait et elle eut à peine conscience de se recroqueviller inerte sur son trépied.

Kellen, qui ne la quittait pas des yeux, vit sa frêle silhouette se figer, apparemment sans vie. Elle aussi se sentait dans un état de transe, mais elle percevait, plus fortement que les incantations des prêtres, d'inhabituelles pulsations résonner en elle, pulsations qui s'amplifièrent encore, quand elle découvrit Benedig au premier rang des druides en robe blanche.

Alors elle ferma les yeux et s'adressa avec ferveur à la Déesse :

« Déesse ! implora-t-elle, prends sous ta protection Elane, épargne-la, protège-la contre tous ses ennemis ! »

– Dame du Chaudron ! scanda à son tour la foule. Roue d'Argent ! Grande Reine ! Viens à nous ! Grande Déesse, parle-nous maintenant !

Retenant sa respiration, Kellen sentit soudain trembler le trépied de la Haute Prêtresse, vit ses doigts se crisper sur le bois, son visage se détendre, s'animer, refléter une force rayonnante, éclatante manifestation d'une présence divine. « Grâces te soient rendues, Déesse, murmura la prêtresse avec reconnaissance. Tu es là parmi nous et tu vas nous parler par sa bouche. »

– Regarde bien, ô peuple, clama de son côté Ardanos. La Déesse Éternelle, La Dame de Toute Vie est devant nous ! Que parle l'Oracle ! Que se fasse connaître la volonté des Immortels !

– Déesse ! Délivre-nous de ceux qui veulent nous asservir ! renchérit Benedig, couvrant toutes les voix. Mène-nous à la victoire, montre-nous le chemin !

Faisant écho à ces paroles, une rumeur farouche gronda dans la clairière. Lances et gourdins s'élevèrent vers le ciel, cris de haine et de mort éclatèrent dans l'assistance.

Alors, Elane parla. Elle avait rejeté le voile qui couvrait son visage et regardait la foule, impassible, désincarnée.

– Nous sommes au milieu de l'été, commença-t-elle d'une voix si douce que l'assistance en ébullition dut se taire pour entendre. Bientôt, les forces de lumière vont décliner. Vous, dont l'honneur et l'orgueil sont d'apprendre à percer les secrets de la terre et du ciel, poursuivit-elle désignant le cercle des druides assemblés, ne pouvez donc pas lire d'abord les signes simples de la vie qui nous entoure ? Nos tribus ont prouvé leur vaillance et n'ont pas à rougir de leur passé, mais leurs forces s'amenuisent de jour en jour. Il en sera ainsi de l'Empire romain. Ainsi va le monde. Après la prospérité vient toujours le déclin.

– N'y a-t-il donc plus d'espoir ? l'interrompit Benedig. Le soleil pourtant ne renaît-il pas à l'aube ?

– Sans doute, répondit imperturbable la voix, mais il faut d'abord que passent les jours les plus sombres. Rengainez vos épées, rangez vos boucliers, enfants de Dôn ! Laissez les aigles romaines se déchirer entre elles ! Cultivez vos champs, veillez sur vos familles et prenez patience. Le Temps se chargera de vous venger ! J'ai lu les parchemins célestes et puis vous affirmer que le nom de Rome n'y est inscrit nulle part.

Subjuguée, la foule soupira, partagée entre le soulagement et la déception. Ardanos, lui, se pencha vers son voisin et lui parla à voix basse. Pour Kellen, c'était le moment ou jamais d'intervenir afin de connaître le fond de la pensée divine.

– Déesse, est-ce bien là l'antique sagesse ? Comment subsisteront Vos fidèles dans un monde en telle mutation ?

Pris de court, Ardanos et Benedig l'observèrent intensément. Mais déjà Elane, ou plutôt la Déesse, se tournait vers elle.

– Est-ce toi, fille de l'ancienne race, qui Me poses ces questions ? La voix chaude et vibrante s'interrompit un instant, puis reprit avec encore plus d'indulgente assurance : Oui, c'est bien toi, je te reconnais là. Tu voudrais Me demander plus encore, mais tu ne l'oses. Comment ne vois-tu pas que ce que Je souhaite avant tout est votre liberté ? Ouvrez les yeux ! Vous êtes tous des enfants, tous, insista-t-elle fixant Ardanos qui baissa la tête. Mais je ne veux pas non plus briser vos illusions. Il faut, jour après jour, apprendre à voir et supporter la réalité…

Elle tendit un bras, fit tourner son poignet et joua avec ses doigts.

– La chair est douce et vulnérable, dit-Elle avec un ineffable sourire. Rien d'étonnant à ce que l'homme y soit si attaché. Tous les fruits de la terre lui sont précieux. Il faut pour-

353

tant apprendre à ne pas en devenir esclaves. J'existe depuis le commencement des siècles, Je suis et demeurerai tant que le soleil brillera, tant que coulera l'eau sous les nuages...

– Nos vies sont à leur image. Elles coulent et glissent, et disparaissent, réussit à murmurer encore Kellen, frissonnant de tout son être. Comment transmettrons-nous Votre message aux générations futures ?

Le regard de la Déesse s'attarda sur Kellen puis sur Ardanos, revint enfin se poser sur la prêtresse.

– Tu connais déjà la réponse. Ton âme et la sienne ont fait un serment dans les temps reculés. Le jour est venu de l'honorer. Que l'un de vous s'éloigne ! clama-t-elle. Qu'il parte au Pays de l'Été, là-bas, sur les rives du Lac Sacré pour y fonder une Maison des Vierges ! Elles me serviront, non loin des prêtres du Nazaréen. Ainsi Ma sagesse survivra-t-elle dans les temps à venir !

A peine eut-elle achevé que le corps d'Elane, bandé comme un arc, se détendit. La flèche s'était envolée vers le ciel, le message avait été transmis. Elane s'effondra en arrière, mais Kellen et Meline se précipitèrent pour la retenir. De légers soubresauts agitaient son corps. La transe s'atténuait et allait disparaître.

Ardanos, toujours tête baissée, méditait sur le sens de l'Oracle et cherchait à l'utiliser à ses fins. Il ne pouvait s'y opposer mais avait, par ses attributions, le moyen de l'interpréter. Il releva la tête, et souriant rencontra le regard de Kellen.

– La Déesse a parlé, lui dit-il. Que Sa volonté soit faite ! Cette Maison des Vierges sera fondée par l'une de Ses servantes. Ce sera toi, Kellen, qui gagneras le Tor, accompagnée de novices.

Manifestement il triomphait. Grâce à la Déesse, il avait enfin trouvé le moyen de la séparer d'Elane.

Prenant dans la coupe la brindille de gui, il la secoua sur le corps épuisé de la Haute Prêtresse et les clochettes d'argent se mirent à tinter joyeusement.

LA COLLINE DU DERNIER ADIEU

★
★ ★

– Pour un homme ayant quitté le service, je te trouve bien actif ! lança avec bonne humeur Gaius à l'adresse de son père, penché sur son bureau encombré de parchemins et de tablettes.

Dehors, un vent aigre d'hiver secouait par rafales les branches décharnées des arbres et, dans la maison, des braseros rougeoyants luttaient vaillamment contre les courants d'air.

– J'espère que le jeune Brutus apprécie ta collaboration, reprit-il.

– Il apprécie sans doute mon expérience et, moi, j'apprécie les nouvelles qu'il me donne. De plus, il est apparenté à la moitié des vieilles familles de Rome.

Gaius, commençant à comprendre, reprit du vin chaud aux épices.

– Que pense notre Légat de la politique adoptée par l'Empereur ?

– Franchement, les lettres qu'il reçoit sont terrifiantes. Il termine son mandat à la fin de l'année et se demande comment il pourrait faire pour éviter de rentrer chez lui ! En tant que membres de l'ordre équestre, nous possédons heureusement un avantage énorme, celui de ne pas avoir à résider dans la capitale. Elle a, paraît-il, été extrêmement malsaine pour les sénateurs cette année.

– Cela t'inquiète-t-il particulièrement ?

– Je ne m'inquiète pas pour moi, Gaius, mais pense à ta carrière. Il existe, dit-on, un plan pour mettre fin à la dynastie régnante. Lorsqu'on en aura terminé avec Domitien, les sénateurs éliront un nouvel empereur. Mais pour que le projet soit exécuté, il doit emporter l'adhésion des Provinces. Or, le nouveau Gouverneur est un homme de Domitien ; quant aux légats, ils appartiennent, comme Brutus, à des familles nobles.

– Et ils ont besoin de notre soutien, c'est ça ? Mais ont-ils seulement songé à nous, aux tribus de l'Ile de Bretagne ?

LA COLLINE DU DERNIER ADIEU

Peu leur importe ce qui arrivera ici pendant qu'ils seront occupés à faire le ménage !

– Les tribus, si nous leur faisons quelques concessions, nous appuieront. Les filles de la reine Brigitta ne vont pas tarder à nous être livrées et Valerius se fait fort de leur trouver des parents adoptifs convenables. En fin de compte, Romains et Brittons sont destinés à vivre ensemble. Mais ce n'est pas encore pour maintenant, voilà tout. Peut-être y aura-t-il même place pour un descendant de la lignée royale des Silures !

Lorsqu'il rentra chez lui, la tête de Gaius lui tournait, mais le vin aux épices et les dernières paroles de son père n'étaient pas seuls responsables. Il s'était soumis aux caprices de Julia depuis trop longtemps. Maintenant, il voulait son fils et tenait à le reconnaître officiellement. Sans plus attendre, il alla donc la voir.

La jeune femme l'accueillit avec empressement et lui raconta en détail sa dernière visite au père Petros.

– D'après lui, et d'après les Saintes Écritures et toutes les prophéties, la fin du monde aura lieu à l'aube de la nouvelle génération. La jeune femme regardait Gaius, les yeux brillants. Chaque fois que le jour se lève, nous devons nous dire que ce n'est peut-être pas le soleil, mais le monde qui brûle. Au dernier jour, nous retrouverons tous ceux que nous avons aimés. Le savais-tu ?

Agacé, Gaius haussa les épaules. Comment pouvait-elle croire en de pareilles sornettes, elle qui avait reçu une si solide éducation romaine ? Sans doute les chrétiens tablaient-ils sur les incertitudes actuelles concernant les bouleversements qu'on annonçait à Rome.

– As-tu aussi l'intention de devenir une adepte du Nazaréen, ce prophète des esclaves et des juifs renégats ? demanda-t-il, acerbe.

– Comment, sans un peu de bon sens, faire autrement ? répliqua-t-elle sans se démonter.

– Tout dépend de ce que tu entends par bon sens. Et qu'en pensera Licinius ? se contenta-t-il de demander.

– Il n'appréciera sûrement pas, admit-elle tristement. Mais c'est la seule certitude que j'aie rencontrée depuis la mort des enfants.

Ses yeux s'emplirent de larmes.

Ne voulant en aucun cas ranimer des souvenirs trop douloureux, Gaius abrégea le débat.

– Eh bien, fais comme tu veux. Je ne chercherai pas à t'en empêcher.

– J'espérais te voir rejoindre les rangs du Nazaréen, dit-elle alors, une lueur de désappointement dans le regard. Le bon sens pourtant...

– Ma chère Julia, tu as souvent prétendu que j'en manquais totalement, n'en parlons plus, veux-tu, trancha-t-il d'un ton sec. Quoi d'autre ? questionna-t-il, la voyant rester bras ballants devant lui.

Embarrassée, elle baissa les yeux.

– Le père Petros dit aussi que... comme la fin du monde est proche... il serait préférable que toutes les femmes mariées – et les hommes bien sûr – fassent vœu de chasteté.

Gaius, cette fois, éclata de rire.

– Chère Julia, te rends-tu compte que, selon les lois en vigueur, le fait de se refuser à son mari est un cas de divorce ?

Evidemment mal à l'aise, Julia s'était cependant préparée à cette objection.

« Au royaume des Cieux, récita-t-elle, on ne se marie pas et on ne se donne pas en mariage. »

– Eh bien, voilà qui résout le problème ! clama Gaius manifestement amusé. Mais, vois-tu, je ne me soucie guère de tes cieux, du moins de la partie dont s'occupe le père Petros. Et il ajouta, plus doucement, sachant qu'il allait la blesser : Prête d'ailleurs tous les serments que tu veux, ma chérie. Mais compte tenu du fait que, depuis plus d'un an, tu n'as été au lit pour moi rien de plus qu'un morceau de bois,

357

je ne vois pas vraiment comment tu peux t'imaginer que j'y trouverai une différence.

— Tu ne t'y opposes donc pas ? demanda-t-elle timidement.

— Aucunement, Julia ; mais je crois honnête de ma part de préciser que si tu ne t'estimes plus liée par le mariage, il en est de même pour moi.

— Jamais je ne t'aurais demandé de prononcer un vœu de chasteté, répondit-elle, légèrement dépitée malgré elle. Je doute, d'ailleurs, que tu aies pu le respecter. Crois-tu que j'ignore pourquoi tu as acheté une jeune esclave, l'année dernière ?

Les choses dégénéraient. Gaius en eut assez.

— Je suis seul responsable de ma conduite. Merci de ta compréhension, ma chérie. Tout est dit entre nous. Bonsoir !

La quittant sur ces mots, il pensa à Elane. Maintenant, Julia ne pourrait lui refuser d'adopter Gavain. Restait à lui annoncer la nouvelle.

Le temps, enfin, était-il donc venu ? Allait-il maintenant pouvoir rejoindre la Haute Prêtresse ? Mais le visage de la Furie qu'il avait entrevu aux Fêtes de la Mi-Été s'interposant soudain entre lui et ses souvenirs, il n'emporta dans son sommeil que les traits de la jeune fille qu'il avait rencontrée chez l'ermite dans la forêt.

XXVII

Vers le milieu de février, la tempête fit place à une période de beau temps clair, froid mais ensoleillé. Les arbres qui poussaient à l'abri du vent commencèrent à se couvrir de bourgeons et la sève colora les branches. Le bêlement des agnelets retentissait dans les collines et dans les marais ; les cygnes étaient de retour.

Elane regarda le ciel bleu et sut que le moment était venu de tenir parole. Elle fit appeler Senara qu'elle attendit dans le jardin.

– Quelle belle journée ! s'écria la jeune fille sitôt arrivée, impatiente de savoir pourquoi la Haute Prêtresse l'avait fait demander de si bon matin.

– Oui, une belle journée, mon enfant, pour remplir, hélas, un devoir moins souriant auquel je ne peux me soustraire. Toi seule peux m'aider.

Senara ouvrit de grands yeux interrogateurs.

– Ecoute. Nous avons recueilli il y a un an les filles de Brigitta et j'ai promis de les remettre aux Romains l'année écoulée. Le moment est donc venu. En ce qui concerne leur mère, Rome a tenu parole ; je dois faire de même pour ses enfants. Les choses doivent se passer sans plus attendre et discrètement. Tu es en âge de les emmener et tu parles suffisamment le latin pour trouver facilement la demeure de Macellius Severus à Deva. Acceptes-tu cette mission ?

– Macellius Severus ? interrogea Senara. Je connais ce nom. Le frère de ma mère a travaillé pour lui ; il a une bonne réputation.

– Oui, c'est un homme exigeant mais honnête, approuva Elane. Plus tôt tu lui remettras les enfants et mieux cela sera.

– Elles vont donc être élevées comme des Romaines ?

– Est-ce une si mauvaise chose ? Ta mère n'appartenait-elle pas à ce peuple ?

– Si. Je pense d'ailleurs parfois à sa famille et me demande ce que j'aurais été si elle m'avait élevée. De toute façon, il n'y a rien d'autre à faire pour les petites. C'est entendu, je les emmènerai.

Le lendemain, Senara partit donc de bonne heure avec les deux enfants afin de cheminer tranquillement vers la ville. Elles y parvinrent dans la soirée et, ayant dépassé le Forum, s'assirent pour se reposer auprès d'une fontaine. Comme elles se levaient pour repartir et que Senara s'apprêtait à demander à un passant où se trouvait la villa de Macellius Severus, elle reconnut, venant dans sa direction, le Romain entrevu l'année précédente chez l'ermite de la forêt.

S'en souvenant lui aussi, il s'arrêta devant elle avec un grand sourire en lui lançant gaiement :

– Quel incroyable hasard ! Je crois que nous nous connaissons déjà.

– Oui, nous nous sommes vus chez le père Petros, répondit-elle en rougissant.

Le beau Romain la regardait toujours. Il était plus jeune qu'elle ne s'en souvenait et d'emblée elle aima son sourire.

– Où te rends-tu, jeune fille, avec ces petites ?

– Chez Macellius Severus où l'on m'a demandé de les conduire. Savez-vous où il habite ?

– Oui, je sais, répondit-il malicieusement. Tu ne me croiras peut-être pas, mais je m'y rends justement. Puis-je te servir de guide ?

Et n'attendant pas même sa réponse, juchant sur ses épaules la plus jeune des sœurs, il prit gentiment par la main l'aînée et invita la jeune fille à le suivre.

— Vous la portez comme si vous aviez l'habitude des enfants, se risqua Senara timidement.

— Bien sûr. J'ai moi-même trois filles. Tu vois que j'ai de l'entraînement !

Cherchant un sujet de conversation, la jeune fille demanda alors :

— Faites-vous partie des ouailles du père Petros ?

— Non, pas exactement, mais ma femme, oui.

— Votre femme est donc une sœur pour moi. Nous sommes ainsi presque parents.

Mais voyant son sourire sardonique, elle n'insista pas, se contentant de le remercier.

— Vous êtes vraiment très aimable de nous accompagner.

Il éclata de rire.

— Je n'ai aucun mérite. Macellius est mon père et je t'ai dit que je me rendais chez lui. Voici d'ailleurs sa maison au pied des murs de la forteresse, celle blanchie à la chaux et recouverte de tuiles. Encore quelques pas et nous y sommes.

S'amusant de la surprise qu'il lisait sur le visage de la jeune fille, Gaius frappa énergiquement à la porte. Un esclave ouvrit et précéda le petit groupe dans un vestibule qui conduisait à un jardin.

— Mon père est-il là et puis-je le voir ? s'enquit-il.

— Il s'entretient avec le Légat, répondit l'esclave. Mais il ne devrait pas en avoir pour longtemps.

Leur attente fut brève en effet et Macellius parut quelques instants après. Il confia les enfants à une esclave aux formes plantureuses, remercia Senara et lui promit qu'une famille d'adoption accueillerait très prochainement les fillettes. Puis il lui proposa de la faire raccompagner à Vernemeton, offre que déclina poliment la jeune fille, soucieuse de rentrer aussi discrètement qu'elle était partie. Une escorte romaine ne passerait pas inaperçue et semblerait inévitablement suspecte.

– Te reverrai-je ? demanda alors Gaius.

– Qui sait ? Peut-être chez le père Petros, répondit-elle évasivement avant de prendre rapidement congé.

Julia ne faisait jamais les choses à moitié. Un soir d'avril, elle demanda à Gaius de l'accompagner à un office qui devait avoir lieu dans le temple nazaréen de Deva. Bien que la réalité de leur mariage ne fût plus qu'une coquille vide, elle demeurait la maîtresse de leur maisonnée et il crut par conséquent qu'il n'était pas sans intérêt de maintenir pour la façade, de temps à autre, les apparences de leur union. Il avait bien envisagé de divorcer, mais y avait rapidement renoncé, se refusant à choquer inutilement Licinius et ses enfants et plus encore à justifier son geste.

Comme le temple nazaréen avait été édifié en partie grâce à Julia et aux bijoux qu'elle ne portait plus depuis longtemps, Gaius était aussi curieux de voir ce qu'elle avait obtenu en échange. Ils se rendirent donc à la cérémonie accompagnés de leurs enfants et d'une partie de leurs serviteurs, ainsi que des nourrices.

– Pourquoi donc emmener avec nous tous ces gens ? demanda-t-il intrigué. Nous pourrons coucher ce soir chez mon père, mais où logeront les domestiques ?

– Gaius, ils partagent tous la même foi, répliqua Julia avec un naturel désarmant. Ils rentreront à la villa après l'office ; je ne peux tout de même pas les priver d'assister à la cérémonie.

Sans réponse face à une telle logique et de plus totalement indifférent à la question, Gaius se garda bien de formuler le moindre commentaire.

L'église chrétienne, découvrit-il en arrivant, était une vaste et ancienne bâtisse ayant naguère appartenu à un marchand de vin. L'odeur de vieilles pierres humides disparaissait sous la senteur des chandelles et des fleurs qui ornaient l'autel.

LA COLLINE DU DERNIER ADIEU

Des peintures primitives représentant un berger portant un agneau, des hommes dans un bateau, et un grand poisson, décoraient les murs.

Julia ayant trouvé place sur un banc, près de la porte, et s'étant assise entourée de ses filles et de ses serviteurs, Gaius, lui, demeura debout derrière, cherchant des yeux quelqu'un de connaissance. Mais l'assistance semblait composée, en majeure partie, de gens humbles et il s'étonna de ce que sa femme se mêlât ainsi au peuple. Ce fut alors qu'il aperçut un visage familier, celui de la jeune fille qui avait accompagné chez son père les filles de Brigitta. Sachant ses convictions, il ne fut pas étonné de sa présence, mais se demanda soudain s'il n'était pas venu, inconsciemment peut-être, uniquement dans l'espoir de la revoir.

Un prêtre, rasé de près et vêtu d'une longue dalmatique, entra sur ces entrefaites dans l'église escorté par deux jeunes garçons, l'un portant une grande croix de bois et l'autre un flambeau. Deux vieillards l'accompagnaient aussi, des diacres, lui avait précisé Julia, l'un d'eux chargé d'un lourd volume relié en cuir. En le posant sur un lutrin, il se heurta à un gamin qui, au lieu de s'enfuir, leva vers lui un visage radieux. Le diacre se pencha, prit le bambin dans ses bras et le tendit à son père avec un sourire qui le transfigura.

Des prières et des invocations montèrent alors dans la nef, puis l'eau et l'encens purifièrent les fidèles. Le prêtre et les diacres s'assirent ensuite et un nouveau personnage fit son apparition, provoquant un mouvement dans la foule.

Gaius ne fut pas peu surpris de reconnaître le père Petros, se disant en même temps qu'il était bien normal que les adeptes de la nouvelle religion tiennent à se réunir tous ensemble dans un temple consacré à leur dieu.

Mais déjà, du haut d'une petite tribune, l'ermite s'adressait aux fidèles :

– Notre maître a dit : « Laissez venir à moi les petits enfants, car le royaume de Dieu est à eux. » Nombreux sans doute sont ceux, parmi vous, qui ont perdu un enfant en bas âge et qui le pleurent. Mais vos enfants, je vous le dis, sont en sécurité et en paix près de Jésus Notre Seigneur qui est aux Cieux, et vous, parents dans la peine, devez être infiniment plus heureux que ceux qui offrent leurs enfants vivants aux idoles. Oui, je vous le dis, mieux vaudrait que ces enfants fussent morts sans avoir péché que vivants pour servir de faux dieux !

Recherchant son souffle, il s'arrêta un instant, puis reprit :

– Le premier des grands commandements est celui-ci : Tu aimeras le Seigneur ton Dieu de tout ton cœur, de toute ton âme, et le second prescrit : Tu honoreras ton père et ta mère. Bien sûr, tonna encore le père Petros, la question primordiale est de savoir si un enfant innocent peut être tenu responsable de l'erreur de ses parents ? Pour ma part...

Mais qu'importait pour Gaius ce que disait ou pensait le père Petros ! En cet instant, ses yeux étaient captifs d'un bien plus émouvant spectacle, celui du visage de Senara, levé vers le prédicateur, buvant littéralement ses paroles.

Un long moment il s'attarda dans sa contemplation, écoutant sans l'entendre le discours de l'ermite continuant à exhorter ses ouailles. De sorte que la cérémonie se termina sans qu'il s'en rendît compte.

Une fois dehors avec sa famille, il s'apprêtait à prendre distraitement dans ses bras la petite Tertia, quand une voix légère, celle de Senara, se fit entendre derrière lui.

– Laissez. Je vais porter votre petite fille, dit-elle en saisissant l'enfant qui tombait de sommeil.

– Merci ! Tu es une vraie sœur dans le Christ ! s'exclama cordialement Julia qui voyait manifestement pour la première fois la jeune fille. Viens avec nous. Nous nous restaurerons ensemble à la maison.

– Je vous remercie mais c'est impossible ! Je vous accompagne juste quelques pas. Je dois rentrer rapidement chez moi. Sinon je risque d'être punie et d'être privée de revenir au prochain office.

– Alors, je ne te retiens pas. Ce serait bien mal te payer de ta gentillesse. Gaius va te raccompagner. Ce quartier est tranquille, mais d'ici aux portes de la cité, on ne sait jamais.

– Grand merci, dame, mais c'est inutile. Je peux très bien...
Mais Gaius l'interrompit.

– Non, non ! Ma femme a raison. Il faut être prudent. Je viens avec toi.

Ainsi pourrait-il lui demander ce qu'une fille du Sanctuaire de la Forêt faisait parmi les chrétiens, prétexte commode pour nouer la conversation.

La jeune fille embrassa donc les enfants et s'éloigna en sa compagnie, drapée dans une longue cape.

– Alors, demanda-t-il dès qu'ils furent seuls, depuis combien de temps assistes-tu aux cérémonies dans le nouveau temple ?

– Depuis que l'office y est dit.

– Tu vis pourtant dans le Sanctuaire de la Forêt ?

– C'est vrai, les prêtresses m'ont donné asile depuis que j'ai perdu mes parents. Mais je n'ai pas prononcé les vœux. Mon père appartenait aux tribus et ma mère était romaine. C'est elle qui m'a fait baptiser. Quand j'ai appris la présence du père Petros, j'ai voulu en savoir davantage sur sa religion. Il me conseille d'ailleurs d'obéir à ma famille adoptive car il sait qu'à Vernemeton on ne me fera pas de mal. Pour lui, les druides sont des justes qui, un jour, trouveront le salut. Mais il me dit de rester libre et de ne pas prononcer les vœux. L'apôtre Paul n'a-t-il pas ordonné aux esclaves d'obéir à leurs maîtres ? Seule l'âme est libre.

– Sages paroles, approuva Gaius. Ah, si les chrétiens pouvaient étendre ce raisonnement à leurs devoirs envers l'Empereur !

Senara continua, comme si elle n'avait pas entendu :

– La seule chose qui compte est de se garder du péché. Je veux être une véritable croyante et aller au Ciel. Mais je n'ai pas une vocation de martyr et n'aimerais pas mourir comme les saintes femmes dont ma mère me parlait quand j'étais petite.

– Ici le gouvernement ne persécute pas les chrétiens...

– Je sais, mais je vis dans un lieu que beaucoup réprouvent. Le père me conseille cependant d'y demeurer encore quelques années.

– Que se passera-t-il ensuite ? Tu chercheras un mari ?

– Non ! répondit-elle en riant. Je pense entrer au couvent. Au Ciel, disent les prêtres, le mariage n'existe pas.

– Je pense très sincèrement qu'ils ont tort.

– Mais non ! Quand arrivera la fin du monde, qui donc voudrait avoir des péchés sur la conscience ?

– La conscience ? L'âme ? Tu y crois, n'est-ce pas ? Eh bien, moi, vois-tu, je ne me suis encore jamais posé la question.

Elle s'arrêta net et se tourna vers lui.

– C'est impossible, s'exclama-t-elle, effarée. Vous ne voulez quand même pas être précipité en enfer ?

– Quelle religion bizarre est la tienne : condamner ses adeptes pour avoir engendré des enfants et commis l'acte de procréation ! Quant à ton enfer, crois-tu qu'il puisse effrayer un rationaliste comme moi ? Crois-tu vraiment que ceux qui ne suivent pas les préceptes du père Petros y seront précipités ?

– Je le crois, clama-t-elle avec une touchante spontanéité, levant vers lui un visage aussi clair et pur qu'un lis illuminé par la pleine lune. Je vous en prie, pensez au salut de votre âme tant qu'il en est encore temps.

Il fallut tout le charme et la flamme de Senara pour que Gaius garde son sérieux. Les discours de Julia sur ce sujet l'assommaient à mourir, mais entendre vibrer la voix de cette jeune beauté le ravissait intérieurement.

– Senara, si tu te soucies un tant soit peu de mon salut, alors aide-moi à sauver mon âme.

– Je ne peux rien moi-même, objecta-t-elle doucement, mais je suis sûre que le père Petros pourrait beaucoup vous aider.

Tout en parlant, ils avaient atteint les limites de la ville. Senara s'arrêta soudain.

– Laissez-moi aller maintenant. Je connais un raccourci qui mène rapidement au Sanctuaire. Il ne faut pas qu'on nous voit ensemble. Je serais punie.

Il la saisit par les épaules.

– Senara, tu veux ainsi me laisser repartir sans que mon âme soit sauvée ? Promets-moi au moins que nous nous reverrons.

– Je ne sais, dit-elle effarouchée. Mais… j'apporte tous les jours à midi de la nourriture au père Petros. Si vous voulez, retrouvons-nous un jour à l'ermitage. Nous continuerons à parler.

Mi-sérieux, mi-badin, il lui dit alors :

– Je suis certain que tu sauveras mon âme, si elle peut l'être évidemment.

De cela, bien sûr, il s'en souciait comme d'une guigne, mais il n'avait aucunement envie de perdre Senara.

★
★ ★

– Je ne te reverrai jamais, dit Elane en se détournant de la prêtresse, les yeux fixés sur le jardin.

– Mais enfin ce n'est pas sérieux, cria presque Kellen sous l'emprise d'une insupportable angoisse. Puis, se maîtrisant pour masquer sa peur, elle ajouta d'un ton volontairement moqueur : Ne me dis pas que toi aussi tu as maintenant des pressentiments, alors que c'est toi-même qui m'as demandé de partir !

La silhouette d'Elane parut encore, sous l'accablement, se tasser davantage.

– Ce n'est pas moi qui l'ai voulu, c'est la Déesse ! Elle seule a parlé par ma bouche et je sais que nous devons accomplir Sa volonté. Oh, Kellen ! Maintenant que le moment approche, si tu savais quelle est ma peine !

– Je sais, Elane, je sais ! N'oublie pas cependant que c'est moi qui m'en vais, que j'abandonne tout ce que j'ai aimé ! Es-tu certaine au moins que la voix d'Ardanos n'a pas été plus forte que celle de la Déesse ? Depuis que je l'ai obligé à accepter que ton fils ne te soit pas enlevé, il n'a cessé, un seul instant, de chercher à nous séparer !

— Qu'il se réjouisse secrètement de ton départ est une évidence, murmura Elane au bord des larmes. Mais penses-tu vraiment que ce soit son œuvre ? Crois-tu vraiment que tout ce que j'ai essayé de faire ici n'a été qu'artifice et mensonge ?

— Non, Elane, ma toute petite, ma chère petite... dit Kellen posant la main sur l'épaule de la Haute Prêtresse qui ne résista pas davantage à l'envie qu'elle avait de se réfugier dans ses bras. Non, moi aussi je suis déchirée à l'idée de ne plus te voir. Bouleversée, elle eut peine à poursuivre : Tu as bien fait, mon amie de toujours, tu as toujours bien fait, je te le jure. J'ai foi en toi et... Un sanglot brisa sa voix.

— Kellen, sans me le dire, tu m'as toujours aidée.

— Tu sais, rien n'est définitif. Un jour peut-être, tu verras, nous rirons toutes les deux de nos craintes.

— Je suis sûre, en tout cas, qu'un jour nous serons réunies à jamais ! Peu importe que ce soit dans ce monde ou dans l'autre...

Une prêtresse entra.

— Dame, le moment est venu, dit-elle.

Sans ajouter un mot, les deux femmes s'étreignirent tendrement, longuement, puis Kellen s'éloigna sans se retourner.

Le voyage pour atteindre le Pays de l'Été sembla interminable à Kellen, perdue, toute à sa nostalgie, dans ses pensées. Accompagnée par les jeunes prêtresses choisies pour fonder avec elle le nouveau Sanctuaire, elle aperçut enfin un soir, au sortir du vallon, la trouée qui menait aux marais entourant la Colline Sacrée.

Ayant pris place, avec ses compagnes, à bord d'une barge qui les attendait, elle regarda debout, immobile à l'avant de l'embarcation, le Tor doucement venir à elle. Se dressant sur le ciel pâlissant, couronné par un cercle de pierres, il émanait de lui une extraordinaire et vive puissance. Les maisons rondes des druides se groupaient sur ses pentes. Plus loin, dans une vallée, on pouvait discerner quelques huttes en forme de ruches où vivaient sans doute les chrétiens qu'Ardanos avait autorisés à venir s'installer. L'odeur des pommiers embaumait l'air.

Au pied de la colline, un groupe de jeunes druides vint à leur rencontre. Ils accueillirent Kellen avec un grand respect et déployèrent à son égard marques et témoignages de leur entière disponibilité, tout en ignorant manifestement la réelle signification de sa venue.

Les congratulations d'usage terminées, on conduisit le petit groupe vers une chaumière basse indigne, bien sûr, de l'héberger pour un séjour prolongé. Mais ce n'était que provisoire et l'on se hâtait d'achever à son intention une grande maison, susceptible d'offrir tout le confort et les commodités nécessaires.

Kellen, après s'être assurée personnellement que toutes les jeunes filles étaient convenablement installées dans le dortoir précaire, gagna elle-même sa couche et après s'être rapidement dévêtue, s'effondra sur son lit, morte de fatigue. A sa grande surprise, elle dormit paisiblement toute la nuit et ne s'éveilla qu'à l'aube comme rosissait le ciel. Elle s'habilla sans réveiller ses compagnes et sortit furtivement dans le petit matin. Devant elle, un sentier montait vers le sommet du Tor.

Le jour se levant peu à peu, elle put bientôt examiner attentivement les alentours. Dans quel but le destin l'avait-il conduite sur cette terre cernée d'eau et de brumes où perçait çà et là un sommet couronné de bois sombres ? Un silence profond régnait sur la nature, silence qui fut soudain troublé par un chant s'élevant non loin d'elle.

S'arrachant à sa contemplation, Kellen leva les yeux en direction de l'endroit d'où il semblait provenir et aperçut, un peu plus haut sur sa gauche, un petit édifice bâti à flanc de coteau. S'en étant approchée, elle entendit alors distinctement des voix d'hommes, basses et graves, qui chantaient, apparemment en grec, une mélodie lente et douce :

« *Kyrie eleison, Criste eleison.* »

Les chants ayant cessé, un petit homme courbé sous le poids des ans sortit et s'approcha d'elle. Comprenant qu'il appartenait à la communauté religieuse que le Haut Druide avait autorisée à résider sur le Tor, Kellen le salua courtoisement.

Le prêtre s'inclina à son tour et s'adressa à elle en ces termes :

– Bonjour à toi, ma sœur. Puis-je te demander ton nom ? Je sais que tu n'es sûrement pas l'une de nos catéchumènes, car nous ne comptons parmi nous que de vénérables personnes arrivées ici en même temps que nous. Or, toi, tu es beaucoup trop jeune.

Souriant à l'idée que l'on pouvait encore la prendre pour une jeune femme – l'homme, il est vrai, aurait, en l'occurrence, pu être son grand-père –, la prêtresse se nomma :

– Je suis Kellen, dit-elle, et j'adore les divinités de la forêt.

– Vraiment ? Je connais certains de tes frères druides, mais j'ignorais qu'il y eût parmi eux des femmes.

– Il n'y en avait pas, jusqu'à présent. Je viens d'arriver du Sanctuaire de la Forêt, dans le nord, pour fonder ici une Maison des Vierges. Je gravis pour la première fois cette colline, et fais connaissance avec le pays où les dieux m'ont envoyée.

– Tu parles, ma sœur, comme quelqu'un proche de la vérité. Tu dois sûrement savoir que les dieux ne sont qu'Un. Le vieillard s'interrompit et Kellen termina sa phrase : Et que les Déesses ne sont qu'Une.

– Bien sûr, dit-il, le visage réjoui. Il en est ainsi. Mais ceux à qui notre Seigneur est apparu sous les traits de Son Divin Fils ne peuvent imaginer Dieu sous ceux d'une femme. Ainsi ne parlons-nous pas de Déesse, mais de Sophia, la Sainte Sagesse. La Vérité est Une, ma sœur, aussi est-il tout à fait naturel que vous fondiez ici même un sanctuaire à la Sainte Sagesse, selon les coutumes de votre peuple. Quelle œuvre magnifique à laquelle consacrer la fin de cette incarnation, ma sœur ! poursuivit-il. Il sourit, le visage resplendissant de bienveillance, et dit encore, après s'être absorbé dans une brève méditation : Il me semble que, jadis, nous avons ensemble servi les mêmes autels.

Ces étranges paroles ne laissèrent pas de surprendre Kellen.

— Je pensais, dit-elle, que les frères de votre foi niaient la vérité des incarnations.

Mais voyant sa sérénité inébranlable, elle sut dans l'instant même qu'il avait raison, certitude qu'elle avait ressentie une première fois en présence d'Elane.

— Il est écrit que le Maître lui-même y croyait, reprit imperturbable le vieillard : Et je suis ici pour faire connaître la Vérité à toute la terre.

— Que règne la Vérité ! acquiesça Kellen d'une voix douce.

— Et que votre mission réussisse, ma sœur, répondit-il en écho. Nombreux sont ceux qui souhaitent l'établissement d'une véritable communauté de religieuses.

Il allait s'éloigner lorsque Kellen lui demanda son nom.

— Je m'appelle Joseph et j'étais marchand à Arimathie. Parmi nous vivent encore des saintes femmes qui ont pu contempler le visage du Maître de son vivant. Elles vous accueilleront avec joie.

Kellen s'inclina de nouveau. N'était-il pas étrange, mais de très bon augure, qu'elle trouvât finalement plus de chaleureuse bienveillance chez les Chrétiens que chez ses frères druides ? « *Servante de la Lumière...* » Ces mots résonnèrent au fond de sa conscience inspirés par une mémoire située au-delà d'elle-même...

Mais déjà le saint homme s'éloignait et descendait la colline à pas lents. Si une âme de cette qualité avait rejoint les Chrétiens, pour elle et pour les siens, un espoir se levait. Oui Kellen était sûre désormais que la Déesse l'aiderait à réaliser son œuvre et que ce n'était pas sans raison qu'Elle lui avait ouvert le chemin.

XXVIII

APRÈS Beltane, les jours rallongèrent ; les paysans menè-
rent les troupeaux sur les collines et ensemencèrent les
champs. Vers le milieu de l'été, des rumeurs alarmistes parcourant le pays, Ardanos, pour la première fois, renonça à
donner des instructions à Elane avant les cérémonies de
l'Oracle, la Déesse ayant annoncé changements et désastres,
mais promis que la paix leur succéderait ensuite.

C'est alors qu'un soir, au moment de la fenaison, on vint
chercher Elane, la priant de venir en toute hâte au chevet du
Haut Druide qui se mourait. Très émue, Elane se précipita
pour le réconforter. Le vieil homme était déjà entré en agonie
et ses os décharnés affleuraient sous sa peau diaphane. Elle
s'assit près de lui et lui prit la main, oubliant en cet instant
tous ses ressentiments à son égard, espérant même pour lui,
et de tout cœur, la fin la plus douce possible.

– Il s'est affaissé au cours du dîner, lui dit-on à voix basse,
et depuis il n'a pas repris connaissance. Nous avons prévenu
Benedig.

Elane, repoussant son voile, se pencha vers lui.

– Ardanos, murmura-t-elle, Ardanos, m'entendez-vous ?

373

Les paupières parcheminées battirent légèrement et ses yeux cherchèrent son regard.

– Dieda ! parvint-il à articuler.

– Non, grand-père, Dieda est dans le sud. C'est moi, Elane qui suis près de vous. Ne me reconnaissez-vous pas ?

Le regard exténué du Haut Druide se posa à nouveau sur elle, et sans répondre à sa question, il balbutia, la fixant avec insistance :

– Je ne me suis pas trompé, c'est bien toi qu'il fallait choisir...

Son message demeurant impénétrable, Elane alors tenta de recueillir clairement ses dernières volontés :

– Ardanos, dit-elle haussant le ton, Ardanos, en tant que Haute Prêtresse, il est de mon devoir de vous dire que vous allez nous quitter. Mais il vous faut avant désigner votre successeur. Dites-nous, Haut Druide, qui portera la faucille d'argent lorsque vous ne serez plus ?

Son regard s'enténébra et il souffla, à bout de forces :

– Déesse, j'ai agi... de mon mieux... Seul Merlin sait...

– Nous aussi, nous devons savoir ! implora le druide qui l'assistait en ces derniers instants. Qui avez-vous choisi ?

– La paix !... cria-t-il presque dans un râle, semblant soudain retrouver quelques forces. La paix...

Puis sa tête retomba sur sa couche, et il demeura inerte.

Un druide prit son pouls, attendit un instant, puis laissa retomber sa main.

– Il est parti ! dit-il.

Elane, immobile, n'avait pas fait un geste.

– Qu'allez-vous faire ? demanda-t-elle enfin.

– Rassembler tous les membres de notre ordre. Quant à vous, Dame, vous avez fait votre devoir. Dès que les dieux nous auront inspirés, nous vous tiendrons informée de la réponse qu'Ardanos ne nous a pas donnée.

LA COLLINE DU DERNIER ADIEU

★
★ ★

En cette fin d'été, le temps demeurait lourd et accablant, comme si continuellement un orage se préparait à éclater. Gaius, au sortir de Deva, dressa l'oreille, cherchant à capter dans le lointain un premier coup de tonnerre. Partout on s'agitait dans les tavernes et les échoppes, et des bruits contradictoires de soulèvements et de mutineries inquiétaient toute la ville.

« Les ides de septembre... les ides de septembre... » ne cessait-il de se répéter, au rythme obsédant des sabots de son cheval sur le sol. Fallait-il aussi que le Haut Druide disparaisse à un tel moment ! Au moins avait-il assuré un semblant de stabilité dans les relations conflictuelles entre légions et tribus ! Qui lui succéderait maintenant ? Un ami ou un ennemi de Rome ? Et lui-même, chargé par le Légat d'aller porter en son nom un message de condoléances à la Haute Prêtresse, quel accueil allait-il recevoir ? Quel visage Elane allait-elle lui réserver ? Quels mots, quels reproches sortiraient de sa bouche ?

Hanté par ses souvenirs, plein d'espoir et de crainte à la fois, tourmenté par les dangers croissants auxquels était exposé son fils, il allait, le cœur incertain et lourd, vers Vernemeton, ayant tout à la fois envie de presser et de retenir sa monture.

Quand il franchit enfin l'enceinte du Sanctuaire de la Forêt, s'étant fait reconnaître en tant que messager du gouvernement, il mit pied à terre et attacha son cheval à un arbre. On le mena alors vers le jardin privé où étaient habituellement reçues les personnalités étrangères à la communauté. A l'ombre d'un églantier se tenait une silhouette voilée de bleu, la Haute Prêtresse, sans doute, entourée de plusieurs druides et prêtresses.

Parvenu à quelques pas d'elle, Gaius s'arrêta et s'inclina cérémonieusement.

– Dame, dit-il, d'un ton monocorde et officiel, je viens vous présenter les condoléances attristées du Légat de Deva à l'occasion de la disparition du Haut Druide. C'est une perte irréparable pour nous tous. Ardanos... il chercha ses mots un instant, était une éminente personnalité pour laquelle nous éprouvions beaucoup d'estime et de respect.

Elane, se retranchant derrière la réserve de rigueur convenant à tout entretien de ce type, adopta, comme lui, le discours impersonnel de circonstance.

– Remerciez pour moi le Légat de la part qu'il prend à notre deuil. Au nom de la communauté, je lui en suis très reconnaissante. Mais vous devez être un peu las de la route. Voulez-vous prendre avec nous quelque rafraîchissement ?

Puis, désignant un banc de pierre à l'écart cerné d'arbustes soigneusement taillés, elle l'invita à s'asseoir un moment auprès d'elle avant de repartir, tandis qu'une novice proposait à la ronde hydromel ou cervoise ou bien un peu d'eau claire puisée à la Source Sacrée.

Profitant de cette intimité relative, Gaius, la gorge serrée, murmura à voix basse :

– Elane ! Elane je t'en prie ! Montre-moi seulement un instant ton visage. Il y a si longtemps...

– Je suis stupide, souffla-t-elle à son tour d'une voix changée. Je croyais pourtant ne plus rien éprouver pour toi.

Elle souleva alors son voile et Gaius vit qu'elle pleurait.

Aussi surpris qu'ému, il détailla les yeux, le nez, les lèvres qu'il avait tant aimés, le cou si gracile et délié qui semblait ployer sous le poids du torque d'or, fragilité toute apparente que démentait son maintien noble et fier. Comme était loin la vision de la Furie qui l'avait effrayé et dont le souvenir l'avait si longtemps hanté ! En cette minute si précieuse, comme il aurait voulu se jeter à ses pieds, lui redire son amour, qui ne l'avait jamais quitté. Mais c'était impossible. Le moindre mouvement de sa part le trahirait.

– Ecoute-moi, Elane, se contenta-t-il donc de chuchoter,

je ne peux rester ici davantage. Une guerre se prépare – non pas à cause de la mort d'Ardanos, mais des événements qui se trament à Rome. Je ne peux t'en dire plus. Sache seulement qu'il va y avoir un soulèvement. Macellius et les miens espèrent que les tribus nous soutiendront, mais rien n'est moins certain, tu le sais. Laisse-moi t'emmener loin d'ici en lieu sûr, toi et notre fils.

Elane à ces paroles se figea, soudain hostile.

– Que me dis-tu donc là ? J'ai peur de comprendre. Maintenant que l'Empire se désagrège, tu viens m'offrir la protection de Rome ? Après tant d'années ! Ne crois-tu pas que si les troubles dont tu parles doivent survenir je suis plus en sécurité ici avec mon fils ? Tu voudrais donc que je les abandonne tous, s'indigna-t-elle, désignant ceux qui les entouraient.

– Et si ton peuple se retourne contre toi ? répliqua Gaius aussi vivement, ayant peine à contenir sa colère. Tes oracles ont contribué à la paix avec Rome, mais ton grand-père est mort. Vers qui penses-tu qu'iront les reproches de Kerig et des siens si les choses tournent mal ? Ne comprends-tu donc pas que je veux te sauver, que tu dois fuir avant qu'il ne soit trop tard ?

– Que je dois… ? Ses yeux maintenant lançaient des éclairs. Et que pense ton épouse de ce beau projet ? Est-elle si lasse de toi au bout de douze ans de mariage ?

– Julia est devenue chrétienne et a fait vœu de chasteté. La loi romaine m'autorise à demander le divorce. Une fois que je l'aurai obtenu, je t'épouserai, Elane ! Si tu refuses, sache que j'adopterai Gavain légalement.

– Quel marché me proposes-tu là ? Quelle délicatesse !

Elane était désormais aussi rouge qu'elle avait été pâle. Se levant d'un bond, elle se mit à marcher fébrilement dans l'allée, sa robe balayant le gravier derrière elle. Tout le monde la regardait.

Gaius la rejoignit. Une haie basse permettait de voir une cour située entre deux bâtiments et le mur d'enceinte ; des enfants y jouaient innocemment. L'un d'eux, élancé comme un jeune poulain, semblait être leur boute-en-train. Le soleil de l'été avait roussi ses boucles brunes et en interpellant ses camarades pour leur donner un ordre, il montra son visage. Son expression rappelait si fort Macellius que Gaius en fut tout retourné.

N'écoutant plus soudain Elane, les yeux rivés sur le jeune garçon, il sentait son cœur battre à tout rompre dans sa poitrine...

Mais Elane continuait cinglante, à le fustiger :

– Quand j'étais enceinte, isolée au fond de la forêt, où étais-tu ? Quand j'ai lutté de toutes mes forces pour garder l'enfant avec moi, que durant tant d'années j'ai veillé sur lui sans jamais lui avouer que j'étais sa mère, où étais-tu ? Et maintenant tu voudrais le reprendre ? Jamais, Gaius Macellius Severus Siluricus !...

Sa voix basse et sifflante atteignit Gaius de plein fouet.

– Elane ! supplia-t-il, je t'en prie !

Sans l'entendre, elle fit demi-tour, lui signifiant ainsi clairement son congé.

– Grand merci, Romain, pour ta sympathie ! déclara-t-elle à haute et intelligible voix. J'ai apprécié ton geste. Comme tu as bien voulu le dire, la mort d'Ardanos est une grande perte pour tous. Transmets au Légat et à ton père nos respectueuses salutations.

On s'approcha alors de Gaius pour le raccompagner. Il n'avait d'ailleurs désormais nulle envie de s'attarder. Plus vite il serait loin, plus vite il oublierait. D'un signe bref de la tête il salua et s'éloigna la mort dans l'âme. Tout était fini avec Elane. Elle ne l'avait jamais compris.

Elane, les jours qui suivirent, revécut ces instants qui l'avaient déchirée, avec accablement et désespoir. Elle s'enferma dans sa cellule et refusa tout contact avec son entourage. Comment Gaius avait-il pu lui proposer, sans même un mot d'amour, de lui reprendre son fils !...

LA COLLINE DU DERNIER ADIEU

Pensant qu'elle pleurait la mort de son grand-père, les prê-tresses la laissèrent en paix. Mais surmontant peu à peu le choc, Elane sortit de son isolement, et constata non sans étonnement, qu'elle éprouvait désormais plutôt soulagement que tristesse.

S'obligeant à reprendre un rythme de vie normal, elle mit fin à sa retraite, marcha chaque jour davantage, s'astreignit aussi à la méditation selon les règles enseignées par Kellen. Ainsi retrouva-t-elle imperceptiblement la sérénité perdue et réfléchit-elle objectivement aux périls imminents dont lui avait parlé Gaius. Elle pensa aussi aux druides qui l'entou-raient. Qui donc désormais s'arrogerait le droit de lui dicter ce qu'elle devrait dire au nom de la Déesse ? Ils devaient actuellement en débattre et elle s'apprêtait à leur tenir tête. Sans doute le successeur de son grand-père défunt ne serait pas nommé avant les fêtes de Lughnasad. En revanche, au moment de Samain, il serait installé dans ses fonctions et, s'il s'agissait comme elle le craignait de son père Benedig, il ne manquerait pas d'appeler les tribus à la rébellion par l'entre-mise de la Déesse.

Dieda, venue la saluer le jour de son retour à Vernemen-ton, refusa d'un haussement d'épaules la sympathie qu'Elane lui offrait à l'occasion de la mort de son père.

— Ardanos n'est pas pour nous une grande perte, déclara-t-elle avec une incroyable rudesse. Il n'était qu'un jouet aux mains des Romains. Reste à savoir maintenant qui donnera les ordres à l'Oracle.

Comme Elane, stupéfaite par son insensibilité, s'apprêtait à lui en faire très ouvertement le reproche, on vint annoncer l'arrivée de Kerig dont le pas décidé ne tarda pas à résonner dans l'antichambre. Elane l'accueillit avec toute l'affection d'une sœur. Il paraissait vieilli, amaigri, aussi nerveux et farouche qu'un cheval sauvage, le visage marqué de multiples cicatrices.

— Ainsi te voici de retour, dit-elle avec prudence. Je te croyais replié dans le nord avec tes hommes.

– Mais non. Je vais et je viens à ma guise, sous le nez des Romains, fanfaronna-t-il. Bien malin qui réussira à m'arrêter !

– Prends garde Kerig ! intervint Dieda sardonique. Plus la bête est sûre d'elle, plus vite elle se laisse prendre au piège.

– Ne crains rien ! répliqua-t-il, railleur. J'ai la faiblesse de croire que les dieux me protègent, si bien que je brûle parfois d'aller taquiner l'ennemi dans Londinium même ! Mais patience, les Romains se déchirent et dans un mois ou deux, tout deviendra possible puisque Ardanos n'est plus là. N'est-ce pas ton avis, Elane ?

– La mort d'Ardanos ne sera pas sans conséquence en effet, reconnut la Haute Prêtresse, sans en dire davantage, persuadée maintenant que les paroles de Kerig confirmaient totalement les avertissements de Gaius.

– Je prends acte de ta réponse, ma sœur, et veux croire que tu mesures pleinement tes responsabilités.

– Sois tranquille en effet, je sais ce que je veux, dit Elane, prudente.

– Vraiment ? Et quelle est donc cette volonté ?

– Tout faire pour que règne la paix !

– La paix ?... Kerig fit la grimace. Ah vous, les femmes, n'avez que ce mot à la bouche ! Mais tu parles comme Macellius et les autres, comme Ardanos parlait ! Est-ce donc ça « ta volonté » alors qu'enfin nous avons la possibilité de chasser les Romains de chez nous ? Brigitta, elle, sait au moins ce que nous attendons !

– Brigitta ? N'en a-t-elle pas assez de la guerre ?

– Dis plutôt qu'elle a assez de la justice romaine... Les rumeurs persistantes des dissensions de nos ennemis vont d'ailleurs nous servir et nous allons pouvoir nous libérer de ce qu'ils appellent justice. Bientôt les camps et les villas des envahisseurs seront réduits en cendres comme l'a été la demeure de Benedig !

Elane l'interrompit d'un geste.

– Les responsables de la destruction de notre maison et de

la mort de ma mère ne sont pas les Romains, tu le sais, mais les Hiberniens et les tribus sauvages du nord. Or, qui les a punis, si ce n'est les Romains ?

– A nous de décider ce qu'il y a lieu de faire, s'enflamma Kerig. A nous de punir ou d'épargner qui nous voulons ! Nous comporterons-nous toujours comme des couards, des chiens battus ? Faut-il laisser les Romains désigner à leur convenance nos adversaires, les laisser choisir l'endroit où nous les combattrons ?

– La paix est pour les hommes le plus grand des bienfaits, rétorqua Elane avec détermination.

– Donc, tu te ranges dans le parti des traîtres ? Tu parles comme Macellius et son fils Gaius ?

– Tous deux se préoccupent du bien de nos peuples, contre-attaqua fougueusement la Haute Prêtresse en martelant ses mots.

– Et moi je ne m'en préoccupe pas ? explosa-t-il les yeux étincelants.

– Je n'ai rien dit de tel ! Je dis simplement qu'il faut composer, s'entendre tous pour faire la paix ensemble !

– Avec Gaius, n'est-ce pas ? Ne dissimule pas ! Je sais qu'il est venu ici. Que manigance-t-il pour nous perdre ? Nous refusons sa collaboration, ses conseils perfides, ses discours enjôleurs qui ne sont que mensonges et tromperies. Benedig va succéder à Ardanos – voilà ce que je suis venu te dire – et crois-moi, son langage ne sera plus celui qu'on a tenu jusqu'ici.

Le regard ardent de Dieda allait de l'un à l'autre. Elane, se contenant, tâchait de garder son calme, sachant bien que Kerig cherchait avant tout à la provoquer.

– Ardanos a sans doute influencé et interprété les réponses de l'Oracle, répliqua-t-elle seulement. Mais les paroles de la Déesse, lorsque je suis en transe, ne sont pas les miennes. Je n'exprime pas ma propre volonté, Kerig, mais la Sienne.

– Veux-tu me faire croire que la Déesse souhaite que triomphe la trahison ?

– La Déesse est notre mère à tous. Je t'interdis de blasphémer en ma présence !

– Tu n'as rien à m'interdire. Tu ne détiens pas la vérité ! Je suis la vengeance de la Déesse, hurla Kerig hors de lui. Je dis et je fais ce que je veux et je châtie qui je veux !

Joignant le geste à la parole et avant même qu'Elane pût réagir, il leva la main sur elle et la gifla à toute volée. Elle poussa un cri, tandis que Dieda, interloquée, s'interposait en criant :

– Kerig ! Comment oses-tu ?

– Par Cathubodva, j'ose et j'agirai ainsi envers tous les traîtres asservis aux Romains ! Je...

Mais il ne put achever. Livide, l'écume aux lèvres, il porta la main à sa gorge, parut étouffer, fit un pas en arrière et, perdant l'équilibre, s'écroula sur le sol comme une masse, se fracassant le crâne sur la pierre qui se teinta d'un flot de sang.

Les secondes qui suivirent parurent aux deux femmes une éternité, puis Dieda poussa un hurlement et on accourut de toutes parts pour entourer et soutenir Elane, pétrifiée, tombée à genoux près du corps.

Tremblante, elle se releva enfin, sachant que Kerig était mort et voulut prendre dans ses bras Dieda qui, à travers ses cris, la repoussa avec violence.

A voix basse, la Haute Prêtresse donna alors ses ordres :

– La mort de Kerig est un accident. Elle doit rester secrète. La divulguer serait déchaîner ses partisans et les conduire à la vengeance. Tout espoir de réconciliation et de paix serait anéanti. Surtout, que personne ne parle. Je veux que l'on oublie ce qui vient d'arriver ici. Dieda, suis-moi dans le jardin. Tu ne peux plus rien pour lui maintenant.

Pâle et défaite, ne pouvant étouffer ses sanglots, Dieda obéit sans mot dire comme un automate.

– Dieda, commença doucement Elane, un sort cruel a foudroyé Kerig. Ni toi ni moi n'y pouvons rien changer. Personne n'aurait pu le sauver...

– Non, hoqueta Dieda, sortant soudain de son hébétement, non ! C'est trop facile. Tu prends les vies, mais ne les donnes jamais. Tu m'as volé ma réputation pour préserver la tienne. Et maintenant, tu viens de prendre la vie du seul homme que j'aie jamais aimé ! Ah, ton Romain a eu raison de se débarrasser de toi ! Elane l'inviolée ! Elane, la Haute et Puissante Dame, la Grande Prêtresse des Oracles. Ah, s'ils savaient tous ce que tu es vraiment !

– Dieda, personne ne t'a forcée de prononcer tes vœux, répondit Elane d'une voix défaite, personne. Quand j'ai été choisie, tu aurais pu reprendre ta parole, et quand tu es partie en Erin, personne ne t'a obligée à revenir. Je te l'ai déjà dit, souviens-t'en, mais sans doute n'étais-tu pas alors en état de comprendre.

Elle s'efforçait de parler calmement, mais les paroles de Dieda l'avaient meurtrie au plus profond d'elle-même. Plus fortement encore que l'offense perpétrée par Kerig.

– Moi aussi, je t'ai avertie de ce qui pourrait t'arriver si tu trahissais notre peuple, reprit sa rivale, telle une furie. Kerig avait raison, Elane ! Tu es depuis toujours au service de Rome.

Elane leva la tête et, tremblante d'indignation, regarda bien en face le visage si semblable au sien.

– Je jure… que j'ai toujours servi la Déesse de mon mieux, articula-t-elle d'une voix rauque. Que le ciel m'écrase, que la terre m'engloutisse, si je mens ! Je demeure la Haute Prêtresse de Vernemeton et si tu penses ne pas pouvoir servir la Déesse à mes côtés, alors, pars et va rejoindre qui tu veux !

Lentement, Dieda secoua la tête, une indéfinissable expression sur son visage, plus effrayante encore que sa rancœur.

– Non, je ne te quitterai pas, siffla-t-elle tel un monstre malfaisant. Pour tout l'or du monde, non, je ne te quitterai pas maintenant car je veux être présente à l'heure où la Déesse te foudroiera !

LA COLLINE DU DERNIER ADIEU

*
* *

Senara, répondant au message de Gaius, attendait déjà devant la porte de la hutte quand il arriva. Ses cheveux lumineux se détachaient comme une flamme sur le feuillage sombre des arbres.

— Ainsi tu es venue, dit-il d'une voix douce.

— Oui, je suis venue pour que nous parlions de ma foi et dans l'espoir de vous convaincre. Le père Petros n'est pas là. Sans doute sera-t-il bientôt de retour.

— Il va pleuvoir. Entrons-donc. Le père Petros pardonnera à deux pauvres voyageurs venus se réfugier sous son toit.

— Il pardonnerait d'autant mieux, s'ils étaient tous les deux convertis, observa-t-elle non sans malice.

Ils pénétrèrent à l'intérieur. Le mobilier du prêtre était rudimentaire : quelques bancs délabrés et, dans un coin, un vieux lit clos. Dehors, un coup de vent suivi d'un grondement de tonnerre, précéda une averse qui se transforma en déluge.

— Eh bien, il était temps, bellissima ! s'exclama joyeusement Gaius.

— Ne m'appelez pas ainsi, protesta-t-elle timidement.

— Et pourquoi ? La vérité n'est-elle pas une vertu chrétienne ? Faut-il donc que je mente ?

— Ne parlons pas de moi. Je suis venue pour que nous parlions de votre âme !

— Mon âme ? Es-tu d'abord bien sûre que j'en possède une ?

— Ne plaisantez pas ainsi. L'âme est en nous l'essentiel, mais nous ne pouvons ni la voir, ni la sentir.

— En te regardant, je m'en persuade et c'est pourquoi tu m'apparais comme la plus désirable de toutes les femmes.

Au-dessus d'eux l'orage redoubla et un éclair illumina la hutte.

Senara tressaillit.

— Ce n'est pas bien de me parler ainsi, murmura-t-elle rougissante.

— Pourquoi ? Je pense au contraire que c'est très bien. N'est-ce pas pour cela que la femme a été créée ?

La jeune fille se retrouvant en terrain connu, sa réponse fut immédiate :

— Les Ecritures nous enseignent que nous avons été créés pour adorer Notre Seigneur.

— Comme c'est triste et insuffisant ! Si j'étais Dieu, je demanderais bien davantage aux hommes.

— Ce n'est pas à la créature de remettre en question la volonté du Créateur.

— Pourquoi non ? insista Gaius.

— Parce qu'il n'y a rien de plus beau que d'adorer notre Seigneur !

Empourprée, Senara était encore plus belle et Gaius ne résista pas à la tentation de la pousser dans ses derniers retranchements.

— Senara, reprit-il doucement, comme pour toi, l'Ile de Bretagne est à moitié mon pays. Ma mère appartenait à la lignée royale des Silures. Elle est morte quand j'étais très jeune en mettant au monde une fille qui n'a pas vécu. Macellius, mon père, m'a donc élevé seul et m'a donné les meilleurs précepteurs qui m'ont enseigné le latin et le grec ; et puis, il y a eu la Légion. Sur les conseils de mon père, j'ai épousé Julia quand j'étais encore très jeune. Or, comme tu le sais peut-être, ma femme a fait vœu de chasteté. Imagine ma solitude. Si nous étions mariés, toi et moi, ferais-tu toi aussi vœu de chasteté ?

— Non, répondit-elle, rouge de confusion. Paul a écrit que ceux qui se marient doivent rester dans l'état de mariage.

— Ainsi donc, si je t'avais épousée, tu ne m'aurais pas repoussé comme Julia le fait ? insista-t-il encore.

— Jamais je n'aurais manqué à mon devoir d'épouse...

— Senara... As-tu pris un engagement envers le Sanctuaire de la Forêt ?

LA COLLINE DU DERNIER ADIEU

Il s'était rapproché de la jeune fille qui, les yeux baissés, fixait le sol.

— Non. Les prêtresses ont toutes été compréhensives ; elles m'ont demandé très peu de chose en échange de leur hospitalité. Mais je ne peux servir la Déesse sans renier mon héritage romain. Il va bientôt falloir prendre parti.

— Je te propose une autre alternative. Son pouls s'accéléra, sa voix prit des accents passionnés. Je ne considère plus Julia comme ma femme depuis qu'elle se refuse à moi. N'oublie pas Senara que nous avons été, elle et moi, seulement mariés selon la loi romaine et non selon les rites chrétiens. Ton oncle Valerius est un homme juste et bon ; il accepterait sûrement que je t'enlève au Sanctuaire de la Forêt.

Elle était un oiseau lumineux voletant à portée de sa main, comme Elane lorsqu'elle était venue à lui le soir de Beltane. Mais Elane et Julia l'avaient rejeté ; elles n'étaient plus pour lui que des ombres chassées par l'éclatante réalité de cette jeune fille dont la présence l'enflammait.

— Si cela se pouvait, balbutia-t-elle, où irions-nous ?

— A Londinium, ou même à Rome si tu veux. De grands bouleversements sont en cours. Je ne veux t'en dire plus, mais nous ferions tant de choses ensemble si tu acceptais de venir avec moi !

De toute la force de sa volonté, il se retenait de la prendre dans ses bras, sachant qu'en agissant ainsi, il risquait de la perdre. Elle leva les yeux vers lui et rencontra son regard brûlant. Loin de s'enfuir, elle lui avoua d'une voix timide :

— J'aimerais tant savoir que faire.

Alors, il osa caresser ses mains, les effleura plutôt pour ne pas l'effrayer.

— Mon Dieu, aidez-moi ! murmura-t-elle. Dites-moi que c'est Vous qui voulez nous rapprocher.

— Je vais aller trouver ton oncle, poursuivit-il sans lui répondre et le prierai de me donner mandat pour que tu quittes Vernemeton. Sois prête à partir lorsque je viendrai te chercher. Quand la prochaine lune se lèvera, Senara, nous serons toi et moi sur la route de Londinium.

Une fois encore, il se retint de la prendre dans ses bras, mais la jeune fille, devinant son hésitation, lui accorda alors la plus grande des récompenses. Elle se dressa sur la pointe des pieds et murmura :

— Mon frère, échangeons le baiser de paix.

— Ah, ce n'est pas ce baiser-là que je veux de toi ! chuchota-t-il en frôlant de ses lèvres sa chevelure ondoyante. Un jour, tu sauras...

Elle s'écarta de lui sans qu'il la retînt et, au même moment, ils entendirent les pas de l'ermite approcher. La tourmente s'était apaisée sur la forêt et il entra dans la cabane avec un rayon de soleil. Comme il ouvrait la bouche pour manifester sa surprise, Senara le devança avec un aplomb et une aisance déconcertants.

— Réjouissez-vous, mon Père, s'exclama-t-elle joyeusement. Gaius Macellius vient de me promettre de m'arracher au Sanctuaire de la Forêt et de me trouver un nouveau foyer, peut-être même à Rome.

Le père Petros, moins naïf qu'elle, lança à Gaius un regard pénétrant.

— Senara dit vrai. Elle s'efforce de me persuader, mon Père, de devenir l'un de vos catéchumènes.

— Et quelles sont vos intentions ? demanda l'ermite d'un air dubitatif.

— Je dois dire qu'elle se montre très convaincante. Je suis fort ébranlé, et vous demande seulement, avant de m'engager définitivement, de m'accorder encore quelques jours de réflexion.

XXIX

– ELANE ! Elane ! L'Empereur est mort !

Senara entra dans la pièce en coup de vent, puis s'arrêta net, cherchant à retrouver la dignité qu'elle montrait toujours en présence de la Haute Prêtresse de Vernemeton.

Elane lui sourit, posa son fuseau sur une petite table et invita la jeune fille à venir s'asseoir auprès d'elle. Depuis que Kellen n'était plus là, elle appréciait de plus en plus la reposante et juvénile compagnie de la jeune fille, grâce à laquelle elle oubliait, quelques instants, sa noire mélancolie.

– Eh bien, lui dit-elle avec bienveillance, raconte-moi. Es-tu bien sûre de cette nouvelle ?

– Oui, tout à fait sûre ! C'est l'homme qui nous apporte tous les matins des œufs frais qui l'a appris à Deva, expliqua Senara, les yeux brillants d'excitation. L'Empereur a été assassiné juste avant l'Equinoxe et, de la Calédonie à la Parthie, l'Empire tout entier bourdonne comme une ruche renversée ! Certains affirment que le nouvel Empereur sera un sénateur, d'autres pensent qu'une des Légions élèvera son chef à la pourpre impériale. Bref, plusieurs réclament le pouvoir, et une guerre civile est probable !

– Et à Deva, comment réagit-on ? demanda Elane quand elle put enfin placer un mot.

– Les hommes de la Vingtième Légion sont inquiets, mais ils s'en tiennent là pour l'instant. Leur Commandant a décidé d'organiser une grande fête, avec distribution de vin et de cervoise à discrétion. Dame, à votre avis, que va-t-il se passer ?

– Les officiers romains veulent sûrement distraire leurs hommes pour éviter toutes réactions violentes de leur part, dit Elane en poussant un soupir. Espérons que les choses se passeront ainsi et que l'ivresse dans la troupe ne réveillera pas au contraire chez certains de funestes instincts guerriers.

– Et le successeur de l'Empereur ? demanda encore Senara. Les sénateurs vont-ils prendre le pouvoir et rétablir la République ?

– Je ne sais et me sens beaucoup plus concernée par le sort réservé à notre peuple, lui répondit Elane visiblement préoccupée. On m'a prévenue. La mort de l'Empereur peut être une occasion rêvée pour soulever les tribus de l'Ile de Bretagne. Souhaitons ne pas connaître, nous aussi, une guerre civile.

– Qu'allons-nous faire alors ? demanda Senara, subitement inquiète.

– Pour l'instant, écoute-moi. Prends cette étoffe et porte-la chez les druides. Comme tu n'as pas encore prononcé tes vœux, ils n'y verront rien d'anormal. Demande-leur, en toute innocence, s'ils ont appris l'événement et rapporte-moi leurs propos.

Avec un sourire de connivence, Senara se leva et se précipita vers la porte, déployant une énergie que son aînée ne put s'empêcher d'envier.

Sentant venir la migraine qui la tourmentait depuis plusieurs jours, la Haute Prêtresse se leva à son tour. « Allons, se dit-elle, un jour viendra où, la paix régnant enfin, on me pardonnera mes erreurs. Mais, pour l'heure il faut se résigner encore à l'angoisse et à l'incertitude. Mon fils... » Mais une

390

douleur fulgurante brouilla sa vue et son entendement et elle sombra, comme frappée par la foudre, dans les ténèbres et le néant.

Lorsqu'elle revint à elle, effondrée sur une table qui avait miraculeusement amorti sa chute, sa première pensée fut qu'elle avait été victime de l'une des drogues absorbées avant l'Oracle, certaines plantes étant très dangereuses si l'on forçait malencontreusement la dose. Le malaise qui venait de la terrasser n'avait sans doute pas d'autre cause. Aucun avertissement précis ne lui avait été d'ailleurs adressé à moins... à moins que cet évanouissement ne fût le signe justement de sa mort prochaine.

« Ma mission ici-bas va-t-elle s'achever ? se demanda-t-elle en se relevant. La Déesse, en me frappant soudain, vient-elle de s'exprimer ? Si c'est Sa volonté, d'avance je m'y soumets. Mon avenir est dans Ses mains. Pour Elle, avant de disparaître, je serai sa dernière messagère de paix et non de guerre. »

★
★ ★

L'automne apporta au-dessus des marais du Pays de l'Été son cortège de brume dorée qui s'enroula autour du Tor pour ne presque plus le quitter. Kellen montait souvent, le matin, jusqu'aux pierres levées pour méditer, et il lui semblait alors dominer du haut d'une île, une mer mystérieuse et houleuse au-delà de laquelle, très loin à l'horizon, dans l'immensité des forêts, se dressait la silhouette d'Elane toute seule qui l'appelait au secours.

Cette vision obsédante ne la quittant plus guère, il lui sembla un jour, au sortir d'une nuit agitée, entendre tout près d'elle la voix pressante de son amie clamer :

« Dans les ténèbres, sous la menace d'une mort imminente, ô Sœur, deux fois ma Sœur, je t'appelle ! »

LA COLLINE DU DERNIER ADIEU

Alors elle sut, par les serments qui les liaient l'une à l'autre, prêtresses du Bosquet Sacré, mais aussi sœurs par le sang échangé, qu'il lui fallait d'urgence retourner auprès d'elle. Trois jours à peine lui seraient nécessaires pour la rejoindre. Voyager à pied et en vêtement masculin eût été plus sûr, mais personne ne l'aurait laissé faire. Elle partit donc, quelques heures plus tard, dans la litière qui l'avait amenée revêtue des insignes de son état. De jeunes prêtres l'escortaient. La pluie s'étant mise à tomber à seaux, leur progression fut plus lente et ils ne parvinrent qu'au bout de deux jours de voyage à Aquae Sulis, d'où ils s'engagèrent sur la voie romaine qui menait à Glevum. L'eau ayant creusé des trous énormes et soulevé les pierres, son état était déplorable et les ornières si profondes qu'un char n'aurait jamais pu passer et encore moins un chariot tiré par des bœufs.

Kellen, se félicitant donc de son équipage, venait à peine de s'endormir que, des profondeurs de la forêt, surgirent des hommes sales et hirsutes vêtus de haillons, esclaves en fuite ou criminels qui proliféraient dans tout le pays depuis la mort de l'Empereur.

– Arrière, vous tous ! s'exclamèrent les prêtres qui précédaient la litière. Nous escortons une grande Prêtresse.

– Une grande Prêtresse ? La belle affaire ! Y'a sur tous les marchés des bateleurs qui lancent aussi des flammes !

Et ils s'esclaffèrent bruyamment.

Kellen, réveillée en sursaut, se rendant compte aussitôt qu'il serait difficile de les impressionner, résolut d'employer une méthode qu'elle crût beaucoup plus convaincante.

Ecartant son rideau, elle les fixa de son regard tranquille, et sortant une bourse qu'elle portait à sa ceinture, prit un denier et le tendit au plus proche.

– La charité est un devoir envers les dieux, dit-elle avec une politesse distante. Tenez, mon brave, pour vous et vos compagnons...

L'homme la regarda un instant, puis éclata d'un rire gras.

– Nous ne voulons pas de cette charité, dame, expliqua-t-il, simulant une politesse exagérée. Offrez-nous d'abord la bourse que vous êtes seule à pouvoir nous ouvrir, ricana-t-il, déclenchant l'hilarité grivoise des gueux qui l'entouraient.

Kellen comprit alors ce qu'ils voulaient d'elle. La surprise, cédant la place à l'indignation, provoqua en elle un afflux de l'énergie naturelle qu'elle avait le pouvoir d'exercer en cas de danger absolu. Elle leva les mains vers les nuages, et tira à elle un faisceau d'ondes destructrices. Sentant venir un péril, le gredin tout près d'elle perdit son assurance et lui assena alors sur la tête un coup de gourdin qui la fit s'évanouir, en même temps qu'un éclair fulgurant zébrait l'espace autour d'eux, faisant trembler la terre dans un assourdissant coup de tonnerre.

★
★ ★

Elane, depuis son violent malaise et sa perte de conscience, s'efforçait d'accepter la volonté divine. La Déesse, elle en était maintenant convaincue, veillerait sur Vernemeton et son peuple, mais un doute subsistait quant à l'avenir de son enfant. Ah ! si Kellen n'avait pas été si loin, elle aurait pu, en toute confiance, lui remettre Gavain. Elle seule, comme une mère, aurait veillé sur lui, lui aurait assuré son avenir. Disparaître n'est rien, se répétait-elle inlassablement, rien si Gavain vit heureux après moi. Mais que faire, que prévoir ? Combien de temps me reste-t-il à vivre ?

Comme la nuit tombait, Senara entra pour allumer les lampes. La jeune fille fit lentement le tour de la pièce et, frottant l'un contre l'autre un éclat de silex et un morceau de fer, embrasa tour à tour les mèches qui éclairèrent la cellule d'une lumière vacillante. Ayant fini sa tâche, elle contempla un long moment la dernière lampe allumée.

— Eh bien, mon enfant, qu'y a-t-il ? demanda Elane, étonnée par son attitude. Tu ne te sens pas bien ?

— Oh, Elane, Elane !

Et la petite éclata en sanglots.

— Mais que se passe-t-il ? Viens vite me dire tout cela, dit doucement Elane, faisant signe à la jeune fille de prendre place à côté d'elle sur le banc. Comment, tu pleures ? Mais pourquoi ? Pourquoi ce chagrin ? Allons raconte-moi, tu sais bien que je peux tout comprendre.

— Oh oui, vous êtes si bonne et je ne le mérite vraiment pas !

Et elle s'effondra aux pieds d'Elane en sanglotant de plus belle.

— Allons, reprends-toi ! Que veulent dire ces larmes ? Quelle qu'en soit la raison, ne te mets pas en pareil état. Cesse de pleurer et viens t'asseoir près de moi.

— Je ne sais comment raconter ce qui m'arrive, avoua-t-elle enfin en se levant, la voix étouffée par les pleurs.

Elane, imaginant brusquement la raison de son désespoir, essaya de l'aider à parler :

— Tu ne veux pas prononcer tes vœux définitifs, c'est cela ?

Senara leva les yeux. A la lueur des lampes, les larmes sur ses joues laissaient des traces brillantes.

— Oui, mais ce n'est qu'une partie de ce que j'ai à dire, murmura-t-elle, et la plus facile à avouer. Elle chercha ses mots : Dame, je ne suis plus digne de vivre ici ; je n'ai pas la vocation et, si vous saviez, vous me jetteriez dehors...

— Mon enfant, il se peut qu'aux yeux de la Déesse, nulle d'entre nous ne soit digne de vivre dans ce sanctuaire. Cesse donc de pleurer, et dis-moi franchement la vraie raison de ton tourment.

Senara se calma un peu et, sans toutefois pouvoir affronter directement le regard d'Elane, balbutia d'une voix à peine audible :

— Je... J'ai rencontré un homme... et il veut m'emmener avec lui...

Elane la serra dans ses bras.

— C'est donc cela, ma chère petite ! murmura-t-elle. Mais

tu es libre ! Personne ne t'empêchera de partir et de te marier si tu le désires. Tu vis parmi nous depuis ta plus tendre enfance, mais rien de définitif n'a été décidé à ton sujet. Donne-moi seulement quelques explications. Et d'abord où as-tu connu cet homme ? Qui est-il ? Comme je viens de te le dire, je ne vois aucune objection à ce que tu te maries, mais je me sens pour toi une responsabilité de mère et voudrais être sûre que ton choix est le bon.

N'en revenant pas, abasourdie par la mansuétude et la générosité de son aînée, Senara contempla Elane avec reconnaissance. Non seulement elle ne se mettait pas en colère, mais ne s'opposait même pas à ses projets et consentait à la laisser libre.

— Je l'ai rencontré à l'ermitage du père Petros, déclara-t-elle rassérénée. C'est un Romain, un ami de mon oncle Valerius... Il s'appelle Gaius.

— Gaius !... bredouilla Elane d'une voix altérée, une vision de cauchemar engluant son esprit. Elle ferma les yeux, frappée au cœur, puis les rouvrit, regardant sans la voir la jeune fille interloquée. Gaius ! dis-tu ? C'est impossible ! Veux-tu me faire croire que c'est cet homme que tu aimes ?

— Oui ! Pourquoi ? Est-ce mal ? questionna Senara, interdite.

La Haute Prêtresse voulut parler, mais aucun son ne sortit de sa bouche. Entrouvant les lèvres, elle aspira alors un peu d'air, et réussit à dire tout bas :

— Malheureuse, ignores-tu donc la vérité ?

— Quelle vérité ? Je sais qu'il a une épouse romaine qui se refuse à lui. Je sais aussi qu'il divorcera d'elle avant de m'épouser...

— Et tu l'as cru ! l'interrompit Elane d'une voix terrifiée. Ainsi, tu le laisserais abandonner ses trois filles ! T'a-t-il aussi parlé de notre fils ?

— Votre fils ? Stupéfiée, Senara était devenue toute pâle. Dites-moi que ce n'est pas vrai ! protesta-t-elle, pouvant à peine parler.

– C'est la vérité ! Pars avec lui si tu veux, tant qu'il en est encore temps ! Pars vite, avant qu'il ne soit trop tard.

Sa voix se brisa.

Eperdue, Senara se jeta dans ses bras.

– Non, je ne le veux pas ! Je ne le veux plus pour tout l'or du monde ! Ah, si vous saviez ! Je voulais le sauver et il n'a réussi qu'à ruiner nos deux vies !

*
* *

Traînant dans les tavernes, l'esprit embrumé par les libations, Gaius, depuis des jours ou des semaines, il ne le savait plus, ressassait son désespoir. Attablé ce soir dans un coin sombre de l'Aigle Bleu, il sentait sa vie et son avenir se diluer plus que jamais dans le néant. Senara ne l'aimait pas, Julia ne l'aimait plus. Quant à Elane, elle ne l'avait jamais aimé. Tout était vain et impossible : son divorce avec Julia, son mariage avec Senara, son espoir de vivre avec son fils.

Comme il cherchait à se saisir d'un pot de bière sur la table, une main se ferma sur son poignet. Il leva un regard trouble vers l'homme qu'il n'avait pas entendu venir, et reconnut Valerius.

– Par Mercure, vous m'avez fait courir ! maugréa ce dernier examinant Gaius avec réprobation. Décidément, la discipline dans la Légion se relâche ! Ecoutez-moi cependant, car l'heure est grave. Hier au soir, je me trouvais avec des Légionnaires détachés auprès du Questeur. Peu importe leur nom. Ce qui importe, c'est qu'ils se livraient à des conjectures sur le sort réservé aux Prêtresses de Vernemeton. L'un d'eux a déclaré : « Ces femmes ne sont pas de véritables Vestales. Elles sont tout juste des barbares comme les autres. » Malgré mes protestations, ils ont fait alors le pari d'enlever l'une d'elles, avançant pour certain qu'il ne serait même pas question de sacrilège. J'ai d'abord cru qu'il s'agissait d'un pari d'ivrogne, rien dont il fallût s'inquiéter, mais ce soir, trois hommes manquaient à l'appel et j'ai appris qu'ils se préparaient à quitter Deva à l'aube pour se rendre à Vernemeton. Gaius, il faut les empêcher de commettre cette folie ! Vous seul pouvez le faire. Votre père et vous-même connaissez les Brittons mieux que quiconque. Or, vous savez ce qu'il arrivera si l'on surprend ces insensés en train de violer une prêtresse du Sanctuaire de la Forêt ! Un soulèvement général à côté duquel la rébellion de Boadicée aura l'air d'une broutille éclatera aussitôt et nous serons bien incapables de faire front. Empêchez cela, je vous en prie. Vous avez toute la nuit pour vous remettre et vous y préparer.

– C'est bon, j'irai, acquiesça Gaius faisant effort pour retrouver sa lucidité. J'irai...

Le monde entier risquait de basculer, il ne pouvait se dérober. A l'occasion des fêtes de Samain la moitié des peuplades de l'ouest convergerait vers Vernemeton pour assister aux cérémonies. Peu importe ce que Elane et Senara pensaient de lui ; il savait qu'elles étaient en danger. Son devoir, peut-être sa seule raison d'être désormais, lui commandait de les sauver.

– Rassure-toi, Valerius, je te ramènerai ta nièce ! dit-il en se levant. Dès l'aurore demain, je quitterai Deva.

★
★ ★

Jamais les jours ne parurent aussi longs à Elane que ceux qui précédèrent les rites de Samain. L'avertissement d'une mort prochaine qu'elle avait reçu la rongeait ; la graine semée s'était développée en elle comme une fleur vénéneuse qui s'épanouissait maintenant dans tout son corps. Son cœur battait si fort qu'il lui infligeait par instants une douleur plus grande que celle qu'elle avait ressentie lors de son accouchement. Mais n'était-elle pas aussi atteinte dans son âme ?

LA COLLINE DU DERNIER ADIEU

Son sommeil était traversé de rêves chaotiques ; elle avait vu Kellen encerclée par une troupe de brigands et la prêtresse, les mains levées au ciel, diriger sur eux un éclair mortel avant de s'effondrer sur le sol. Mais elle n'avait pu percevoir si elle était encore en vie.

Ce matin, elle se dirigeait, tout engourdie, vers la chambre où dormait Gavain. « Ah, dieux, si seulement Kellen était ici, se dit-elle en poussant la porte, je ne me sentirais pas si désespérément seule... »

Penchée sur le lit où reposait son fils, elle s'attarda un long moment à le regarder. Etait-il possible qu'il n'entendît pas les battements de son cœur ? Comment imaginer que ce fils, qui grandissait chaque jour, ait pu tenir dans les deux mains de son père ? Cher petit être engendré dans la forêt lors d'un moment de bonheur intense, fruit d'un amour si grand, si sacré ! Gavain, Gaius ! Tellement semblables et pourtant si lointains... Gavain, mon fils et toi Gaius que j'ai pourtant aimé, m'avoir trahie comme tu viens de le faire...

Portant la main à la petite dague courbe qui pendait à sa taille, Elane la serra convulsivement. Ne lui servait-elle pas au cours des rites, à faire couler la goutte de sang qui tombait dans le chaudron des prophéties ? D'un coup sec et profond à son poignet, il serait si facile de mettre fin à ses tourments terrestres, de se soustraire ainsi au sort promis par la Déesse. Mais alors, que deviendrait Gavain ?

Renonçant à devancer la marche du destin, elle regagna silencieusement sa cellule et fit appeler Senara qui arriva la jupe froissée et les yeux rougis comme si elle venait de pleurer.

— Oh, Dame, j'ai tant de peine pour vous, pour moi, s'écria-t-elle se jetant à ses pieds.

— Allons, relève-toi, mon enfant. Le temps des larmes n'a plus de raison d'être. La Déesse vient de me faire connaître que ma mort était proche.

— Non, ce n'est pas possible ! gémit la jeune fille poussant un cri suraigu. Il est écrit dans les livres sacrés que nul ne peut connaître l'heure de sa mort !

— Une Haute Prêtresse échappe à cette loi commune. Ainsi le veulent les Dieux ! Je sais avec certitude que s'achève ma route ici-bas. C'est pourquoi je t'ai demandé de venir. Ecoute, maintenant. Une seule chose au monde compte pour moi avant de m'en aller et toi seule peut m'aider à partir tranquille. Gaius et moi avons eu un fils, tu le sais. Eh bien, ce fils, mon fils, c'est Gavain. Je veux que tu épouses Gaius et que tu emmènes son fils avec toi. Jure-le moi, acheva-t-elle d'une voix brisée, et promets-moi seulement d'être une bonne mère pour lui.

— Non, supplia Senara, d'une voix étranglée, non ! Pas Gaius Severus, même s'il ne restait qu'un seul homme sur la terre.

— Senara, n'as-tu pas pris l'engagement de m'obéir en toutes circonstances ? Veux-tu donc renier tous tes serments ?

— Elane, je ne peux faire que ce que je crois bien, implora-t-elle les yeux pleins de larmes. Incapable de poursuivre, elle s'arrêta un instant, puis reprit haletante : Elane je ferai tout pour Gavain, tout ! Mais pour Gaius...

— C'est bon ! Si tu refuses, tu peux t'en aller. Nous n'avons plus rien à nous dire.

— Non ! Jamais je ne vous abandonnerai ! balbutia la jeune fille éclatant en sanglots.

— Alors, pour l'amour de moi, jure-moi de prendre soin de mon fils.

— Je le jure pour l'amour de Gavain mais avant tout je vous demande de vivre ! Vous avez un enfant, votre vie ne vous appartient plus. Il faut vivre pour l'aimer et le voir grandir. Quant à Gaius...

— Non, je t'en prie, ne parlons plus de lui !

— Dame, je peux vous assurer qu'il vous aime toujours, vous et votre fils.

— Gaius m'a oubliée.

— Non ! Je suis sûre que non, insista Senara avec force. Permettez-moi au moins de lui parler, de lui rappeler ses devoirs envers vous et son fils. Je suis certaine de le toucher au cœur, de faire renaître en lui ce qu'il y a de meilleur.

— Tu ferais cela pour moi ? chuchota Elane toute remuée, sentant soudain se déchirer en elle la fragile cuirasse dont elle s'était bardée. Eh bien, si tu le veux, et si je survis à Samain, je t'autorise à essayer. Mais avant toute chose, promets-moi de mettre Gavain en lieu sûr. J'ai si peur pour lui, si peur de tout ce qui peut arriver pendant les cérémonies. Demain, non, ce soir même, quitte Vernemeton et emmène Gavain chez le père Petros. Là-bas, il sera protégé et personne n'aura jamais l'idée de vous y rechercher.

XXX

K ELLEN, dès qu'elle revint à elle, comprit qu'elle était restée inconsciente très longtemps. Il faisait sombre et ses vêtements étaient trempés. Etendue dans un chariot qui cahotait sur les creux et les bosses du chemin, elle s'aperçut qu'il était encadré par cinq ou six gaillards armés de gourdins et portant des torches. Sans doute avaient-ils réussi à mettre en fuite ses assaillants. Toujours est-il que, miraculeusement, elle n'avait pas été violée.

L'un des paysans, la voyant reprendre ses esprits, s'adressa respectueusement à elle :

– Dame, vous avez eu de la chance ! Les dieux veillaient sur vous. Nous sommes arrivés à temps. Hélas, vos prêtres étaient déjà égorgés. L'un d'eux, avant de mourir, a eu la force de nous dire cependant qui vous étiez et où vous alliez. Ah, vivement que nous ayons un nouvel Empereur pour que tout rentre dans l'ordre ! Comme on faisait la route en sens inverse, on va vous amener jusqu'au prochain village où vous pourrez vous procurer des porteurs et des gardes.

Horrifiée, pelotonnée sous une couverture grossière, Kellen remercia ses sauveurs avec effusion, tout en réalisant avec

401

angoisse que malgré leurs efforts, elle n'arriverait jamais à temps à Vernemeton pour les fêtes de Samain.

★
★ ★

Gaius, surpris de dépasser sur son chemin tant de monde, chevauchait vers le Sanctuaire de la Forêt. Agacé par d'incessants encombrements et par l'hostilité évidente qu'il lisait dans de nombreux regards, il décida brusquement d'abandonner la voie romaine et d'emprunter un chemin de traverse qui, passant à côté de l'ermitage du père Petros, menait directement à Vernemeton.

Un vent froid faisait cliqueter les branches dénudées comme les os d'un squelette. Samain qui fêtait les morts n'était-il pas, selon les Romains, un jour de mauvais augure ? En tout état de cause, n'était-il pas lui-même le jouet de la fatalité, un soldat acceptant d'avance son sort avant la bataille, persuadé que la mort valait beaucoup mieux que le déshonneur ? Que lui restait-il d'ailleurs de son honneur à lui, désormais ?

La beauté automnale et austère des bois qu'il traversait l'émouvait malgré lui. Oui, ce pays, il l'aimait maintenant et, quelle que fût l'issue du conflit, il savait qu'il ne retournerait jamais à Rome. Il avait tout fait pour répondre aux ambitions de son père mais n'avait finalement pu y adhérer complètement. Ici au milieu des tribus, il se sentait chez lui. Sous l'uniforme romain, battait dans son cœur le sang de deux races mêlées.

Parvenu à proximité de la cabane, il vit de la fumée monter du toit et songea un instant à s'y arrêter. Mais l'endroit lui rappelant de trop douloureux souvenirs, il piqua des deux et poursuivit sa course.

Lorsque les toits du sanctuaire émergèrent dans l'enchevêtrement des branches, la nuit tombait. Il mit pied à terre et attacha son cheval à un arbre sans trop serrer la bride afin qu'il pût s'échapper si nécessaire. Puis, se fondant dans l'ombre, il commença à faire prudemment le tour des bâtiments tout en se maintenant à distance sous le couvert des arbres.

Voyant bouger un buisson devant lui, il s'avança aussi silencieux qu'un chat, et découvrit, tapis derrière, deux légionnaires qu'il reconnut aussitôt.

— Flavius, et toi Marcus, que faites-vous là ? gronda-t-il, en sourdine.

Médusés, les deux compères se relevèrent d'un bond et se figèrent au garde-à-vous.

— C'était une plaisanterie... risqua l'un d'eux, le visage terreux. Nous ne voulions absolument pas...

— Inutile de mentir davantage, je sais tout ! siffla Gaius contenant sa fureur avec peine. Pour l'instant, dites-moi plutôt où se trouve le troisième larron.

— Longus ? Il est déjà à l'intérieur...

— Le misérable ! Je me charge de lui, s'il en est encore temps ! Quant à vous disparaissez et regagnez sur-le-champ vos quartiers de Deva ! Un dernier mot : n'oubliez pas que votre vie est entre mes mains.

Les déserteurs ayant déguerpi sans demander leur reste, Gaius se glissa vers une porte de l'enceinte, souleva le loquet et se retrouva, après une vingtaine de pas effectués à tâtons, non loin de la cour où il avait vu jouer son fils. Se remémorant alors les propos de Senara concernant sa vie dans le Sanctuaire, il parvint à se situer à peu près et en déduisit que la Maison des Vierges devait se trouver devant lui, légèrement sur sa droite, les cuisines étant sûrement les bâtiments plus bas qui la prolongeaient.

Comme il se dirigeait vers un recoin très sombre de leur entrée, pouvant servir de poste d'observation, il effleura, près d'une haie touffue, un bras qu'il cloua aussitôt au sol, entraînant la chute d'un corps qui se débattit violemment.

— Longus ! souffla-t-il, maintenant sa main sur la bouche

de son prisonnier, c'est toi, tes armes te trahissent ! Pas un mot ! Tu as perdu ton pari. Tes camarades sont déjà en route pour Deva.

Desserrant son étreinte, Gaius libéra le légionnaire qui se remit debout en titubant.

— Je te conseille d'en faire autant si tu tiens à la vie, poursuivit Gaius d'une voix plus tranchante qu'un couperet. Va, et ne te retrouve jamais plus sur ma route !

Terrorisé, tel un animal pris au piège, l'homme rajusta maladroitement sa tenue, recula de quelques pas, puis faisant d'un seul coup demi-tour, détala dans la nuit.

Au même moment une porte s'ouvrit brusquement dans la cour et la lueur de plusieurs flambeaux troua l'ombre, projetant un cercle de lumière tout autour de Gaius. Des hommes en robe blanche se précipitaient sur lui.

« Les Druides ! » pensa-t-il, avant d'avoir le temps de réagir. Mais les coups déjà pleuvaient de toutes parts, et il s'écroula, le visage contre terre, sauvagement atteint à la tête par un gourdin.

La lune ne s'était pas encore levée dans le firmament parsemé d'étoiles. Elane sortit de sa cellule et se dirigea vers son père qui l'attendait dans l'antichambre.

— Eh bien, ma fille, es-tu prête ? demanda Benedig, revêtu d'une grande cape de cuir et des bijoux en or, insignes de sa dignité. Les cérémonies vont bientôt commencer.

— Je suis prête, répondit Elane, d'une voix ferme et à la fois lointaine, sachant qu'elle y participait pour la dernière fois.

Tenant à bout de bras son long bâton, le Haut Druide la contempla un instant, puis fit signe aux prêtres et aux femmes qui l'entouraient de les laisser seul à seul.

— Mon enfant, l'heure n'est plus à la dissimulation. Je sais maintenant comment procédait Ardanos pour imposer sa volonté et regrette de t'avoir accusée de traîtrise.

Elane, pour masquer sa colère, garda les yeux baissés. Elle était la Grande Prêtresse des Oracles depuis treize ans, la maîtresse absolue du Sanctuaire de la Forêt, la femme la plus respectée de tout son peuple. Et voilà que son père la traitait comme partie négligeable, ce père qui, un jour, avait osé lui dire qu'il préférait la voir morte plutôt que l'épouse d'un Romain ! Mais patience ! Il fallait attendre encore un peu, attendre que Senara et Gavain aient eu le temps de s'éloigner et de gagner, à la faveur des préparatifs de la fête, leur refuge dans la forêt.

— Qu'exigez-vous de moi ? se contenta-t-elle de répondre d'un ton neutre.

— Les Romains commencent à s'entre-déchirer, poursuivit-il en souriant d'un air cruel. C'est le moment ou jamais de nous soulever. Lorsque les portes s'ouvrent entre les mondes, arrive le temps de la vengeance et des massacres. Invoquons Cathubodva ; que remonte vers nous l'esprit de tous nos morts ! Enflamme les tribus contre Rome, ma fille, entraîne-les, de toutes tes forces, dans la bataille !

Elane réprima un frisson d'horreur. Dire qu'elle en avait tant voulu à Ardanos, pensa-t-elle. Mais Ardanos était un sage à côté de son père, dangereux fanatique prêt à tout sacrifier pour ses idéaux ! Que fallait-il donc faire pour contrer ses rêves sanguinaires et épargner son peuple ?

Un bref et douloureux élancement à la tempe venant lui rappeler que son temps était compté, elle répondit pour retarder le départ :

— Père, Ardanos interprétait mes réponses comme il l'entendait. Je suppose que vous ferez de même. Vous ne semblez cependant pas saisir ce qu'est la transe sacrée et la façon dont se manifeste la Déesse…

C'est alors qu'un grand tumulte venant de l'extérieur l'empêcha de poursuivre. Son père se tourna vers la porte qui s'ouvrit sous la poussée brutale d'une cohorte de prêtres traînant derrière eux un corps.

— Que se passe-t-il ? demanda Elane instinctivement saisie d'une angoisse indicible. Quel est cet homme et pourquoi est-il dans cet état ?

— C'est un Romain, un intrus, un impie, Dame ! cria un druide. Nous venons de le surprendre près de la Maison des Vierges. Un de ses complices a malheureusement pu s'enfuir.

Elane, pétrifiée, ferma les yeux. Malgré le sang et la poussière qui maculaient son visage tuméfié, elle venait de reconnaître la silhouette désarticulée du seul homme qu'elle avait aimé sur la terre. Gaius ! Hier, aujourd'hui, demain, pitoyable ou resplendissant, elle l'aurait reconnu entre mille... Pourquoi était-il revenu ? Pour Senara ? Pour son fils ? Pour elle ?...

C'est alors que Dieda, fendant la foule, parvint près du corps qui gisait à terre.

— Ne le reconnaissez-vous donc pas, vous tous ? s'écriat-elle désignant Gaius. Vous avez des excuses, c'est vrai ! Il est beaucoup moins beau qu'avant ! Vous avez pris un gros poisson dans vos filets ! Regardez ! Regardez bien, et vous verrez sur son épaule la cicatrice d'un piège à sangliers !

Un voile noir et rouge obscurcit un instant le regard d'Elane. « Elle aurait dû être la fille de Benedig ! » pensat-elle, éperdue.

Les prêtres levèrent la tête du malheureux.

— Il se nomme Gaius Macellius Severus Siluricus ! tonna Benedig d'une voix triomphante. C'est le fils du Préfet ! Avoir osé franchir les portes du Sanctuaire pour s'approcher de la Maison des Vierges est un abominable sacrilège !

— Nous le condamnons tous sans appel, clama un prêtre. Mais nous ne pouvons hélas nous en prendre à lui. Il faut le faire sortir d'ici immédiatement. Les Capes Rouges ne nous pardonneraient pas d'avoir fait justice en condamnant l'un des leurs.

— Tu as raison, approuva Benedig, avec un sourire perfide. Mais qui saura, sinon nous, qu'il est tombé entre nos mains ?

— Ainsi, tu veux le faire disparaître secrètement ?

— Non pas secrètement mais aux yeux de tous au contraire, susurra Benedig avec une joie mauvaise. Ne comprenez-vous donc pas ? Sa capture est un signe divin. Quelle plus noble offrande pouvions-nous trouver pour les dieux, que le sacrifice exaltant de sa mort ?

Un grand silence accueillit la sentence du Haut Druide. A peine se firent entendre çà et là quelques murmures de réprobation. Voulant devancer à tout prix un éventuel retournement de la situation, Benedig donna donc brièvement ses ordres :

— Qu'on relève le prisonnier et qu'on lui passe la plus belle de nos robes de cérémonie !

Elane voulut intervenir, mais aucun son ne put franchir ses lèvres. Paralysée par l'implacable déroulement des événements, elle savait que nulle force au monde n'entraverait plus maintenant l'accomplissement du destin.

— Allons ! reprit Benedig, dévoré par sa folie vengeresse, qu'on se hâte ! Qu'on baigne le Romain soigneusement et qu'on nettoie ses plaies. Et quand il sera prêt, qu'on veille bien à lui remettre ses liens.

Les prêtres sortirent, traînant Gaius toujours inanimé. Anéantie par la douleur, Elane s'effondra sur un banc.

— Ainsi tu savais donc qu'il allait venir ? l'apostropha Benedig menaçant, dès qu'ils furent seuls. Ainsi tu continuais à voir ce monstre ?

— Non, c'est faux ! Je le jure par la Déesse.

— Peu importe d'ailleurs que tu me dises la vérité ou non, grommela le druide entre ses dents. La vérité, nous la saurons bientôt à la lueur des flammes de Samain.

« Voici qu'approche la Haute Prêtresse. Elle porte sa couronne d'herbes sacrées », auraient dû chanter les prêtres. Mais ce soir les paroles de l'hymne avaient changé :

LA COLLINE DU DERNIER ADIEU

Guerre, guerre ! Que nos bois
S'emplissent de guerriers !
Qu'ils se ruent sur leurs proies
Comme des loups affamés
Et de nos terres enfin
Qu'ils chassent les Romains !

Gaius poussa un gémissement, mais la pointe d'une lance l'obligea à marcher. Jamais la voie menant à la colline ne lui avait parue aussi escarpée. La dernière fois qu'il l'avait gravie, il était à la tête d'un détachement de légionnaires, le glaive au poing. Cette nuit, la robe brodée dissimulait son corps et ses blessures et son front était ceint de la couronne sacrée. Quant au sort qui l'attendait tout en haut de la pente, il ne se berçait plus de la moindre illusion.

Parvenu au sommet du tertre où flamboyait un immense feu de joie, il chercha du regard Elane et l'aperçut immobile à côté de son père, Dieda et deux prêtresses se tenant légèrement en retrait derrière eux. Elane ! Etait-elle, elle aussi, prisonnière et savait-elle qu'il allait mourir ?

Qu'ils meurent tous et qu'enfin
Notre honte soit vengée !
Fauchons les rangs romains
Comme dans nos champs le blé !

chantait un chœur de prêtres aux visages menaçants.

L'hymne s'achevait et les tambours cessèrent de battre.

Alors des cris s'élevèrent dans la foule et Gaius comprit que la foudre allait bientôt le terrasser.

– Enfants de Dôn ! commença à clamer le Haut Druide d'une voix de stentor. A l'aube de l'année nouvelle, le temps des changements est arrivé ! Que soient balayés à jamais les Romains qui ont osé profaner notre Ile de Bretagne ! Gloire aux dieux de la guerre ! Qu'ils reçoivent ce soir le sacrifice qui leur est dû ! Gaius, traître a notre peuple, tu vas mourir ! Mais avant de périr, avoue pourquoi, méprisant tous nos

408

interdits, tu as violé notre Sanctuaire en franchissant honteusement l'enceinte sacrée ?

– Tuez-moi si vous voulez, mais je ne parlerai pas, répondit avec peine Gaius d'une voix rauque. Je peux dire simplement que mes intentions étaient pures.

– Pures ? Tu mens ! Qui voulais-tu souiller ? Qui voulais-tu séduire ? Parle ! répéta Benedig, ulcéré.

Sur un signe de sa part, une lance s'enfonça dans le flanc de Gaius pour l'obliger à parler, mais lui, livide, surmontant sa douleur, crispa violemment ses mâchoires et ferma les yeux.

Un nouveau coup de lance lui infligea une blessure encore plus cruelle et il sentit le sang couler tout le long de sa jambe.

« Je vais bientôt mourir, se dit-il, en se sentant faiblir. Peu importe ce qu'on va faire de moi mais que je meure vite ! Il faut donc à tout prix qu'avant... je voie, je parle une dernière fois à Elane. »

– Elane ! parvint-il à articuler, à bout de souffle, Elane !...

En entendant son nom, une flambée de joie illumina le visage d'Elane. Rejetant son voile en arrière, transfigurée, elle s'élança vers lui.

– Ecoutez tous ! dit-elle d'une voix haute et claire. C'est pour moi que cet homme est venu. Pour moi seule ! Je l'attendais !

Frappé au cœur, ébloui, horrifié à la fois, Gaius vacilla. Elane ! Elane enfin était là près de lui et se perdait pour essayer de le sauver ! Elane qu'il n'avait jamais cessé d'aimer depuis le premier jour où leurs regards s'étaient croisés. Ni son mariage forcé, ni sa carrière, ni même Senara n'avaient en rien compté. Elane, elle seule, avait été son unique et irremplaçable lumière. Les caprices du destin cruel, l'acharnement du sort les avaient séparés sur terre, mais de toute éternité ils avaient été promis l'un à l'autre. Au seuil de l'autre monde rien ni personne ne pourraient plus jamais les désunir.

Un silence impressionnant semblait avoir changé en pierres

l'assistance tout entière et l'on n'entendait plus sur la colline que le crépitement des feux qui rougeoyaient dans l'ombre.

Sortant de sa stupeur, le Haut Druide réagit le premier :

– Une dernière fois, Romain, parle ! Je veux la vérité ! Pour ma fille, pour ton honneur !

« La vérité ?... » Un instant, le mot parut dépourvu de tout sens à Gaius. Déchiré entre Rome et l'Ile de Bretagne, savait-il seulement qui il était lui-même ? Mais plongeant ses yeux dans le regard clair d'Elane, sa réponse éclata, évidente :

– La vérité ? Elane vient de la dire, murmura-t-il d'une voix distincte, avant d'ajouter doucement : Je suis venu chercher Elane. Je l'ai toujours aimée.

Les larmes d'un bonheur ineffable noyèrent les yeux d'Elane. Submergée par la joie qui déferlait dans son cœur, elle ferma un instant les paupières et quand elle les rouvrit, le vent ayant soudain attisé les flammes des foyers, elle vit fugitivement le visage de Gaius resplendir comme l'astre flamboyant de leur amour ressuscité. Grâce à lui, elle en était maintenant certaine, Senara et leur fils seraient protégés et sauvés.

– Ainsi, tu nous as trompés ? gronda Benedig blême de rage, se tournant vers elle. Toi, la Haute Prêtresse, tu as violé tes serments ?

Tout était devenu simple pour Elane. Elle connaissait la sentence de mort qui la condamnait déjà et n'en avait plus peur. Au contraire elle s'en réjouissait puisqu'elle allait mourir avec Gaius. Aussi répondit-elle à son père avec un calme et une sérénité qu'elle n'avait jamais connus :

– Je n'ai partagé la couche du Roi Sacré qu'une seule fois, aux feux de Beltane comme j'en avais le droit...

– Que veux-tu dire ? cria une prêtresse. N'est-ce pas Dieda qu'il a fallu éloigner en raison de sa grossesse ? N'est-ce pas elle qui a eu un enfant ?

– Non ! hurla Dieda en se précipitant vers le Haut Druide. J'ai dû, contre mon gré, accepter la substitution ! On m'a forcée à jouer son rôle le temps de son accouchement et quand elle a repris ses fonctions, on m'a exilée ! Moi ! Elle a régné sur le Sanctuaire de la Forêt comme si elle était aussi chaste et pure que la lune, mais tout cela n'a été que mensonge !

– Chaque jour de ma vie j'ai servi la Déesse et jamais les Romains ! clama Elane, impassible malgré la fureur grandissante de son père et les cris d'hostilité qui s'élevaient dans la foule.

– Chienne ! Toute ta vie n'a été que mensonge ! L'heure de l'expiation a sonné ! Tu ne mérites même pas une bénédiction de la Déesse et tu vas Lui être sacrifiée !

Il saisit Elane par le bras et la traîna vers le cercle des prêtres, plus près encore de Gaius. Une sourde rumeur parcourut la foule. Certains criaient : à mort ! d'autres : au sacrilège ! Un indescriptible désordre s'ensuivit, bref sursis dont profitèrent les deux amants pour se dire adieu.

– Elane, me pardonnes-tu ? murmura Gaius à bout de forces. Je t'ai toujours aimée mais je n'ai jamais été digne de toi... Pauvre Roi Sacré, qui n'a été qu'un homme si ordinaire... Puis il voulut dire encore quelque chose, son visage s'éclaira, mais seules ces paroles furent perceptibles : « Tu as été ma vie et enfin, tu vas m'appartenir dans la mort... »

– Gaius, souffla-t-elle éperdue, sans savoir s'il pouvait l'entendre, Gaius, mon cher amour, moi aussi je t'ai toujours aimé. En toi je vois un dieu qui ne mourra jamais.

Elle voulut alors dans un dernier sursaut s'arracher aux prêtres qui la retenaient pour serrer dans ses bras le pauvre corps meurtri, mais on l'en empêcha. Qu'importe ! Le Pays de l'Été vers lequel ils s'en allaient tous deux serait bientôt terre de délivrance, royaume d'éternité où ils renaîtraient ensemble à une vie qui n'aurait plus de fin.

– Roi Sacré ! hurla à plusieurs reprises Benedig comme un dément. Roi Sacré ! Eh bien, finissons-en ! Tel tu as été, tel tu vas mourir !

Dès lors tout alla très vite. On passa un nœud coulant autour du cou du supplicié, on le tira vers le bûcher, mais son esprit, avant que la lame d'une épée eût pénétré son cœur, avait rejoint déjà, bien plus haut, bien plus loin que la voûte céleste les landes toujours dorées des brumes éternelles.

– Eh bien, Prêtresse, ricana Benedig, à ton tour ! Quels présages tires-tu de ce sacrifice ?

– Je vois le sang royal qui sanctifie la terre. En Gaius coulait le sang mêlé de notre peuple et celui des Romains. En le livrant au feu sacré, vous venez de le lier à jamais à l'Ile de Bretagne.

Elane aspira profondément. Sa tête lui faisait mal au point qu'elle ne voyait plus rien à part l'éclat du bûcher qui s'était embrasé, inutile fournaise d'où jailliraient les signes d'une gloire future. Ses oreilles bourdonnaient et le tourbillon fou de la transe l'avait saisie, vrillant son corps et son esprit d'une force inhumaine. Alors, une voix toute-puissante s'empara de la sienne et éclata aussi étourdissante que le tonnerre :

– Peuple qui m'écoutez sur la colline, peuple c'est la dernière fois que la Grande Prêtresse des Oracles s'adresse à vous ! Rengainez vos armes, guerriers, brisez vos lances, car il faudra attendre la naissance et la mort de la neuvième génération pour que les Aigles romaines quittent à jamais notre île ! Et quand elles s'enfuiront, ceux qui porteront en eux votre sang et le leur demeureront toujours pour défendre nos terres !

– Tu mens ! Tu mens ! hurla Benedig livide. Tu as trahi tes vœux !

– Non, je n'ai jamais trahi mes vœux. Gaius, Roi de l'Année, est maintenant mon roi pour l'éternité. Ainsi en avez-vous décidé.

Voyant s'effondrer toutes ses certitudes, Benedig cette fois chancela, le visage tordu par un intolérable doute.

– Si tu dis vrai, tenta-t-il encore de s'écrier, alors, que la Déesse se manifeste avant que je ne te livre vivante aux flammes du bûcher !

Comme il disait ces mots, un coup de foudre prodigieux éclata dans la tête d'Elane qui s'effondra sur le sol, privée de vie. Son père tendit les bras vers elle, mais elle sentit qu'elle s'éloignait de lui, happée dans un tunnel inaccessible, les battements de son cœur s'éteignant doucement comme une flamme qui pâlit. La Déesse avait frappé. Elle avait accordé son pardon. Elle l'avait soulagée pour toujours de toute entrave terrestre.

Désincarnée et libre, Elane planait au-dessus de son corps immobile autour duquel s'affairaient fébrilement les hommes. Sa destinée sur terre était achevée. Un pont indestructible reliait maintenant son peuple à son bien-aimé. Deux druides soutenaient son père hagard et la foule effrayée désertait en fuyant la colline.

Elane vit encore les prêtres soulever sa dépouille et la déposer dévotement sur le bûcher à côté des restes de Gaius qui se consumaient lentement. Alors, plus rayonnante encore que la lune qui brillait dans l'immensité, elle se tourna vers la lueur éblouissante qui l'attirait irrésistiblement, et se fondit, radieuse, dans la nuit étoilée.

Epilogue

Épilogue

LE RECIT DE KELLEN

QUAND, le lendemain de la mort d'Elane, je parvins enfin sur la Colline Sacrée, les feux de Samain étaient partout éteints. Seuls subsistaient çà et là quelques amoncellements de cendres. A grand-peine, j'arrivai à glaner des récits fragmentaires des témoins qui me permirent de reconstituer peu à peu la trame cohérente des événements. L'hécatombe était terrible. Meline avait disparu ; on disait qu'elle était morte en tentant de protéger Elane. Elide, elle, avait été tuée au cours de la mêlée sanglante qui s'était déroulée après le sacrifice, quant à Dieda, elle avait mis fin à ses jours.

Benedig, le Haut Druide, avait perdu la raison, et, à l'exception de quelques fidèles restés auprès de lui pour le secourir, prêtres et guerriers avaient fui en désordre dans les bois. Désemparés, les villageois demeurés sur place se raccrochèrent à moi et me demandèrent de devenir leur guide.

Anéantie moi-même par cette tragédie, je m'efforçai de les rasséréner, tout en cherchant à saisir la signification profonde de ce qui venait d'arriver, la vie et la mort ne pouvant être prises ou données sans raison.

Le lendemain, après une nuit de cauchemars, je m'éveillai

417

épuisée, lorsqu'on m'annonça l'arrivée d'une délégation de Romains qui demandaient à être reçus. Je m'habillai en hâte et sortis pour les accueillir. Trois hommes me faisaient face : Macellius Severus, son secrétaire et Martius Julius Licinius qui m'apprit qu'il était le beau-père de Gaius. Courageusement, ils étaient venus sans escorte, dignes représentants d'une famille dont l'un des leurs venait de succomber en héros. Devoir leur apprendre ce qui s'était passé était pour moi une bien rude et pénible épreuve. En quelques mots, je répondis à leurs questions, masquant les circonstances exactes du décès de Gaius, les Romains bien que désorganisés ayant encore des forces suffisantes pour mettre le pays à feu et à sang. Dissimulant la vérité, je leur dis donc que Gaius était mort l'épée à la main, tué par méprise, victime d'une fatalité que nous déplorions tous.

Accablés, les trois hommes allaient se retirer lorsque Macellius, une lueur d'espoir dans les yeux, balbutia la gorge serrée :

— Un jeune garçon, dit-on, vivait dans le Sanctuaire de la Forêt. On dit aussi qu'il s'appelait Gavain. Je crois... je crois que c'est mon petit-fils. Savez-vous où il se trouve maintenant ?

Je pus enfin répondre sans mentir : Gavain avait disparu depuis la veille de Samain, avec Lia, sa nourrice, et Senara.

En fait, Senara et Gavain, ayant appris par un druide en déroute la fin d'Elane, réapparurent désespérés trois jours plus tard à Vernemeton. Apprenant ma présence, Senara vint, en larmes, se jeter dans mes bras.

— Elle est morte à cause de moi ! parvint-elle à me dire entre deux sanglots. Elle s'est sacrifiée pour nous sauver, Gavain et moi.

Je la calmai alors avec tous les ménagements possibles. Elane était morte pour elle, pour son fils, mais aussi et surtout pour Gaius. Mais cela je ne pouvais le dire.

— Mon enfant, son sacrifice pour nous tous n'aura pas été

vain. Mais toi-même, veux-tu prononcer les vœux et servir la
Déesse à sa place ?

– Non ! je ne peux pas, je ne peux pas ! gémit-elle en se
tordant les mains. Je suis chrétienne et ce serait grand
péché. Mais le père Petros s'en va vivre à Deva. S'il m'autorise à occuper l'ermitage, j'y passerai le reste de mes jours
à prier !

A ces mots, j'eus soudain la vision de cette petite chaumière
tranquille tapie au fond des bois, entourée par une multitude
d'autres ermitages habités par des femmes, vision qui se réalisa bien des années plus tard. La cabane du père Petros en
effet fut la première de nombreuses communautés religieuses
où des femmes jouèrent le rôle qu'avaient tenu les prêtres du
Sanctuaire de la Forêt. Elane, j'en acquis par la suite la certitude, avait eu la prescience de cette évolution… Ainsi Senara,
refusant de devenir la Haute Prêtresse de Vernemeton, n'en
demeurait-elle pas moins son héritière spirituelle.

Gavain étant venu rejoindre les deux femmes, Senara
l'embrassant, demanda encore :

– Faudra-t-il le rendre à son grand-père ? Je ne pourrai pas
le garder toujours avec moi.

Ni Romain ni Britton, n'ayant pas encore atteint l'âge
d'homme, Gavain se trouvait au seuil d'un avenir incertain.
Kellen n'hésita donc pas un seul instant. Elane et Gaius
étaient morts aussi pour que leur fils pût vivre dans un
monde nouveau.

– Je rentre au Pays de l'Été, dit-elle, là où les brumes protègent l'île que l'on nomme Avalon. Veux-tu venir avec moi,
Gavain ?

– Au Pays de l'Été ? demanda-t-il, au bord des larmes. On
m'a dit que ma mère s'y trouvait.

– Oui, tu as raison, répondis-je, ne pouvant contenir mon
émotion. Elle est sûrement là-bas, ou pas très loin. De toute
manière, elle restera toujours avec nous.

– Alors, j'irai, dit-il en me prenant la main. Je partirai avec
vous à Avalon.

LA COLLINE DU DERNIER ADIEU

Les jours, les mois, les années ont passé. Ici, au cœur du Pays de l'Eté où je vis désormais, je me demande parfois pourquoi, de tous ceux qui ont vécu auprès de la Haute Prêtresse cette terrible histoire, je fus la seule épargnée. A dire vrai, je commence seulement à entrevoir, peut-être, l'ampleur du grand dessein caché. Qui sait si le fils d'Elane, descendant des deux races qui ont fait notre peuple, ne sera pas le fondateur d'une lignée d'où naîtra un jour un roi sauveur ?

Qui sait ? Nul ne m'en a rien dit. Merlin ne s'est jamais manifesté à moi, bien qu'il ait autrefois révélé son destin à Elane. Un grand dessein existe, je le pressens, et je sais qu'un défenseur issu de l'Aigle et du Dragon, non du Corbeau de la vengeance, sauvera notre terre l'heure venue. Alors peut-être Merlin prendra-t-il forme humaine pour lui venir en aide...

Ici, au Pays de l'Eté, un cercle de pierres projette son ombre sur le puissant Tor. C'est ici, sur cette Ile Sacrée, que réside la promesse du renouveau. C'est ici que j'attends et espère le dénouement de cette histoire.

Table

Achevé d'imprimer en décembre 1994
sur presse CAMERON
dans les ateliers de la S.E.P.C.
à Saint-Amand-Montrond (Cher)

— N° d'édit. : 460. — N° d'imp. : 3030. —
Dépôt légal : novembre 1994.

Imprimé en France